Recettes pour changer

ANNE WILLAN

RecetteS
POUR
CHANGER

•MARABOUT•

S O M

DÉCOUVRIR LA CUISINE EXOTIQUE...............6

DES ENTRÉES
POUR CHANGER 13

SOUPE DE CREVETTE AUX ÉPINARDS 14
CONSOMMÉ AU BAR.................................19

SOUPE DE BŒUF AUX PÂTES DE RIZ 20
POTAGE AU BŒUF ET AU RIZ.........................25

PETITS CROISSANTS FARCIS..........................26
BOUCHÉES À LA VAPEUR 31

ROULEAUX DE PRINTEMPS VIETNAMIENS...................32
ROULEAUX DE PRINTEMPS VÉGÉTARIENS....................37

PÂTÉS IMPÉRIAUX 38
PÂTÉS IMPÉRIAUX AUX CREVETTES ROSES 43

SUSHI...44
BARQUETTES DE RIZ AUX CREVETTES....................49

SALADE DE POULET À L'INDIENNE 50
SALADE DE POULET À L'ESTRAGON 53

NOUILLES CHINOISES EN SALADE...................54
SALADE DE NOUILLES THAÏ 57

SALADE DE POULET LAQUÉ 58
SALADE DE POULET TERIYAKI 61

SALADE AU RIZ SAUVAGE 62
SALADE DE RIZ AU CANARD FUMÉ 65

SALADE DE LA MER ÉPICÉE 66
FRUITS DE MER ÉPICÉS 69

SALADE DU MOYEN-ORIENT...................70

SALADES MÉDITERRANÉENNES 73
SALADE WALDORF 74
SALADE DE POULET TROPICALE 77

DES PLATS
POUR CHANGER 79

CHAUSSONS MEXICAINS...................80
CHAUSSONS MEXICAINS AU PORC...................85

CARRÉ DE PORC À LA MEXICAINE 86
STEAKS SAUCE BARBECUE...................91

MOLE POBLANO 92
MOLE DE PORC 95

CHILI CON CARNE 96
CHILI À LA MEXICAINE 99

BROCHETTES DE POULET À LA THAÏ 100
SALADE DE POULET À LA JAPONAISE...................103

FONDUE JAPONAISE...................104
BŒUF ET LÉGUMES BRAISÉS...................109

POULET À LA CITRONNELLE...................110
PORC À LA CITRONNELLE 115

CANARD À LA CHINOISE 116
POULET RÔTI À LA CANTONAISE 121

PORC FLEUR JAUNE...................122
LÉGUMES FLEUR JAUNE...................127

CURRY DE BŒUF À L'INDONÉSIENNE...................128
BŒUF BRAISÉ À LA VIETNAMIENNE...................133

DÉLICE DE BOUDDHA...................134
LÉGUMES SAUTÉS À LA VIETNAMIENNE...................139

MAIRE

POULET ET CREVETTES DE MALAISIE 140
POULET ET CREVETTES À LA THAÏ.........................145
BROCHETTES À L'INDONÉSIENNE 146
BROCHETTE DE POULET À LA VIETNAMIENNE 149

PORC AIGRE-DOUX DU SICHUAN 150
TRAVERS DE PORC ÉPICÉS À L'INDONÉSIENNE....................153

SUKIYAKI DE PORC 154
SUKIYAKI DE BŒUF AU GINGEMBRE 157

SAUTÉ DE POULET AU PAPRIKA 158
SAUTÉ DE POULET À LA BIÈRE 161
POULET SAUTÉ AU POIVRE DU SICHUAN 161

TAJINE DE POULET AUX ÉPICES.........................162
TAJINE DE POULET AUX AUBERGINES 165

FLÉTAN À L'ORIENTALE 166
FLÉTAN À LA THAÏ EN PAPILLOTES 169

BROCHETTES D'AGNEAU À LA TURQUE 170
BOULETTES D'AGNEAU À L'INDIENNE 173

AGNEAU BRAISÉ À L'INDIENNE 174
AGNEAU À LA MAROCAINE 177

COUSCOUS VÉGÉTARIEN 180
COUSCOUS AU POISSON 183
COUSCOUS D'AGNEAU ET DE LÉGUMES 183

GADO GADO...................................184
NID DE SALADE SAUCE CACAHUÈTES 189

POULET POJARSKI...............................190
BOULETTES POUR COCKTAIL 193

DES ACCOMPAGNEMENTS
POUR CHANGER 195

BORCHTCH ET PIROJKIS 196
BORCHTCH CAMPAGNARD 201

PÂTES DE RIZ SAUTÉES 202
PÂTES SAUTÉES À LA THAÏ 205

LÉGUMES SAUTÉS PIQUANTS...........................206
SALADE DE LÉGUMES ET DE TOFU 211

RIZ SAUTÉ À L'INDONÉSIENNE 212
RIZ SAUTÉ AU CURRY À LA THAÏ........................217

LÉGUMES À LA THAÏLANDAISE 218
LÉGUMES SAUTÉS À LA CHINOISE........................221

CURRY DE LÉGUMES 222
CURRY DE LÉGUMES D'HIVER.........................227

DES DESSERTS
POUR CHANGER 229

CRÈME À L'AMANDE ET FRUITS FRAIS 230
CRÈME À L'AMANDE ET AUX PRUNES....................233

BEIGNETS DE BANANE AU CITRON VERT....................234
BEIGNETS DE POMME AU SIROP CARAMÉLISÉ 237

RIZ GLUANT AUX MANGUES 238
RIZ GLUANT À L'ANANAS FRAIS........................241

TARTE AUX FIGUES ET AUX ÉPICES 242
TARTELETTES AUX FIGUES ET AUX ÉPICES 245

INDEX 246

DÉCOUVRIR LA CUISINE EXOTIQUE

L'ÉQUIPEMENT

L'équipement dont vous aurez besoin pour réaliser des plats exotiques est simple et peu coûteux, bien que certains ustensiles ne nous soient pas très familiers. Mais ils sont utilisés depuis des siècles, avec la plus grande efficacité. Il ne vous en faudra généralement que quelques-uns pour préparer la plupart des ingrédients.

Bien que le mot wok s'applique à la poêle typiquement chinoise, la plupart des cuisiniers asiatiques s'en servent, sous une forme ou sous une autre. Le wok et ses cousins ont une forme de bol très évasé, de grande circonférence et à bords légèrement inclinés. Certains d'entre eux ont de larges poignées en métal ou en bois, ou un long manche simple, ou les deux. Les woks traditionnels ont un fond bombé, conçu pour être posé directement sur le feu, mais des modèles à fond plat pour les plaques électriques sont maintenant disponibles. Un diamètre de 35 cm est idéal — assez grand pour la plupart des recettes mais pas trop pour rester maniable et ne pas occuper toute la surface de cuisson.

La fonte d'aluminium est le matériau le moins cher et peut-être le meilleur pour les woks, parce qu'elle est suffisamment lourde pour que les ingrédients n'y brûlent pas, mais assez légère pour être maniée facilement. La fonte est elle aussi parfaite, car elle conduit très bien la chaleur. Dans un cas comme dans l'autre, le wok acquiert à l'usage une patine qui lui évite de coller. Ne le choisissez pas à revêtement antiadhésif, car il n'atteindra jamais la température requise pour que les aliments y dorent correctement. Après la cuissson, essuyez-le, rincez-le sous l'eau chaude et séchez-le bien. Avant de l'utiliser pour la première fois, nettoyez-le à grande eau, puis chauffez-le directement sur feu vif jusqu'à ce qu'il soit très chaud. Avec du papier absorbant, badigeonnez tout l'intérieur avec de l'huile de maïs ou d'arachide. Elle va bientôt fumer et le centre du wok noircir. Retirez du feu, essuyez l'excès d'huile et laissez refroidir au moins dix minutes. Recommencez.

Quand ils ont découvert le wok, de nombreux cuisiniers en deviennent de fervents adeptes, abandonnant à son profit leurs casseroles, leurs poêles et leurs cocottes. Il est en effet parfait

pour faire sauter rapidement les ingrédients — son vaste fond et ses bords incurvés chauffent rapidement et uniformément, et ils y cuisent régulièrement. Sa grande capacité permet la friture, la cuisson à la vapeur ou à l'eau bouillante, bien que vous deviez alors veiller à sa stabilité, surtout si vous l'avez choisi avec un fond bombé ; un anneau à wok, sur lequel vous le poserez, est très utile.

Des couperets de toutes tailles sont toujours présents dans les cuisines exotiques. Leur large lame fixée sur un fort manche en bois permet de tout faire, aussi bien de débiter des os que de dénerver des crevettes. Vous pouvez utiliser le bout du manche comme un pilon, notamment pour écraser et réduire en poudre des épices. Les Japonais, eux, préfèrent les couteaux à lame fine, comparables à nos couteaux chef ou à nos couteaux à désosser.

Chez vous, vous vous servirez indifféremment d'un couperet ou d'un couteau chef : l'essentiel est que vous le teniez bien en main, de façon agréable et sûre. Comme les autres couteaux, le couperet doit être lavé et rangé soigneusement, et aiguisé régulièrement : en Asie, on passe le tranchant sur le fond non verni d'un bol en terre cuite.

Un mortier et un pilon lourd sont utiles pour préparer les pâtes d'épices des cuisines indonésienne et orientale, et pour écraser les noix, les graines et les épices entières. Vous les remplacerez éventuellement par un robot ménager ou un mixeur électrique.

Symbole de la cuisine asiatique, les baguettes permettent de prendre facilement les ingrédients aussi bien quand vous les préparez que quand vous les mangez. Gardez toujours à portée de main une paire de baguettes en bambou pour remuer, aérer le riz, séparer les pâtes pour qu'elles ne collent pas, et retourner ou sortir les ingrédients. Choisissez-les plus grandes et plus résistantes pour la friture : elles garderont vos mains éloignées de l'huile brûlante.

Vous aurez besoin pour certaines recettes d'ustensiles très particuliers, typiquement exotiques, mais dans la plupart des cas, vous trouverez sur vos étagères leurs équivalents occidentaux.

LA TECHNIQUE

La diversité des plats asiatiques est immense, mais ils sont en général faciles et rapides à préparer. Le mode de cuisson le plus usité en Asie est la friture rapide — qui conserve aux produits leur fraîche saveur, leur couleur et leur consistance. Commencez par chauffer le wok, puis versez-y de l'huile pour graisser le fond et les côtés. Continuez à chauffer quelques secondes, jusqu'à ce que l'huile soit chaude, ce qui évitera aux ingrédients de coller et leur permettra de dorer correctement. Mettez-les toujours dans le wok selon un ordre précis : d'abord les aromates (ail, racine de gingembre, oignons nouveaux), puis les aliments qui cuisent assez longtemps (légumes fermes ou viande), enfin ceux qui s'attendrissent plus vite. Mélangez-les aussitôt et remuez-les avec une spatule, en les répartissant sur toute la surface du wok. Sachez que la chaleur est légèrement plus forte au centre que sur les côtés. On ajoute souvent du liquide en fin de cuisson, généralement un mélange de sauce soja, de bouillon de volaille et de sauce de poisson, avec un peu de fécule de maïs pour épaissir la sauce et glacer les ingrédients.

La cuisson à la vapeur est aussi largement répandue, et les préoccupations diététiques actuelles lui accordent une place toujours plus grande. Les poissons entiers s'en accommodent très bien, tout comme les petits plats, tels que les Bouchées à la vapeur ou les Croissants farcis. Même le riz peut être cuit de cette façon, dans un panier à claie en bambou chemisé de mousseline humide.

Les conserves piquantes sont connues depuis des siècles pour garder les aliments sous les climats chauds de l'Asie. Cet ouvrage vous propose une technique : dans les Légumes piquants sautés, plusieurs légumes sont d'abord blanchis, puis enrobés dans une sauce aigre-douce à la noix de macadamia. On trouve au Moyen-Orient d'autres manières de préparer les aliments. Par exemple, la cuisson du poulet dans une tajine est typique du Nord de l'Afrique. Les grillades de viande, sous forme de boulettes assemblées en brochettes notamment, sont aussi une spécialité orientale. Il s'agit souvent d'agneau, mariné dans un mélange d'épices.

Certaines préparations asiatiques sont très peu cuites, ou pas du tout, ce qui met en valeur toutes les saveurs naturelles des ingrédients. Dans les sushis, des lanières de thon frais cru et de concombre sont posées sur un lit de riz et d'algues grillées, tandis que dans les Rouleaux de printemps, des crevettes cuites et du porc sont mélangés à des légumes crus croquants et à des herbes, puis roulés dans des feuilles de papier de riz ramollies.

Une fois que vous vous serez familiarisé avec ces techniques, vous pourrez préparer rapidement les plats à l'aide d'un couperet. Vous débiterez des os en les frappant d'un coup sec de toute la force de votre épaule et de votre coude. Vous couperez des ingrédients beaucoup plus délicats en tenant le manche près de la lame et en guidant celle-ci sur la dernière phalange de vos doigts. Quant au plat de la lame, il est idéal pour écraser de l'ail, de la racine de gingembre, de la citronnelle et du galanga pour les hacher ensuite plus facilement.

Diverses techniques de découpe sont illustrées dans cet ouvrage ; elles utilisent à la fois le couperet et le couteau chef. Vous apprendrez comment hacher finement de l'ail, de la racine de gingembre et du galanga, émincer du bœuf et de la volaille, hacher du porc cru, désosser des pilons de poulet, griller des noix de pecan et détailler des piments en dés. Pour les spécialités japonaises, vous saurez bientôt dénerver les crevettes et les ouvrir en papillon, ou leur donner une forme de fleur.

D'autres tours de main asiatiques vous sont proposés : préparer des sushi et des pâtés impériaux ; façonner des croissants farcis pour les frire d'un côté et les attendrir à la vapeur ; faire des pâtes d'épices ; sécher et rôtir un canard pour en rendre la peau croustillante et brun acajou ; et réaliser un bouillon japonais (*dashi*), embaumant les saveurs marines.

LES INGRÉDIENTS

Les cuisiniers asiatiques utilisent une multitude d'ingrédients ; certains vous sont connus, d'autres vous sembleront exotiques dans leur aspect et dans leur goût, mais ils vous deviendront vite familiers tant ils sont délicieux. Ils se caractérisent toujours par leur extrême fraîcheur. Sur un marché asiatique, les étalages de légumes brillants, de fruits mûrs et succulents, et de bouquets d'herbes aromatiques témoignent de l'importance de la très grande qualité des produits. Dans certaines régions même, les poissons sont proposés vivants ; ils ne sont assommés, vidés et écaillés que lorsque l'acheteur a fait son choix.

Si le poisson, la viande et la volaille apparaissent dans la plupart des plats asiatiques, ces produits riches en protéines n'y prédominent jamais, et sont toujours accompagnés de beaucoup de riz, de pâtes et de légumes. En fait, le riz est si important que, dans certaines langues, le mot qui désigne la nourriture en général est le même que celui qui qualifie le riz, tandis que dans d'autres, elle est baptisée d'un terme qui signifie «avec le riz». Il en existe de nombreuses variétés. La plupart de ces recettes utilisent du riz à grains longs, tendre et aérien, avec des grains bien séparés. Le riz à grains courts est cuit à l'eau, puis mélangé avec du vinaigre de vin sucré, et éventé pour le rendre brillant et légèrement collant, pour réaliser des sushis, par exemple. Le riz gluant peut être à grains longs ou à grains courts ; il est enrichi de noix de coco crémeuse et de sucre dans la recette thaïe du Riz gluant aux mangues.

Les pâtes sont souvent présentes dans les plats asiatiques, comme ingrédient principal ou d'accompagnement. Elles sont préparées à partir de farine de froment, de riz ou de blé noir, de pommes de terre, de soja, et même d'igname. Dans les Pâtes de riz sautées, elles compensent par leur moelleux les saveurs relevées des saucisses chinoises et des piments. Les vermicelles de soja, préparés avec de la farine de soja, se marient bien avec les légumes frais et séchés du Délice de Bouddha, et les shiratakis— poétiquement appelées «cascade blanche» — font traditionnellement partie de la Fondue japonaise.

La saveur caractéristique de la cuisine asiatique tient à la subtile association des divers aromates, de sorte qu'aucun d'entre eux ne prédomine, mais que chacun contribue de façon parfaitement équilibrée au goût général.

De nombreux plats tirent leur saveur salée essentiellement de deux ingrédients qui remplacent le sel à la cuisine et sur la table. La sauce soja est sans doute la plus connue en Occident, mais la sauce de poisson, appelé *nam pla, nuoc mam* ou *patis*, plus parfumée et fortement relevée, est largement utilisée dans tous les pays orientaux. Quelques gouttes suffisent à donner un goût sucré-salé très particulier aux plats cuisinés ou aux sauces, comme celle dans lesquelles on trempe de nombreuses préparations vietamiennes. Les crevettes séchées, la pâte de crevettes séchée et les haricots noirs fermentés permettent aussi de saler les plats.

L'huile de sésame, préparée à partir de graines de sésame grillées, est utilisée comme aromate, et non pour la cuisson, tandis que les graines de sésame et les noix, comme les cacahuètes et les noix de macadamia, enrichissent certaines pâtes ou viennent apporter leur croquant. Pour la cuisson, on choisit des huiles au goût neutre et qui supportent les très hautes températures.

L'huile d'arachide est celle que préfèrent les cuisiniers asiatiques; mais vous pouvez aussi choisir de l'huile de soja, de tournesol ou de colza.

Le gingembre et une autre racine comparable, le galanga, apportent à de nombreux plats leur piquant, et les piments leur chaleur. L'ail et les membres de la famille de l'oignon sont omniprésents, et la citronnelle, avec son arôme fortement citronné, relève souvent les mets d'une pointe d'acidité. D'autres saveurs acides viennent du tamarin, du jus de citron vert ou du vinaigre de riz.

Les légumes frais sont toujours choisis tant pour leur consistance que pour leur parfum. Outre ceux que nous connaissons, il en existe des variétés exotiques, comme les épinards asiatiques, le radis blanc (daikon) et les haricots longs, qui ressemblent à des haricots verts géants !

Les saveurs fraîches et les textures moelleuses et croquantes à la fois viennent des châtaignes d'eau, de la racine de lotus et, surtout, des germes de soja. Pour une présentation plus raffinée, ceux-ci sont parfois débarrassés de leurs fines racines et de leurs pousses vertes, mais plus généralement, il suffit de les trier, de les rincer et de les égoutter. Les herbes les plus appréciées, toujours utilisées fraîches, sont la coriandre, le basilic asiatique et la menthe. Elles doivent être hachées avant d'être parsemées sur un plat cuisiné, mais se dégustent aussi en salade ou en accompagnement froid, ou servent de garniture ou de décoration.

Les ingrédients secs sont importants dans la cuisine asiatique, notamment dans les plats chinois. Les champignons noirs, les champignons parfumés et les fleurs de lis apportent leur saveur fumée et boisée ainsi que leur consistance charnue à des préparations telles que le Porc fleur jaune.

Vous trouverez pp. 10-11 un lexique qui décrit de nombreux ingrédients asiatiques. Toutes les sauces soja sont préparées de la même façon — en broyant des graines de soja et une céréale, généralement du blé, pour produire un liquide lisse et salé. La sauce soja chinoise peut être foncée ou claire ; la première, très colorée, qui a été additionnée de mélasse, est utilisée dans les recettes épicées et comme assaisonnement de table ; la seconde, sensiblement plus claire et légèrement moins salée, entre dans la composition des préparations plus délicates, notamment à base de fruits de mer, de volaille et de légumes.

La sauce soja japonaise *(shoyu)* a une saveur subtile et un peu sucrée ; elle ressemble beaucoup à la sauce claire chinoise. En Malaisie, cette sauce, appelée *ketjap manis,* est très épaisse et elle aussi sucrée. Légèrement sirupeuse, elle est souvent aromatisée avec du sucre de palme, de l'ail, de l'anis étoilé, des feuilles proches de celles du laurier et du galanga.

Vous apprendrez aussi à préparer le cacik, mélange de yaourt, de concombre et d'ail, accompagnement incontournable du Moyen-Orient.

C'est ainsi un véritable tour du monde des saveurs qui vous est proposé à travers ces *Recettes pour changer.*

DÉCORATIONS

*La présentation d'un plat asiatique réclame toujours une décoration colorée.
Les fruits et les légumes frais sont souvent attirants pour le regard.
Les motifs suivants comptent parmi les plus fréquents.*

FLEUR DE PIMENT	DOUBLE TORTILLON DE CITRON VERT	FRISE DE CONCOMBRE	FLEUR DE CITRON VERT

Toutes les variétés de piment pertmettent de créer ces fleurs très colorées

Pour obtenir ce bel effet, coupez une double épaisseur de citron vert.

Cette frise se réalise avec une épluchure de concombre. Alignez-les si le plat est grand.

La belle peau verte d'un quartier de citron est repliée pour créer une forme de fleur.

1 Enfilez des gants en caoutchouc, car vous pourriez vous brûler la peau. Faites plusieurs entailles dans le piment, sans ôter la queue, en travaillant vers la pointe. Lavez-vous immédiatement les mains si vous n'avez pas mis de gants.

2 Plongez le piment dans un bol d'eau glacée pour 30 min, jusqu'à ce que ses extrémités se recourbent. Sortez-le de l'eau et laissez-le sécher..

1 Coupez une très fine tranche de citron vert, sans l'entailler jusqu'au bout. Coupez-en une seconde, cette fois complètement, pour obtenir une tranche à double épaisseur.

2 Entaillez la tranche du bord vers le centre, et tortillez-la pour former des courbes doubles.

1 Coupez dans le concombre un morceau de 7 cm. À l'aide d'un couteau d'office, enlevez-en délicatement la peau, sans la briser, en grands morceaux.

2 Détaillez la peau en bandes de 4 cm de large et découpez une frise en 3 pointes.

1 Coupez un citron vert en 8 quartiers dans le sens de la hauteur. Parez soigneusement la peau et détachez-la de la pulpe, en la laissant attachée sur 1/3 de sa longueur.

2 Repliez la peau vers l'intérieur, en piquant le bout dans la pulpe pour créer une boucle en forme de feuille.

LEXIQUE

Anis étoilé : graine séchée en forme d'étoile d'un arbre de la famille du magnolia, à la saveur liquoreuse. Utilisé dans les plats braisés et les soupes, c'est l'un des composants des cinq-épices en poudre chinois.

Basilic asiatique : connue sous le nom de basilic thaï, cette variété a des tiges pourpres et de petites feuilles aux bords dentelés, à la saveur légèrement anisée. Vous pouvez le remplacer par du basilic ordinaire.

Champignons noirs : séchés, ils ont peu de goût, mais une agréable texture charnue ; ils entrent dans la composition des soupes et des ragoûts.

Châtaignes d'eau : tubercules, de la taille d'une noix, d'une plante aquatique du Sud-Est asiatique, qui ressemblent à nos châtaignes, avec une coque épineuse brune. Sous la peau, la chair est croquante et douce ; ; elle se mange telle quelle ou enrichit des plats sautés. On les trouve fraîches ou en boîte, entières ou tranchées.

Cinq-épices en poudre : mélange chinois de clous de girofle, de cannelle, de fenouil, d'anis étoilé et de poivre du Sichuan.

Citronnelle : longue herbe à l'arôme et à la saveur de citron puissants. Seules la base bulbeuse blanche et une partie de la tige sont utilisées, car les feuilles sont dures. Vous pouvez la remplacer par du zeste de citron vert.

Coriandre : appelée aussi persil chinois ou cilantro, elle a des feuilles plates à l'arôme épicé et à la saveur prononcée. Ses graines, qui ont un parfum différent, sont utilisées dans les mélanges et les pâtes épicés.

Crevettes séchées : minuscules crevettes entières décortiquées qui ont été salées et séchées, qui permettent d'assaisonner les soupes et les plats sautés.

Daikon : connu aussi sous le nom de *mooli*, ce long radis blanc d'hiver s'utilise cru dans les condiments ou cuit dans les soupes et les plats sautés. Il a une consistance croquante et une saveur légèrement poivrée et amère.

Épinards asiatiques : très proches par le goût des épinards occidentaux, ils ont des queues courtes et des petites feuilles plates, généralement vendues avec leurs racines. Vous pouvez les remplacer par des épinards ordinaires.

Feuilles de citron vert : feuilles aromatiques, fraîches ou séchées, d'un agrume originaire du Sud-Est asiatique, essentiellement utilisées dans la cuisine thaï.

Fleurs de lis : boutons de lis séchés à la saveur sucrée et à la texture charnue.

Flocons de bonite : indispensables dans la cuisine japonaise. Le filet de bonite, un poisson de la famille du maquereau, est séché et détaillé en flocons. C'est l'un des deux ingrédients essentiels du traditionnel ouillon, le *dashi*.

Galanga : aussi appelé *laos* en Indonésie et *khaa* en Thaïlande, ce rhizome, à l'arôme un peu terreux et à l'écorce rougeâtre, ressemble beaucoup au gingembre. On le trouve frais ou en tranches séchées.

Germes de soja : germes tendres des haricots mungos verts, à ne pas confondre avec les haricots de soja, à grosses cosses. Les fines racines et les pousses vertes sont souvent retirées avant utilisation.

Haricots longs asiatiques : haricots très fins, longs de 40 à 60 cm, aussi appelés haricots asperges. Choisissez-les vert sombre avec de petits haricots à l'intérieur. Vous pouvez les remplacer par des haricots verts.

Haricots noirs fermentés : petits haricots de soja noirs fermentés et conservés avec du sel et des aromates, uniquement utilisés dans les plats chinois pour les parfumer. Ils sont vendus sous emballage plastique, et il faut les mettre dans un pot et au réfrigérateur ; rincez-les sous l'eau et hachez-les ou écrasez-les. avant de les utiliser.

Huile de sésame : huile à la couleur ambrée extraite des graines de sésame grillées, utilisée comme aromate, mais pas pour la cuisson. À ne pas confondre avec l'huile de sésame foncée préparée à partir de graines non grillées et pressées à froid, et qui sert en cuisine.

Konbu : algue vendue sous forme de grandes feuilles, utilisée pour préparer le *dashi*, le traditionnel bouillon japonais.

Lait de coco : liquide obtenu en faisant infuser dans de l'eau de la pulpe de noix de coco. À ne pas confondre avec l'eau de coco qui se trouve à l'intérieur de la noix. Si on laisse ce lait reposer, une crème plus épaisse remonte à la surface. Vous pouvez facilement le remplacer par du lait de coco en boîte.

Litchis : petits fruits doux à pulpe blanche, à fine peau brune et à gros noyau. On les trouve frais ou en boîte, dans un sirop sucré.

Nori : feuilles croquantes d'une algue qui a été hachée et séchée. Utilisé pour envelopper le riz dans les sushis, il se vend grillé ou nature.

Papier de riz : feuilles translucides cassantes, rondes ou triangulaires, préparées avec de la farine de riz, de l'eau et du sel ; réhydratées, elles enveloppent les rouleaux de printemps.

Pâte de crevettes : pâte sombre très parfumée, préparée avec des crevettes fermentées, et vendue en morceaux ou en pot.

Pâtes : vermicelles de soja, longs filaments translucides, à base de haricots mungos, qui se vendent en longs écheveaux ; vermicelles de riz, appelés *mai fun* en Chine, fines pâtes blanches à base de farine de riz, ressemblant aux vermicelles de soja ; **pâtes de riz**, pâtes de différentes largeurs (de fine à moyenne ou large), à base de farine de riz, d'eau et de sel, et vendues pliés en paquets ; **shiratakis**, fines pâtes gélatineuses et translucides, à base de farine d'igname, vendues sur les marchés japonais en caissettes remplies d'eau et conservées au réfrigérateur.

Piments frais : introduits en Asie du Sud-Est depuis les Amériques par les Portugais et les Hollandais aux XVe et XVIe siècles. La variété la plus répandue, utilisée dans cet ouvrage, est le piment vert ou rouge fin, moyennement fort, de 10 à 12 cm de long. Les Thaïlandais apprécient aussi les piments de couleur cuivrée, très forts, de 2 cm de long, baptisés piments oiseaux.

Les Chinois se servent de piments entiers ou écrasés et séchés, tandis que les Coréens préfèrent le piment rouge en poudre.

Poivre du Sichuan : sans rapport avec le poivre classique, ces baies séchées brun rougeâtre d'une variété sauvage de frêne épineux ont une saveur épicée et laissent dans la bouche un goût plus piquant que brûlant.

Pousses de bambou : pousses dorées, assez douces et légèrement fibreuses, du jeune bambou. Appréciées dans toute l'Asie, elles s'achètent fraîches au printemps. Elles se trouvent aussi en conserve au naturel, en tranches, en morceaux ou entières.

Racine de lotus : racine subaquatique du lotus percée de trous dans le sens de la longueur. Elle a une saveur assez douce, avec une consistance croquante, et se vend fraîche, en boîte ou séchée.

Sauce aux haricots noirs : pâte brunâtre préparée à partir de haricots de soja noirs fermentés. Elle est largement utilisée dans les cuisines chinoise et japonaise. Vendue en pot et en boîte, elle se conserve très longtemps au réfrigérateur.

Sauce de poisson : appelée *nuoc mam* au Viet Nam, *nam pla* en Thaïlande et *patis* aux Philippines. C'est un liquide fin et brun, à l'arôme puissant, extrait de poisson ou de crevettes salés, utilisé pour la cuisine et comme condiment.

Sauce hoisin : préparation légèrement sucrée, lisse et brun sombre, utilisée dans les cuisines chinoise et vietnamienne comme condiment ou assaisonnement des fritures rapides, préparée à partir d'une poudre de graines de soja, d'ail, de piments, d'épices et d'un édulcorant.

Sauce soja : très présente dans toutes les cuisines asiatiques, elle est préparée à partir de graines de soja grillées mélangées avec du froment, fermentée, puis additionnée de levure, d'eau, de sel et de sucre.

Tamarin : pulpe brune et collante de la graine en forme de haricot du tamarin, utilisée pour son acidité dans les cuisines en Inde du Sud, en Asie du Sud-Est et en Amérique du Sud. Elle est habituellement diluée dans de l'eau et filtrée avant usage. Les graines se vendent sur les marchés latino-américains ; sur les marchés asiatiques, on trouve des morceaux de pulpe séchée.

Tofu : préparation crémeuse ressemblant à du fromage, à base de «lait» de haricots de soja. Très riche en protéines végétales, il est vendu en petits pâtés plats ou en blocs, tendres, fermes ou très fermes. Il se conserve dans l'eau, au réfrigérateur.

Vin de riz : vin préparé à partir de riz fermenté avec de l'eau. Le saké japonais et le vin jaune chinois sont utilisés en cuisine et comme boisson. Le vin de riz doux japonais (*mirin*) entre dans la composition des glaçages, des assaisonnements de salade et des ragoûts.

Vinaigre de riz : vinaigre à base de vin de riz, utilisé pour la cuisine et les conserves ; il est plus doux au Japon qu'en Chine.

Wasabi : pulpe verdâtre d'une racine noire japonaise, séchée et vendue en poudre.

LES ENCADRÉS TECHNIQUES

Toutes les recettes sont expliquées étape par étape, image par image. Certaines techniques de base se retrouvent dans plusieurs d'entre elles : elles sont minutieusement décrites dans des encadrés.

◊ Carotte (la couper en julienne) 34

◊ Citronnelle (la peler et la hacher) 112

◊ Crevette (la décortiquer et la dénerver) 203

◊ Échalotes (les hacher) 209

◊ Galanga (le peler, le trancher et le hacher) 210

◊ Gingembre frais (le peler, le trancher et le hacher 28

◊ Mangue (la peler et la trancher) 240

◊ Oignon (le hacher) 214

◊ Piment frais (ôter son pédoncule et ses graines et le couper en dés) 130

◊ Tomates (les peler, les épépiner, les concasser) . . . 82

LA CUISINE ASIATIQUE ET VOTRE SANTÉ

Les qualités diététiques de la cuisine asiatique sont bien connues. La plupart de ces plats sont par nature pauvres en graisses et riches en hydrates de carbone complexes ; seuls quelques-uns — ceux qui sont sautés ou enrichis de lait de coco, par exemple — sont plus gras. Les techniques de cuisson — friture rapide, grillade ou vapeur — gardent aux ingrédients leur moelleux et leur saveur — sans qu'il soit nécessaire de leur ajouter des matières grasses.

Un repas classique asiatique comprend toujours largement autant de riz, de pâtes et de légumes que de poisson, de viande ou de volaille, ce qui permet d'équilibrer les apports en cholestérol et en graisses saturées. Quant au tofu, très riche en protéines végétales et peu en graisses, il ne contient pas, pas plus que les légumes ou les céréales, de cholestérol.

Des Entrées pour Changer

SOUPE DE CREVETTE AUX ÉPINARDS   14

CONSOMMÉ AU BAR   19

SOUPE DE BŒUF AUX PÂTES DE RIZ   20

POTAGE AU BŒUF ET AU RIZ   25

PETITS CROISSANTS FARCIS   26

BOUCHÉES À LA VAPEUR   31

ROULEAUX DE PRINTEMPS VIETNAMIENS   32

ROULEAUX DE PRINTEMPS VÉGÉTARIENS   37

PÂTÉS IMPÉRIAUX   38

PÂTÉS IMPÉRIAUX AUX CREVETTES ROSES   43

SUSHI   44

BARQUETTES DE RIZ AUX CREVETTES   49

SALADE DE POULET À L'INDIENNE   50

SALADE DE POULET À L'ESTRAGON   53

NOUILLES CHINOISES EN SALADE   54

SALADE DE NOUILLES THAÏ   57

SALADE DE POULET LAQUÉ   58

SALADE DE POULET TERIYAKI   61

SALADE AU RIZ SAUVAGE   62

SALADE DE RIZ AU CANARD FUMÉ   64

SALADE DE LA MER ÉPICÉE   66

FRUITS DE MER ÉPICÉS   69

SALADE DU MOYEN-ORIENT   70

SALADES MÉDITERRANÉENNES   73

SALADE WALDORF   74

SALADE DE POULET TROPICALE   77

SOUPE DE CREVETTE AUX ÉPINARDS

Ebi no suimono

 POUR 4 PERSONNES   PRÉPARATION : DE 40 À 50 MIN

ÉQUIPEMENT

casseroles

set de table en bambou*

passoire

bols

papier absorbant

baguettes

couteau chef   mousseline

couteau d'office   couteau éplucheur

cuiller percée**

passoire en toile métallique   louche

planche à découper

* ou aluminium ménager
** ou écumoire

La plupart des repas japonais comportent une soupe, allant de la plus classique, au miso (à base de germes de soja fermentés), à un bouillon épais qui est un repas en soi. Le suimono, *soupe toute simple présentée ici et préparée à partir d'un* dashi, *bouillon parfumé au poisson et aux algues, illustre bien la cuisine traditionnelle japonaise. Servez-la très chaude dans des bols à couvercle.*

SAVOIR S'ORGANISER

Vous pouvez préparer le bouillon 48 h à l'avance et le conserver, couvert, au réfrigérateur. Mais sa délicate saveur ne supporte pas la congélation.

LE MARCHÉ

1/2 carotte
125 g d'épinards
sel
8 grosses crevettes crues non décortiquées, soit 250 g environ
2 cuil. à soupe de saké
1 cuil. à soupe de fécule de maïs
1 cuil. à café de sauce soja japonaise
Pour le bouillon
1 litre d'eau froide
1 morceau de 10 cm de nori
5 g de flocons de bonite

INGRÉDIENTS

épinards   carotte

flocons de bonite séchés

nori (varech séché)

grosses crevettes crues   fécule de maïs

saké***   sauce soja japonaise

*** ou xérès sec

DÉROULEMENT

1 FAIRE LE BOUILLON

2 PRÉPARER LES LÉGUMES

3 FAIRE LES FLEURS DE CREVETTE

4 POUR TERMINER

1 FAIRE LE BOUILLON

1 Versez l'eau froide dans une grande casserole et mettez-y le morceau de nori.

2 Chauffez l'eau sur feu vif ; juste avant l'ébullition, sortez le nori à l'aide des baguettes ou d'une cuiller percée et jetez-le. Retirez la casserole du feu.

ATTENTION !

Retirez le nori dès que l'eau commence à frémir, sinon le bouillon sera amer et trouble.

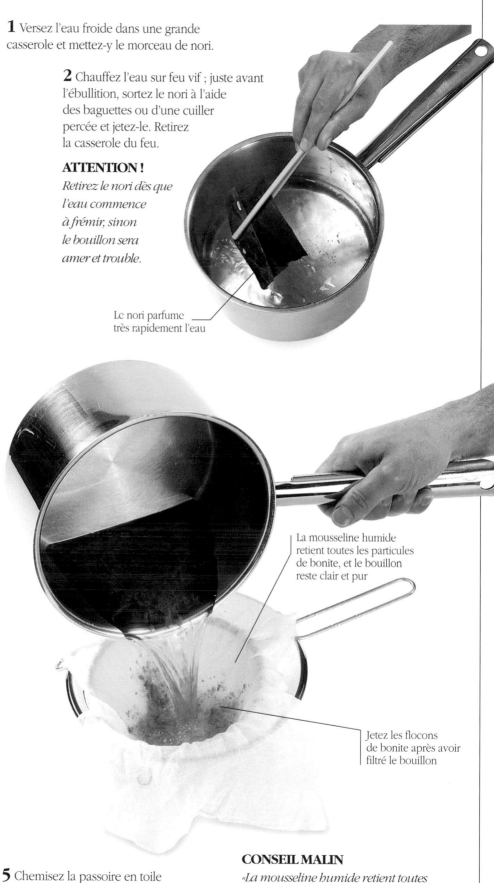

Le nori parfume très rapidement l'eau

3 Saupoudrez régulièrement les flocons de bonite à la surface de l'eau parfumée par le nori.

La mousseline humide retient toutes les particules de bonite, et le bouillon reste clair et pur

Jetez les flocons de bonite après avoir filtré le bouillon

4 Laissez le bouillon reposer de 3 à 5 min, selon le degré de sécheresse des flocons de bonite, jusqu'à ce qu'ils tombent au fond.

CONSEIL MALIN

«Contrairement à d'autres bouillons qui mijotent longtemps, celui-ci, vite fait, est clair et a une délicieuse saveur marine.

5 Chemisez la passoire en toile métallique avec la mousseline humide. Versez-y le bouillon pour le filtrer.

CONSEIL MALIN

«La mousseline humide retient toutes les particules de bonite, et le bouillon reste clair et pur.»

2 PRÉPARER LES LÉGUMES

Les épinards doivent être jeunes et tendres ————

1 Ôtez les tiges dures et les côtes des épinards et lavez soigneusement les feuilles.

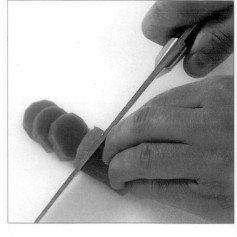

2 Parez et pelez la demi-carotte avec le couteau éplucheur. Détaillez-la en 8 rondelles.

3 Remplissez à moitié d'eau une casserole moyenne, ajoutez une pincée dc sel et portez à ébullition. Ajoutez les tranches de carotte et laissez frémir de 3 à 5 min. Sortez-les à l'aide de la cuiller percée et réservez-les.

Les épinards cuisent très vite dans l'eau bouillante

4 Portez de nouveau l'eau à ébullition et ajoutez les épinards. Laissez frémir de 2 à 3 min, jusqu'à ce qu'ils soient tendres.

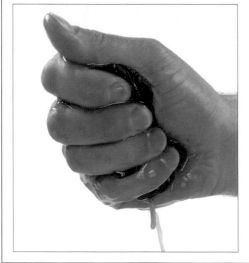

5 Égouttez les épinards dans la passoire et rincez-les sous l'eau froide. Pressez-les doucement dans votre main pour en enlever l'excès d'eau.

6 Dépliez les épinards froissés de façon qu'ils soient aussi plats que possible.

CONSEIL MALIN

«Manipulez délicatement les épinards Si vous les déchirez, faites-les se chevaucher sur le set en bambou pour combler les trous.»

7 Étalez soigneusement les épinards sur le set en bambou, en un carré de 10 cm de côté.

8 Soulevez une extrémité du set et roulez fermement les épinards en un cylindre de 2,5 cm de diamètre, en pressant bien pour éliminer le reste d'eau.

Le set en bambou est idéal pour rouler les épinards

9 Posez le rouleau d'épinards sur la planche à découper. À l'aide du couteau chef, découpez-le en 4 morceaux égaux et réservez-les jusqu'au moment de terminer la soupe.

3 FAIRE LES FLEURS DE CREVETTE

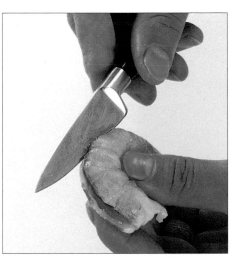

1 Décortiquez les crevettes avec les doigts.

2 À l'aide du couteau d'office, faites une entaille profonde le long du dos des crevettes, en gardant les extrémités intactes.

3 Enlevez la veine intestinale noire des crevettes. Rincez-les sous un filet d'eau froide, et séchez-les dans du papier absorbant.

4 En tenant une crevette côté ouvert vers le haut, glissez sa queue dans l'entaille pour former une fleur. Procédez de la même façon avec les autres crevettes.

5 Mettez les fleurs de crevette dans un petit bol, ajoutez le saké, et remuez légèrement avec les doigts pour bien les enrober.

6 Remplissez d'eau une casserole moyenne et portez à ébullition. Mettez la fécule de maïs sur une petite assiette. En tenant les crevettes par la queue, enrobez-les de fécule de tous les côtés.

7 Faites glisser les crevettes dans la casserole d'eau bouillante, et cuisez de 1 à 2 min, jusqu'à ce qu'elles soient juste roses. Sortez-les avec les baguettes ou la cuiller percée et réservez-les sur une assiette.

4 POUR TERMINER

1 Portez le bouillon à ébullition et ajoutez la sauce soja, selon votre goût. Disposez 2 fleurs de crevette et un petit rouleau d'épinards dans 4 bols à potage chauds.

Versez délicatement le bouillon chaud sur les autres ingrédients

2 Versez doucement le bouillon, en veillant à ne pas déranger la disposition des crevettes et des épinards.

3 Posez 2 tranches de carotte au centre de chaque bol. Mettez les bols sur des plateaux en bambou ou sur des assiettes.

🍽️

POUR SERVIR

Les Japonais tiennent le bol de soupe d'une main et, de l'autre, manient les baguettes pour prendre les ingrédients solides. Le bouillon ne se déguste pas avec une cuiller, mais se boit dans le bol.

Le *suimono* japonais est délicatement parfumé et joliment présenté

Les rondelles de carotte relèvent le rose pâle des crevettes

VARIANTE

CONSOMMÉ AU BAR
SUZUKI NO SUIMONO

Ici, des morceaux de daikon (radis blanc) remplacent les épinards, et des morceaux de poisson, les crevettes. Au Japon, cette soupe relevée se sert en hiver.

1 N'utilisez ni crevettes, ni épinards.
2 Préparez le bouillon et cuisez les rondelles de carotte en suivant la recette principale.

3 Coupez un bar nettoyé (environ 400 g) en 4 tranches, en enlevant la tête et la queue. Arrosez le poisson avec 1 cuil. à soupe de saké, puis cuisez-le dans l'eau frémissante de 2 à 3 min, jusqu'à ce qu'il soit ferme. Égouttez et réservez.

4 À l'aide du couteau éplucheur, pelez un morceau de 2,5 cm de daikon ; coupez-le en 8 morceaux. Remplissez à moitié d'eau une petite casserole, ajoutez une pincée de sel et le daikon, et portez à ébullition. Laissez frémir de 8 à 10 min. Égouttez et réservez.
5 Prélevez avec le couteau éplucheur 2 ou 3 bandes de zeste sur un citron ; coupez le reste du zeste en 12 lanières.
6 Réchauffez le bouillon et ajoutez la sauce soja. Disposez le poisson et les légumes dans 4 bols à potage chauds. Versez par-dessus le bouillon à la louche. Parsemez avec 3 lanières de zeste de citron et décorez avec un brin de cresson frais.

19

SOUPE DE BŒUF AUX PÂTES DE RIZ

Pho bac

 POUR 4 PERSONNES   PRÉPARATION : 1 H 30*   CUISSON : DE 4 À 5 H

ÉQUIPEMENT

grande cocotte
avec couvercle

écumoire
en bambou

gants en
caoutchouc

grandes casseroles

couperet**

mousseline

bols

cuiller à wok***

passoire

planche à
découper

 baguettes****

** ou couteau chef
et couteau d'office
*** ou louche
**** ou pinces

*Relevée par des épices, cette soupe vietnamienne
se consomme au petit déjeuner, au déjeuner
ou au dîner. Elle doit mijoter longtemps,
et devient alors un riche bouillon de viande,
qui constitue un repas à lui seul.*

plus 20 min de trempage

LE MARCHÉ

Pour le bouillon

1,5 kg de queue de bœuf, coupée en morceaux
1 kg d'os de bœuf, coupés en morceaux
3 litres d'eau, ou plus
1 gros oignon
5 cm de racine de gingembre fraîche
3 échalotes
4 étoiles d'anis entières
10 cm de bâton de cannelle
3 clous de girofle entiers

Pour les pâtes et les garnitures

250 g de pâtes de riz de 5 mm de large
125 g de germes de soja
2 oignons nouveaux
250 g de filet de bœuf
1 citron vert
1 piment rouge frais pas trop fort
4 cuil. à soupe de sauce de poisson
4 brins de coriandre fraîche

INGRÉDIENTS

queue
de bœuf   filet de bœuf

sauce de
poisson

pâtes de riz
séchées

os de
bœuf

bâton de
cannelle

germes
de soja

oignons nouveaux

clous de
girofle
entiers   échalotes

racine de
gingembre
fraîche

piment

oignon

anis étoilé
entier

citron vert

coriandre

DÉROULEMENT

1 PRÉPARER LE
BOUILLON DE BŒUF

2 FAIRE TREMPER
LES PÂTES DE RIZ
ET PRÉPARER
LES GARNITURES

3 PRÉPARER
LA SOUPE

20

1 PRÉPARER LE BOUILLON DE BŒUF

La gélatine de la queue et des os de bœuf est essentielle pour la qualité du bouillon

1 Mettez la queue et les os de bœuf dans la grande cocotte. Couvrez d'eau et portez à ébullition. Laissez frémir 10 min.

2 Versez le tout dans la passoire et rincez la queue et les os sous l'eau froide.

CONSEIL MALIN

«Les os blanchis et rincés feront moins d'écume pendant la cuisson.»

3 Rincez la cocotte. Remettez-y la queue et les os de bœuf. Ajoutez 3 litres d'eau, couvrez et portez doucement à ébullition.

4 Pendant ce temps, préchauffez le gril. À l'aide du couperet, coupez l'oignon avec sa pelure en deux, puis détaillez la racine de gingembre non épluchée en morceaux.

Les légumes dorés dans leur peau sont délicieux

Les légumes grillés dégagent mieux leur saveur

5 Disposez les moitiés d'oignon et les morceaux de gingembre sur la grille du four posée sur la lèchefrite. Ajoutez les échalotes non pelées. Enfournez pour 3 à 5 min à 7 cm de la source de.chaleur.

6 Retournez les légumes pour qu'ils soient dorés de tous les côtés.

CONSEIL MALIN

«Vous pouvez aussi utiliser une poêle sèche.»

7 Mettez les légumes dorés dans la cocotte avec l'anis étoilé, le bâton de cannelle et les clous de girofle.

8 Couvrez et laissez mijoter sur feu doux de 3 à 4 h. Ajoutez éventuellement de l'eau pour que les os restent couverts. Écumez de temps en temps la graisse qui remonte à la surface avec la cuiller à wok.

Sortez les morceaux de queue du bouillon pour en enlever la chair

9 À l'aide de l'écumoire en bambou, sortez les morceaux de queue du bouillon. Réservez-les.

10 Quand ils ont suffisamment refroidi pour ne pas vous brûler, retirez avec les doigts la chair des os et réservez-la.

La mousseline humide absorbe moins de bouillon

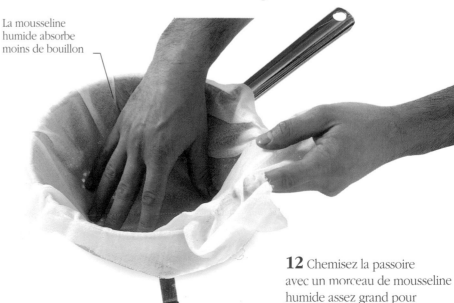

11 Remettez les os de la queue dans le bouillon et laissez mijoter 1 h encore.

12 Chemisez la passoire avec un morceau de mousseline humide assez grand pour dépasser largement sur les côtés.

Éliminez
bien toute
la graisse

13 Filtrez le bouillon à travers la passoire
au-dessus d'une grande casserole. Jetez
les os et les légumes.

14 Ôtez toute la graisse
du bouillon, goûtez et
rectifiez l'assaisonnement. Vous
devez avoir environ 2 litres de liquide.

2 FAIRE TREMPER LES PÂTES DE RIZ ET PRÉPARER LES GARNITURES

1 Mettez les pâtes de riz dans un bol
et couvrez-les d'eau chaude. Laissez-les
tremper 20 min environ, jusqu'à
ce qu'elles soient tendres.

2 Triez les germes de soja
et jetez tous ceux qui sont bruns
ou tachés.

Disposez les tranches
de bœuf sur une seule
couche pour qu'elles
ne collent pas

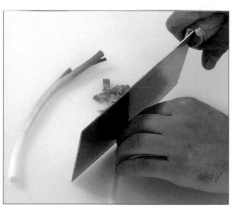

3 Parez les oignons nouveaux,
en gardant une partie du vert,
et tranchez-les en biais.

4 À l'aide du couperet, émincez
très finement le filet de bœuf.
Disposez les tranches sur un plateau,
couvrez bien et gardez au réfrigérateur.

Tranchez d'un coup
sec pour faire des
tranches le plus fines
possible

CONSEIL MALIN
*«Vous pouvez mettre la viande 30 min
au congélateur pour la trancher plus
facilement.»*

5 Avec le couperet, coupez le citron vert en deux dans le sens de la longueur, puis chaque moitié en 4 quartiers.

6 Enfilez des gants en caoutchouc et coupez le piment rouge en deux dans le sens de la longueur. Ôtez le pédoncule et grattez les graines et les membranes blanches qui se trouvent à l'intérieur. Détaillez les moitiés en très fines lanières.

3 PRÉPARER LA SOUPE

1 Mettez la chair de la queue de bœuf et la sauce de poisson dans le bouillon et portez à ébullition.

2 Remplissez à moitié d'eau unegrande casserole et portez à ébullition. Égouttez les pâtes, mettez-les dans l'eau et remuez. Attendez l'ébullition et égouttez.

Les pâtes de riz, attendries par le trempage, n'ont besoin que de très peu de cuisson

3 À l'aide des baguettes ou d'une cuiller percée, répartissez les pâtes dans 4 grands bols à potage.

4 Couronnez les pâtes avec les germes de soja, les tranches de bœuf cru à température ambiante et les oignons nouveaux.

5 Dans chaque bol, versez délicatement à la louche un peu de bouillon brûlant avec quelques morceaux de chair de la queue.

CONSEIL MALIN

« Le bouillon brûlant va cuire les tranches de viande crue. »

▯◉▯ POUR SERVIR

Servez la soupe aussitôt, très chaude, décorée avec les brins de coriandre. Proposez à part les lanières de piment rouge et les quartiers de citron vert.

Les germes de soja et les oignons nouveaux apportent du croquant

VARIANTE

POTAGE AU BŒUF ET AU RIZ
CHAO THIT BO

Ce potage se consomme dans tout le Viet Nam. La viande est parfois présentée sous forme de boulettes.

1 N'utilisez ni pâtes de riz, ni germes de soja, ni citron vert, ni piment. Préparez le bouillon, mais sans y mettre ni l'anis, ni la cannelle, ni les clous de girofle.
2 Faites tremper 30 g de vermicelles de soja 20 min dans de l'eau chaude. Coupez-les en morceaux de 5 cm.
3 Pelez un petit oignon, sans ôter sa base, et coupez-le en deux dans le sens de la longueur. Posez les moitiés à plat sur une planche à découper et tranchez-les horizontalement, puis verticalement, sans entailler la base. Détaillez-les en dés puis hachez-les finement.
4 Émincez le bœuf en tranches de 1,5 cm d'épaisseur. Coupez-les dans le sens de la longueur en lanières, puis en dés. Hachez-les très finement.

Mélangez le bœuf et l'oignon avec 1 cuil. à soupe de sauce de poisson et 1/4 de cuil. à café de poivre noir moulu, couvrez et mettez au frais.
5 Dans une grande casserole, chauffez sur feu moyen 1 cuil. à soupe d'huile végétale. Mettez-y 125 g de riz à grains longs et faites-le dorer 1 min en remuant.
6 Ajoutez le bouillon filtré et la chair de queue de bœuf et portez à ébullition sur feu vif. Couvrez et laissez doucement mijoter 20 min environ, jusqu'à ce que la viande soit très tendre.
7 Tranchez les oignons nouveaux Hachez grossièrement 2 cuil. à soupe de cacahuètes grillées non salées.
8 Mettez les vermicelles de soja ramollis dans le potage, avec 3 cuil. à soupe de sauce de poisson et 2 cuil. à café de sucre, et portez de nouveau à ébullition. Goûtez et ajoutez éventuellement un peu de sauce de poisson ou de poivre.
9 Mettez le mélange de bœuf haché dans des bols à potage chauds et versez le bouillon. Remuez avec des baguettes. Parsemez avec les oignons nouveaux et les cacahuètes, et décorez avec des brins de coriandre.

─── SAVOIR S'ORGANISER ───

Vous pouvez préparer le bouillon 3 jours à l'avance et le conserver au réfrigérateur, ou même le congeler. Les garnitures se gardent 4 h, bien couvertes, au froid. Tranchez le bœuf, faites tremper les pâtes de riz et réchauffez le bouillon juste avant de servir.

PETITS CROISSANTS FARCIS

Jaozi

 POUR 6 À 8 PERSONNES   PRÉPARATION : DE 50 À 60 MIN*   CUISSON : DE 20 À 25 MIN*

ÉQUIPEMENT

petite casserole

wok avec couvercle

spatule à wok

couperet**

bols

baguettes

planche à découper

torchons

pinceau à pâtisserie

rouleau à pâtisserie fin
(3 cm de diamètre environ)

** ou couteau chef

CONSEIL MALIN

«Un rouleau à pâtisserie fin est idéal pour abaisser la pâte à croissants, mais vous pouvez en utiliser un plus classique.»

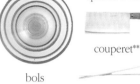

Ces petits croissants parfumés font traditionnellement partie des hors-d'œuvre chinois appelés dim sum. *Ici, ils sont sautés à l'huile puis mijotés avec un peu d'eau.*

SAVOIR S'ORGANISER

Vous pouvez façonner les croissants de 2 à 3 jours à l'avance et les conserver, couverts, au réfrigérateur. Cuisez-les juste avant de servir.

* plus 30 min de repos

LE MARCHÉ

Pour la pâte	
250 à 300 g de farine, et un peu pour le saupoudrage	
25 cl d'eau bouillante	
Pour la garniture	
2 oignons nouveaux	
2 grandes feuilles de chou chinois	
1,5 cm de racine de gingembre fraîche	
250 g de porc émincé	
1 cuil. à soupe de fécule de maïs	
1 cuil. à soupe de sauce soja claire	
1 cuil. à soupe de vin jaune chinois	
2 cuil. à café d'huile de sésame sombre	
1/2 cuil. à café de sucre en poudre	
Pour la cuisson	
2 cuil. à soupe d'huile	
25 cl d'eau froide	
brins de coriandre fraîche et sauce soja claire pour servir	

INGRÉDIENTS

chou chinois   porc émincé

farine de blé supérieure

vin jaune chinois***

racine de gingembre fraîche

sauce soja claire

huile

huile de sésame sombre

fécule de maïs

oignons nouveaux

sucre

*** ou xérès sec

DÉROULEMENT

1 FAIRE LA PÂTE

2 PRÉPARER LA GARNITURE

3 ABAISSER LA PÂTE ET LA GARNIR

4 FAIRE CUIRE LES CROISSANTS

1 FAIRE LA PÂTE

1 Mettez la farine dans un grand bol et creusez un puits au centre. Versez-y lentement l'eau bouillante, en l'incorporant à la farine avec les baguettes.

2 Continuez à mélanger avec les baguettes jusqu'à ce que toute l'eau soit absorbée et que le mélange soit grossier, en ajoutant éventuellement un peu de farine. Couvrez le bol avec un torchon et laissez reposer 1 min, jusqu'à ce que la pâte ait suffisamment refroidi pour ne pas vous brûler.

3 Rassemblez la pâte dans votre main et pressez-la en une boule lâche. Elle doit être très souple.

4 Posez la pâte sur un plan de travail légèrement fariné et pétrissez-la 5 min, en ajoutant éventuellement un peu de farine, jusqu'à ce qu'elle soit souple et élastique.

5 Couvrez la pâte avec un torchon et laissez-la reposer 30 min environ. Pendant ce temps, préparez la garniture.

2 PRÉPARER LA GARNITURE

1 Parez les oignons nouveaux, en gardant une partie du vert. Coupez-les en fines lanières dans le sens de la longueur.

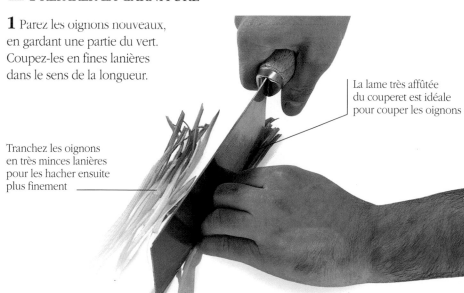

La lame très affûtée du couperet est idéale pour couper les oignons

Tranchez les oignons en très minces lanières pour les hacher ensuite plus finement

2 Rassemblez les lanières d'oignon entre vos doigts et hachez-les finement.

Utilisez les baguettes pour mélanger la garniture

4 Dans un grand bol, mélangez les oignons nouveaux, le chou et le gingembre avec le porc émincé, la fécule de maïs, la sauce soja, le vin jaune, l'huile de sésame et le sucre. Remuez bien avec les baguettes.

Le chou et les oignons nouveaux donnent de la consistance à la garniture

3 Empilez les feuilles de chou. Avec le couperet, coupez-les dans le sens de la longueur en quartiers, puis en tranches de 3 mm. Pelez et hachez le gingembre (voir encadré ci-dessous).

ÉPLUCHER, TRANCHER ET HACHER DU GINGEMBRE FRAIS

La lame lourde et affûtée du couperet permet de préparer rapidement une racine de gingembre. Vous pouvez aussi utiliser un couteau chef ; dans ce cas, pelez le gingembre avec un couteau éplucheur.

La lourde lame du couperet est idéale pour gratter la peau du gingembre

1 Avec le couperet, enlevez tous les nœuds du gingembre et grattez-en la peau.

2 Émincez finement le gingembre, en coupant à travers les fibres.

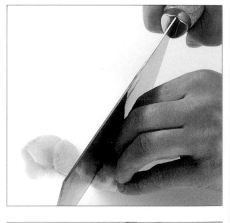

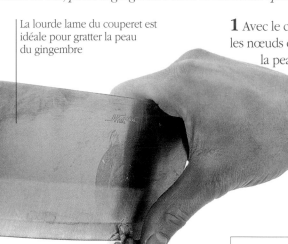

Tenez fermement le gingembre entre vos doigts quand vous en grattez la peau

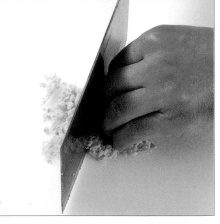

3 Posez le plat de la lame du couperet sur les tranches de gingembre et écrasez-les en appuyant fortement avec le poing.

4 Coupez les tranches de gingembre en dés et hachez-les aussi finement que possible.

3 ABAISSER LA PÂTE ET LA GARNIR

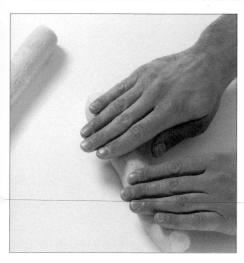

1 Divisez la pâte en deux et, avec les doigts, roulez chaque moitié en un cylindre d'environ 25 cm de long.

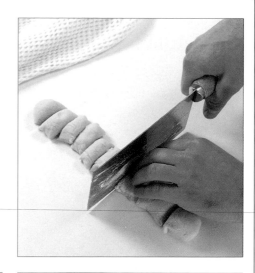

2 Farinez légèrement le couperet, puis coupez chaque cylindre en 12 morceaux égaux. Recouvrez-les d'un torchon humide.

CONSEIL MALIN

«Gardez les morceaux de pâte puis les croissants garnis sous un torchon humide pour qu'ils ne se dessèchent pas.»

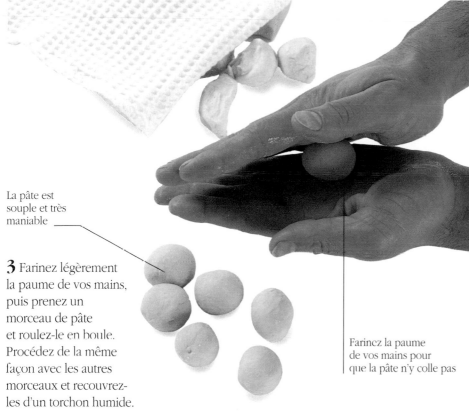

La pâte est souple et très maniable

Farinez la paume de vos mains pour que la pâte n'y colle pas

3 Farinez légèrement la paume de vos mains, puis prenez un morceau de pâte et roulez-le en boule. Procédez de la même façon avec les autres morceaux et recouvrez-les d'un torchon humide.

4 Farinez le plan de travail et le rouleau à pâtisserie. Aplatissez une boule de pâte avec la main et abaissez-la en un cercle de 10 cm de diamètre : les bords doivent être plus fins que le centre. Recouvrez d'un torchon humide. Abaissez les autres boules de pâte.

5 Posez une abaisse sur le plan de travail. Disposez au centre 1 cuil. à soupe de la garniture.

6 Humectez légèrement le bord de la pâte à l'aide du pinceau à pâtisserie trempé dans l'eau.

ATTENTION !

Ne mouillez pas trop la pâte, sinon elle deviendra collante et difficile à façonner.

Les bords de pâte humides se scelleront plus facilement

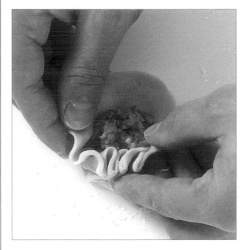

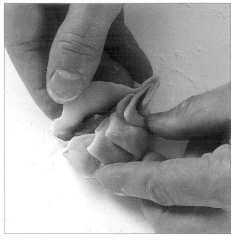

7 Faites 5 ou 6 plis autour de la moitié du cercle de pâte pour enfermer la garniture.

8 Remontez délicatement le bord plat par-dessus la garniture et rapprochez-le du bord plié.

9 Pressez l'un contre l'autre avec les doigts les bords du croissant pour bien les sceller, en les incurvant légèrement.

10 Trempez le fond des croissants dans un peu de farine et posez-les sur un plateau. Couvrez avec un torchon humide pour leur éviter de se dessécher.

Disposez les croissants sur le plateau de façon qu'ils ne se touchent pas

La fine couche de farine empêchera les croissants de coller au plateau

FAIRE CUIRE LES CROISSANTS

2 Faites sauter les croissants de 1 à 2 min, jusqu'à ce que leur fond soit doré et croustillant.

Soulevez de temps en temps les croissants pour qu'ils n'attachent pas

1 Chauffez le wok sur feu moyen. Versez-y la moitié de l'huile pour en graisser le fond et les côtés. Continuez à chauffer jusqu'à ce qu'elle soit très chaude. Disposez 12 croissants dans le wok, fond vers le bas, en une seule couche.

Versez l'eau au centre du wok pour que la vapeur cuise les croissants

3 Ajoutez doucement la moitié de l'eau froide et couvrez immédiatement le wok. Réduisez le feu et poursuivez la cuisson de 8 à 10 min, jusqu'à ce que tout le liquide se soit évaporé et que les croissants soient tendres mais encore légèrement croquants. Avec la spatule à wok, mettez-les sur des assiettes ou un plat et gardez-les au chaud. Procédez de la même façon pour les autres croissants.

🍴 POUR SERVIR

Décorez les croissants avec un brin de coriandre et servez-les chauds, avec de la sauce soja dans laquelle les convives les tremperont.

Les croissants doivent être servis chauds, éventuellement côté doré sur le dessus

La sauce soja apporte de la saveur à la pâte des croissants

BOUCHÉES À LA VAPEUR
SHAO MAI

Ces bouchées cantonaises sont très appréciées dans les maisons de thé.

1 Faites la pâte, la garniture et les cercles de pâte en suivant la recette principale.
2 Mettez 1 cuil. à soupe de garniture au centre de chaque cercle et humectez-en les bords.
3 Pour façonner les bourses, remontez le cercle autour de la garniture, rassemblez-en les bords et pincez-les pour former une bourse. Le haut de la garniture doit être visible. Pressez fermement les bourses pour qu'elles ne se défassent pas. Posez-les sur un plateau non fariné et couvrez-les avec un torchon humide.
4 Mettez 50 cl d'eau dans un wok, couvrez et portez à ébullition. Chemisez de feuilles de chou un panier à claie en bambou. Disposez au-dessus la moitié des bourses sur une seule couche, posez le couvercle sur le panier, et placez le tout dans le wok.
5 Faites cuire les bourses à la vapeur de 12 à 15 min, jusqu'à ce qu'elles soient tendres mais encore légèrement croquantes. Sortez le panier du wok, posez les bourses sur les assiettes et gardez au chaud. Procédez de la même façon pour les autres bourses. Décorez-les avec des feuilles de chou et des herbes. Servez-les chaudes, avec de la sauce soja et de l'huile pimentée dans lesquelles les convives les tremperont.

ROULEAUX DE PRINTEMPS VIETNAMIENS

Gio cuon

 POUR 4 PERSONNES    PRÉPARATION : DE 50 À 60 MIN   CUISSON : 25 MIN

ÉQUIPEMENT

bols

plat peu profond

casseroles

couteau éplucheur

couteau chef*

baguettes

passoire

couteau d'office

torchons

essoreuse à salade

planche à découper

passoire en toile métallique

gants en caoutchouc

Contrairement aux pâtés impériaux frits et croustillants, ces rouleaux de printemps vietnamiens, avec leur garniture de porc cuit, de crevettes, de vermicelles et de légumes crus, sont enveloppés dans de tendres feuilles de papier de riz. Ils se servent avce une sauce sucrée et épicée, qui équilibre la douceur de la garniture.

SAVOIR S'ORGANISER

Vous pouvez préparer les rouleaux et la sauce 2 h à l'avance.
Conservez-les au réfrigérateur, sous un torchon humide.

LE MARCHÉ

250 g de filet de porc désossé
8 crevettes crues non décortiquées, soit 125 g environ
1 grosse carotte
1 cuil. à café de sucre
60 g de vermicelles de riz ou de soja
8 petites feuilles de laitue sucrine, et un peu pour servir
75 g de germes de soja
12 à 15 brins de menthe fraîche
15 à 20 brins de coriandre fraîche
8 feuilles de papier de riz rondes, de 20 cm de diamètre
Pour la sauce
2 gousses d'ail
1 petit piment rouge frais
2 cuil. à soupe de sucre
4 cuil. à soupe de vinaigre de riz
4 cuil. à soupe de sauce de poisson
4 cuil. à soupe d'eau
2 cuil. à soupe de jus de citron vert

INGRÉDIENTS

laitue sucrine

filet de porc désossé

carotte

crevettes crues

menthe

vermicelles de riz

feuilles de papier de riz

coriandre

sucre

piment

vinaigre de riz

germes de soja

jus de citron vert

sauce de poisson

gousses d'ail

DÉROULEMENT

1 FAIRE
LA SAUCE

2 PRÉPARER
LA GARNITURE

3 COMPOSER
LES ROULEAUX
DE PRINTEMPS

* ou couperet

1 FAIRE LA SAUCE

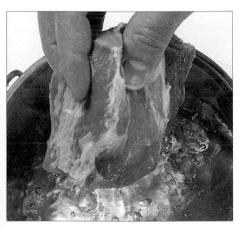

1 Posez le plat de la lame du couteau chef au sommet de chaque gousse d'ail et appuyez avec le poing. Pelez-les et hachez-les finement.

2 Enfilez les gants en caoutchouc, coupez le piment en deux et ôtez-en le pédoncule. Grattez les graines et les membranes blanches qui se trouvent à l'intérieur.

3 Coupez les moitiés de piment en très fines lanières. Rassemblez-les et détaillez-les en tout petits dés.

ATTENTION !

Portez toujours des gants en caoutchouc quand vous préparez des piments frais, car ils peuvent irriter la peau ; évitez tout contact avec les yeux.

4 Dans un petit bol, mélangez l'ail haché, les dés de piment, le sucre, le vinaigre de riz, la sauce de poisson et l'eau. Ajoutez le jus de citron vert, et remuez avec les baguettes jusqu'à ce que tous les ingrédients soient parfaitement mélangés.

2 PRÉPARER LA GARNITURE

La carapace des crevettes leur donne davantage de saveur

Les crevettes sont cuites quand leur carapace et leur chair sont roses

1 Remplissez à moitié d'eau une petite casserole et portez à ébullition. Mettez-y le porc et laissez frémir de 15 à 20 min, jusqu'à ce qu'il soit tendre.

2 Pendant ce temps, remplissez à moitié d'eau une casserole moyenne et portez à ébullition. Mettez-y les crevettes et laissez frémir de 1 à 2 min. Égouttez, rincez sous l'eau froide, égouttez de nouveau.

COUPER UNE CAROTTE EN JULIENNE

Une julienne de carotte apportera de la couleur à une salade ou une garniture, et elle s'attendrira sans cuisson dans une marinade.

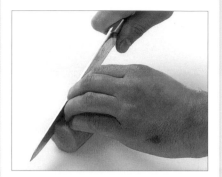

1 Pelez et parez la carotte, puis coupez-la en morceaux de 7 cm environ. Égalisez les bords au carré.

2 En tenant bien la carotte du bout des doigts, coupez-la verticalement en très fines tranches.

3 Empilez les tranches et coupez-les en fines lanières. En maintenant la pointe du couteau sur la planche à découper, guidez la lame sur la dernière phalange de vos doigts.

3 Du bout des doigts, ôtez délicatement la carapace des crevettes, y compris la queue, et jetez-la.

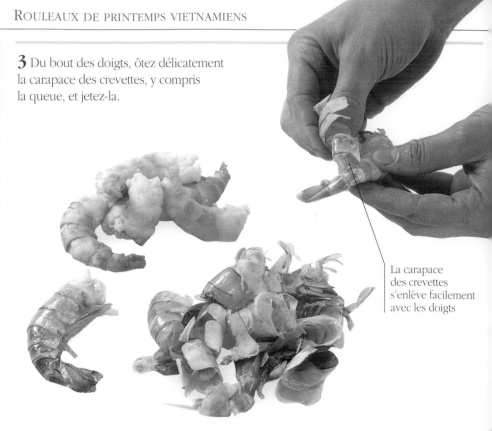

La carapace des crevettes s'enlève facilement avec les doigts

4 Coupez les crevettes en deux dans le sens de la longueur. À l'aide de la pointe du couteau d'office, retirez la veine intestinale noire.

5 Égouttez le porc, rincez-le sous l'eau froide pour enlever toute l'écume, égouttez-le de nouveau. Quand il a suffisamment refroidi pour ne pas vous brûler, coupez-le en deux puis, dans le sens des fibres, en tranches de 3 mm.

Tenez fermement les baguettes pour remuer

6 Coupez la carotte en julienne (voir encadré ci-contre). Dans un bol, mélangez-la avec le sucre à l'aide des baguettes et laissez la s'attendrir 15 min environ.

7 Remplissez une grande casserole d'eau et portez à ébullition. Mettez-y les vermicelles et laissez frémir de 1 à 2 min, ou selon les indications portées sur l'emballage.Remuez avec les baguettes pour leur éviter de coller.

CONSEIL MALIN

«Si vous utilisez des vermicelles de riz, ne les laissez dans l'eau bouillante que 30 s.»

8 Égouttez les vermicelles dans la passoire en toile métallique, rincez-les sous l'eau froide, égouttez-les de nouveau.

Égouttez bien les vermicelles pour qu'ils ne détrempent pas les rouleaux de printemps

9 Mettez les vermicelles sur la planche à découper, et coupez-les grossièrement en morceaux de 7 cm environ.

10 Lavez les feuilles de laitue à grande eau et ôtez-en les côtes dures. Séchez les dans l'essoreuse à salade ou dans un torchon. Déchirez éventuellement les plus grandes avec les doigts en 2 ou 3 morceaux.

Les feuilles de laitue apportent du croquant aux rouleaux de printemps

11 Triez les germes de soja et jetez tous ceux qui sont décolorés. Ôtez les fines racines et les pointes vertes. Réservez quelques brins de menthe et de coriandre pour la décoration et détachez de leur tige les feuilles des autres.

12 Réservez 2 cuil. à soupe de julienne de carotte. Disposez tous les ingrédients de la garniture sur un grand plat pour les prendre plus facilement.

3 COMPOSER LES ROULEAUX DE PRINTEMPS

Manipulez délicatement
les feuilles de riz,
car elles se déchirent
facilement

1 Versez de l'eau chaude dans le plat
peu profond sur une hauteur de 1,5 cm.
Prenez une feuille de riz, en gardant les
autres emballées. Plongez-la dans l'eau
de 20 à 25 s pour l'attendrir. Sortez-la avec
les doigts et posez-la sur un torchon sec.

2 Placez une
feuille de laitue
sur un premier tiers
de la feuille de riz.
Posez dessus 1/8 des
vermicelles, de la carotte,
du porc, des germes de soja
et des feuilles de menthe et
de coriandre. Roulez la feuille
de riz jusqu'en son milieu.

CONSEIL MALIN
*«Si les feuilles de riz se desséchaient,
humectez-les légèrement.»*

3 Rabattez les 2 côtés de la feuille de riz
sur la garniture pour former un cylindre
de 15 cm environ.

4 Placez quelques feuilles de coriandre
sur le cylindre de garniture, puis posez
au-dessus 2 demi-crevettes, tranche
vers le bas.

Travaillez rapidement
pour que la feuille de riz
reste souple

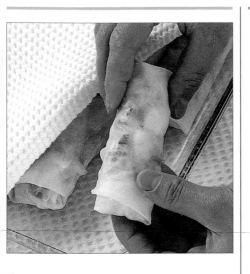

5 Continuez à rouler la feuille de riz et pressez légèrement son extrémité pour bien la sceller. Posez le rouleau, crevettes vers le haut, sur un plat, et couvrez-le avec un torchon humide pour qu'il ne se dessèche pas. Procédez de la même façon pour les autres rouleaux de printemps.

POUR SERVIR

Répartissez la sauce dans 4 petits bols et parsemez-la avec un peu de la julienne de carotte réservée. Disposez 2 rouleaux de printemps sur chaque assiette. Décorez avec les herbes réservées et un peu de julienne, et éventuellement une feuille de salade.

Les crevettes sont bien visibles à travers la feuille de riz translucide

VARIANTE

ROULEAUX DE PRINTEMPS VÉGÉTARIENS

GIO CHEY

Des champignons et des oignons remplacent la viande dans ces rouleaux de printemps, garnis d'une salade de vermicelles, de légumes et d'herbes aromatiques fraîches.

1 N'utilisez ni porc, ni crevettes, ni sauce. Faites tremper 8 champignons noirs séchés dans 20 cl d'eau bouillante 15 min environ, jusqu'à ce qu'ils soient gonflés. Préparez les vermicelles et les carottes en suivant la recette principale. Égouttez les champignons, en réservant 15 cl du liquide. Pressez-les bien pour en enlever l'excès d'humidité. Ôtez-en les queues. Coupez les chapeaux en tranches de 1,2 cm.
2 Pelez un oignon, sans ôter sa base, coupez-le en deux dans le sens de la longueur et tranchez-le finement.

3 Chauffez un wok sur feu assez fort et versez-y 1 cuil. à soupe d'huile pour graisser le fond et les côtés. Continuez à chauffer jusqu'à ce que l'huile soit bien chaude, mettez-y l'oignon et laissez-le fondre 2 min en remuant. Ajoutez les champignons et le liquide de trempage réservé. Couvrez et cuisez de 3 à 5 min, en remuant de temps en temps, jusqu'à ce que les champignons soient tendres. Incorporez 1 cuil. à café de sauce soja, 1/2 cuil. à café de sucre, et du sel. Versez dans un bol et laissez refroidir.
4 Composez les rouleaux de printemps en suivant la recette principale, en utilisant toute la carotte et en remplaçant les crevettes par le mélange aux champignons. Couvrez et laissez refroidir jusqu'au moment de servir.
5 Préparez une sauce hoisin : hachez finement une gousse d'ail. Dans une petite casserole, chauffez 2 cuil. à café d'huile, ajoutez l'ail et cuisez 15 s. Incorporez 10 cl de sauce hoisin, 3 cuil. à soupe d'eau, 1 cuil. à soupe de sauce soja légère, et 1/2 cuil. à café de piments secs écrasés. Retirez du feu et laissez refroidir.
6 Versez la sauce dans 4 petits bols et parsemez avec 2 cuil. à soupe de cacahuètes hachées. Disposez 2 rouleaux de printemps sur chaque assiette, avec une salade de julienne de carotte, de la laitue, des germes de soja, des herbes fraîches et des cacahuètes hachées.

PÂTÉS IMPÉRIAUX

Nem

🍽 POUR 8 PERSONNES   🍲 PRÉPARATION : DE 40 À 45 MIN*   ♨ CUISSON : DE 15 À 25 MIN

ÉQUIPEMENT

wok**

couteau chef

pinceau à pâtisserie

bols

palette

fouet

passoire

couteau d'office

plat résistant à la chaleur

passoire en toile métallique

presse-agrumes

papier absorbant

planche à découper

pinces métalliques

brochette en inox

** ou grande poêle

À table, chacun enveloppera ses pâtés impériaux dans des feuilles de menthe et de laitue croquante et les trempera dans la sauce.

* plus 30 min d'humidification

LE MARCHÉ

16 feuilles de riz, éventuellement surgelées et décongelées
1 œuf
1 laitue iceberg moyenne
15 cl d'huile végétale pour la friture, ou plus
1 bouquet de menthe fraîche
Pour la farce
30 g de shiitakes séchés
60 g de vermicelles de riz
1 oignon moyen
2 gousses d'ail
2 cuil. à soupe d'huile végétale
250 g de porc haché
3 cuil. à soupe de sauce de poisson (*nam pla* ou *patis*)
1 cuil. à café de sucre en poudre
poivre noir moulu
Pour la sauce
6 gousses d'ail
2 citrons verts
25 cl d'eau
15 cl de sauce de poisson
1 pincée de piments hachés
4 cuil. à soupe de miel

INGRÉDIENTS

laitue iceberg

menthe fraîche

feuilles de riz

vermicelles de riz

porc haché

huile végétale

gousses d'ail

miel

citrons verts

sauce de poisson

œuf

shiitakes séchés

piments hachés

sucre

oignon

CONSEIL MALIN

«Les feuilles à briks, un peu plus épaisses, sont plus faciles à travailler.»

DÉROULEMENT

1 FAIRE LA FARCE

2 FARCIR LES PÂTÉS

3 PRÉPARER LA SALADE; FAIRE LA SAUCE

4 FAIRE FRIRE LES PÂTÉS IMPÉRIAUX

FAIRE LA FARCE

1 Mettez les champignons séchés dans un bol d'eau chaude pour 30 min environ, le temps qu'ils gonflent. Pendant ce temps, faites ramollir les vermicelles de riz dans un autre bol d'eau chaude 15 min environ.

Les champignons séchés ont un parfum soutenu

L'eau chaude ramollit les vermicelles de riz

2 Égouttez les vermicelles et coupez-les en morceaux de 5 cm de long. Égouttez les champignons et hachez-les finement.

CONSEIL MALIN
«Détrempés, les vermicelles sont faciles à couper.»

3 Épluchez l'oignon, sans ôter sa base, puis coupez-le en deux dans le sens de la longueur. Tranchez les moitiés horizontalement puis verticalement, sans entailler la base.

4 Hachez l'oignon en dés très fins.

Remuez l'ail sans arrêt pour qu'il ne brûle pas

Le parfum de l'ail se développe à la cuisson

5 Posez le plat de la lame du couteau chef sur chaque gousse d'ail et appuyez avec le poing. Retirez la peau avec les doigts et hachez finement.

6 Chauffez l'huile dans le wok, mettez-y l'ail et cuisez-le doucement 30 s en remuant, pour qu'il dégage son arôme.

Remuez sans arrêt pour empêcher les ingrédients d'attacher

7 Ajoutez l'oignon haché et faites-le fondre de 1 à 2 min.

8 Ajoutez le porc et faites-le dorer de 3 à 5 min. Incorporez les champignons, les vermicelles, la sauce de poisson, le sucre et le poivre noir. Goûtez et rectifiez l'assaisonnement.

Les vermicelles ramollis se mélangent mieux avec le porc et les champignons

2 FARCIR LES PÂTÉS IMPÉRIAUX

Faites glisser la farce en la poussant avec le doigt

1 Étendez un torchon humide sur le plan de travail. Déposez les feuilles de riz d'un côté et rabattez l'autre moitié pour les ramollir. Battez légèrement un œuf.

CONSEIL MALIN

«Les feuilles à briks n'ont pas besoin d'être humidifiées.»

Disposez la farce de façon que les pâtés impériaux soient bien réguliers

2 Posez une feuille de riz sur le plan de travail en orientant un des coins vers vous. Laissez les autres feuilles dans le torchon humide. Déposez de 1 à 2 cuil. à soupe de farce dans l'angle le plus proche de vous.

3 Repliez le coin de la feuille sur la farce.

Les feuilles de riz se déchirent facilement; manipulez-les délicatement

4 Badigeonnez les angles de côté avec l'œuf battu. Rabattez-les sur le coin déjà plié et pressez pour sceller le tout.

5 Enduisez d'œuf le dernier coin pour pouvoir fermer le pâté impérial.

6 Maintenez la feuille des deux mains et roulez-la en cylindre.

L'œuf battu scelle bien les feuilles de riz

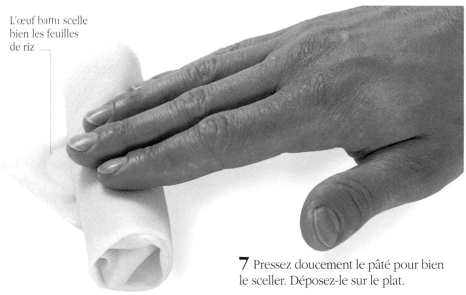

7 Pressez doucement le pâté pour bien le sceller. Déposez-le sur le plat.

8 Procédez de la même façon pour les autres pâtés. Déposez-les tous sur le plat.

3 PRÉPARER LA SALADE; FAIRE LA SAUCE

1 Ôtez le trognon de la salade à l'aide du couteau d'office. Placez-la tête en bas sous un filet d'eau froide afin de séparer les feuilles. Vous devez en avoir au moins 16. Lavez-les et secouez-les pour les égoutter.

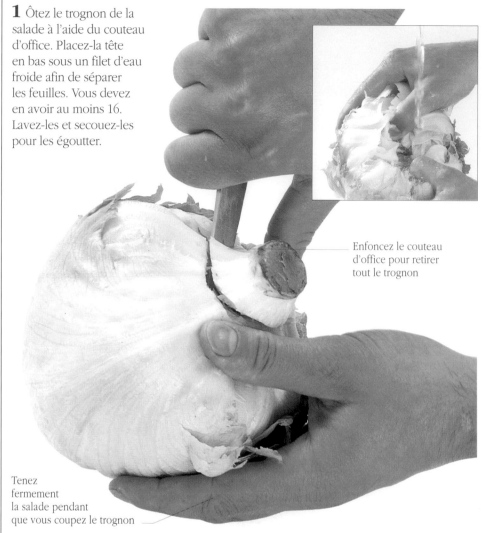

Enfoncez le couteau d'office pour retirer tout le trognon

Tenez fermement la salade pendant que vous coupez le trognon

2 Enveloppez la salade dans un torchon humide et conservez-la au réfrigérateur, pendant que vous ferez frire les pâtés.

3 Épluchez et hachez finement l'ail. Pressez les citrons verts; vous devez obtenir de 8 à 10 cl de jus. Mélangez l'ail, le jus de citron, l'eau, la sauce de poisson et les piments hachés. Ajoutez le miel.

4 FAIRE FRIRE LES PÂTÉS IMPÉRIAUX

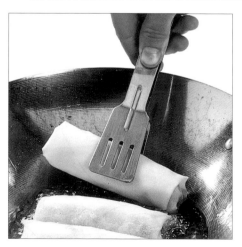

2 En cours de cuisson, retournez les pâtés impériaux pour qu'ils dorent uniformément et que la farce soit bien chaude.

1 Préchauffez le four à feu doux. Chauffez l'huile végétale dans le wok. Faites frire les pâtés impériaux en plusieurs fois, de 3 à 5 min. Rajoutez un peu d'huile entre chaque tournée.

Les pinces vous permettront de retourner facilement les rouleaux

Vérifiez la cuisson à l'aide de la brochette en inox

Faites frire les pâtés trois par trois

3 Assurez-vous que les pâtés impériaux sont cuits en piquant la brochette en leur centre : elle doit ressortir chaude après 30 s.

4 Placez les pâtés sur le plat résistant à la chaleur tapissé de papier absorbant pour les égoutter. Maintenez-les au chaud dans le four pendant que vous faites frire les autres.

¶◎¶ POUR SERVIR

Garnissez les assiettes de feuilles de salade et de menthe. Répartissez dessus les pâtés impériaux. Servez accompagné d'un petit bol de sauce aigre-douce.

Les pâtés impériaux s'enveloppent dans une feuille de salade avec quelques feuilles de menthe et se plongent dans la sauce

PÂTÉS IMPÉRIAUX AUX CREVETTES ROSES

1 N'utilisez ni la laitue, ni la menthe. Râpez, à la main ou dans un robot ménager, 6 carottes pelées. Dans un bol, mélangez 15 cl d'eau, 1 cuil. à soupe de vinaigre de cidre, 1 cuil. à soupe de sucre en poudre et 1/2 cuil. à café de sel; ajoutez les carottes. Laissez mariner 1 h au moins.
2 Préparez les champignons, les vermicelles, l'oignon et l'ail en suivant la recette principale. Hachez 250 g de crevettes roses cuites décortiquées. À l'aide d'un couteau d'office, épluchez un morceau de racine de gingembre fraîche long de 1,5 cm. À l'aide d'un couteau chef, émincez-le en coupant à travers les fibres. Écrasez les tranches avec le plat du couteau puis hachez-les finement.
3 Faites revenir l'ail et le gingembre dans l'huile. Mettez-y l'oignon et faites-le fondre de 1 à 2 min. Ajoutez les crevettes et laissez dorer 30 s environ. Incorporez les autres ingrédients en suivant la recette principale.
4 Préparez la sauce aigre-douce.
5 Roulez et cuisez les pâtés impériaux. Servez-les avec la sauce et la salade de carottes bien égouttée.

SAVOIR S'ORGANISER

Vous pouvez préparer la sauce 8 h à l'avance et la conserver au réfrigérateur; ajoutez le piment 1 h seulement avant de servir pour que la sauce ne soit pas trop forte. Les pâtés impériaux farcis se gardent 8 h, bien couverts, au réfrigérateur. Faites-les frire au dernier moment.

SUSHI

Nori-maki

ÉQUIPEMENT

bol en bois

set de table en bambou**

carton

bols

casseroles, dont 1 avec couvercle

couteau chef

baguettes

planche à découper

ciseaux

passoire en toile métallique

torchon

spatule en bois pour le riz***

** ou aluminium ménager
*** ou cuiller plate en bois ou spatule

Le mot japonais sushi *désigne de nombreux plats à base de riz vinaigré. Dans le* nori-maki, *un set de table en bambou permet de rouler autour d'une garniture des feuilles de nori grillées, qui seront ensuite découpées en tranches épaisses. Dans cette recette, les unes sont farcies de concombre, les autres de thon cru.*

*plus 30 min de repos

LE MARCHÉ

gingembre rose au vinaigre et sauce soja japonaise pour servir

frises en concombre (voir p. 123) pour la décoration (facultatif)

Pour le riz vinaigré

500 g de riz blanc à grains courts

60 cl d'eau

10 cl de vinaigre de riz (de préférence japonais)

2 cuil. à soupe de sucre en poudre, ou plus

1 cuil. à café de sel, ou plus

Pour les rouleaux

4 cuil. à café de poudre de raifort japonais

1 cuil. à soupe d'eau, ou plus

20 cm de concombre

125 g de thon frais cru sans arêtes

6 feuilles de nori grillées

INGRÉDIENTS

nori grillé

thon frais cru

concombre****

raifort japonais en poudre

sucre

vinaigre de riz

riz blanc à grains courts

**** ou concombre japonais

CONSEIL MALIN

«*Le poisson cru des* nori-maki *doit être très frais. Achetez-le chez un bon poissonnier et utilisez-le le jour même.*»

DÉROULEMENT

1 PRÉPARER LE RIZ VINAIGRÉ

2 FAIRE LA GARNITURE ET COMPOSER LES ROULEAUX

3 COUPER ET SERVIR LES *NORI-MAKI*

1 PRÉPARER LE RIZ VINAIGRÉ

1 Mettez le riz dans un grand bol, couvrez-le d'eau froide et remuez avec les doigts jusqu'à ce que l'eau soit d'un blanc laiteux. Recommencez 1 ou 2 fois jusqu'à ce que l'eau soit claire.

2 Égouttez le riz dans la passoire en toile métallique, puis mettez-le dans une casserole. Ajoutez les 60 cl d'eau, couvrez et portez à ébullition sur feu vif.

Soulevez rapidement le couvercle pour vous assurer que l'eau commence à bouillir

3 Baissez le feu très bas et laissez frémir 12 min environ, jusqu'à ce que le riz ait absorbé l'eau et soit tendre. Retirez du feu et laissez reposer 30 min environ, sans soulever le couvercle.

4 Pendant ce temps, mélangez dans une petite casserole le vinaigre de riz, le sucre et le sel. Portez à ébullition, en remuant jusqu'à ce que le sucre ait fondu. Retirez du feu et laissez refroidir.

5 Mettez le riz chaud dans le bol en bois. Humectez la spatule. Versez régulièrement sur le riz le mélange de vinaigre et de sucre. Remuez bien, sans attendre.

6 Amenez rapidement le riz à température ambiante en l'éventant avec le carton. Ajoutez éventuellement un peu de vinaigre, de sucre ou de sel. Couvrez avec le torchon humide.

CONSEIL MALIN
«Il faut éventer et remuer le riz pour le refroidir, mais veillez à ne pas écraser les grains.»

2 FAIRE LA GARNITURE ET COMPOSER LES ROULEAUX

La pâte de raifort relèvera les *nori-maki*

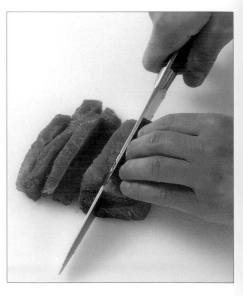

1 Mettez la poudre de raifort dans un petit bol. À l'aide des baguettes, mélangez-le à l'eau pour obtenir une pâte épaisse, mais qui puisse s'étaler.

2 Coupez le morceau de concombre en deux dans le sens de la longueur. Posez une des moitiés à plat et tranchez-la en 6 lanières. Raccourcissez-la pour qu'elle ait la taille des feuilles de nori. Réservez l'autre moitié pour la décoration.

CONSEIL MALIN

«Le concombre japonais n'a que très peu de graines minuscules. Si vous utilisez un concombre ordinaire, égrenez-le.»

3 Rincez le thon sous l'eau froide et séchez-le dans du papier absorbant. Posez-le sur la planche à découper et détaillez-le en tranches de 1 cm avec le couteau chef. Empilez-les et coupez-les en lanières de 1 cm.

CONSEIL MALIN

«Le thon sera plus facile à couper s'il est légèrement congelé ou très froid.»

4 Versez un peu d'eau dans un petit bol pour humecter vos doigts. Avec les ciseaux, coupez les feuilles de nori en deux. Posez un morceau, côté lisse en dessous, sur le set en bambou, en le plaçant de façon que ses côtés longs soient parallèles aux bords du set.

Les feuilles de nori sont fermes, mais se roulent facilement

5 Humectez vos doigts et étalez sur un morceau de nori 1/12 du riz cuit en une couche épaisse de 5 mm, en laissant un bord vide d'au moins 1 cm du côté opposé à vous.

6 Étalez avec le doigt une mince bande de pâte de raifort au centre de la bande de riz.

La pâte de raifort épice légèrement les *nori-maki*

7 Faites 6 *sushi* au concombre : disposez une des lanières de concombre au-dessus de la bande de raifort étalée sur le riz.

8 En commençant par le côté le plus proche de vous, soulevez à la fois le set et la demi-feuille de nori, et repliez-les sur la garniture. Pressez fermement vers le bas et roulez le tout, en soulevant le set.

9 Une fois que vous avez atteint l'extrémité opposée, humectez-la légèrement avec votre doigt mouillé pour bien sceller le rouleau.

En tirant sur le set, vous obtiendrez un rouleau bien serré

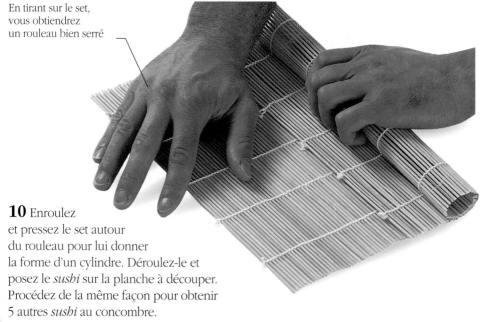

10 Enroulez et pressez le set autour du rouleau pour lui donner la forme d'un cylindre. Déroulez-le et posez le *sushi* sur la planche à découper. Procédez de la même façon pour obtenir 5 autres *sushi* au concombre.

11 Faites de la même façon 6 *sushi* au thon, en raccordant les morceaux de poisson pour qu'ils couvrent toute la longueur de la bande de riz étalée sur le morceau de nori.

3 COUPER ET SERVIR LES *NORI-MAKI*

Tranchez nettement les *nori-maki* avec un couteau très aiguisé

1 Humectez le couteau chef avec un torchon humide. Coupez un *sushi* au concombre en 3 morceaux égaux. Essuyez à chaque fois la lame du couteau avec le torchon humide.

2 Coupez chaque morceau en deux, légèrement en biais. Procédez de la même façon pour les autres *sushi* au concombre.

3 Coupez chaque *sushi* au thon en 8 morceaux égaux, en essuyant à chaque fois le couteau avec le torchon humide.

Les fleurs de gingembre au vinaigre se mangent avec les *nori-maki*

La sauce soja japonaise accompagne traditionnellement les *nori-maki*

🍽 POUR SERVIR

Répartissez les morceaux de *nori-maki* au concombre et au thon sur 12 assiettes, en plaçant les tranches en biais vers le haut. Décorez avec du gingembre au vinaigre (en roulant les morceaux en forme de fleur) et éventuellement des frises de concombre. Servez avec de la sauce soja japonaise.

SAVOIR S'ORGANISER

Vous pouvez préparer le riz au vinaigre 4 h à l'avance et le conserver sous un torchon humide. Les *nori-maki* roulés se gardent 2 h au réfrigérateur ; coupez-les juste au moment de servir.

VARIANTE
BARQUETTES DE RIZ AUX CREVETTES
NIGIRI-SUSHI

Dans les bars à sushi, les barquettes de riz sont souvent couronnées de tranches de poisson, de crevettes et d'œufs cuits. On les mange habituellement avec les doigts. Chaque morceau est retourné, de façon que la garniture se trouve en-dessous, et trempé dans de la sauce soja.

1 N'utilisez ni nori, ni concombre, ni thon. Préparez 200 g de riz avec 30 cl d'eau. Pour le mélange au vinaigre, prenez 3 cuil.à soupe de vinaigre, 1 cuil. à soupe de sucre et 1/4 de cuil. à café de sel.

2 Mélangez 2 cuil. à café de pâte de raifort et 1 1/2 cuil. à café d'eau.

3 Décortiquez de 16 à 18 grosses crevettes crues (500 g environ), en gardant la queue. Embrochez-les sur des piques en bois pour qu'elles ne s'enroulent pas durant la cuisson.

4 Remplissez à moitié une casserole d'eau et portez à ébullition. Ajoutez 1 cuil. à café de vinaigre de riz et 1/4 de cuil. à café de sel. Mettez-y les crevettes et laissez frémir de 1 à 2 min, jusqu'à ce qu'elles deviennent roses. Égouttez-les et rincez-les sous l'eau froide.

5 Posez les crevettes, ventre vers le haut, sur une planche à découper. À l'aide d'un couteau d'office, faites une profonde entaille jusqu'à la pique en bois et retirez-la. Continuez à couper jusqu'à ce que les crevettes s'ouvrent comme des papillons et enlevez la veine intestinale noire.

ATTENTION !

N'incisez pas trop les crevettes, sinon les moitiés se sépareront. Vous devrez aussi couper à travers la queue pour bien les aplatir.

6 Humectez vos mains et faites autant de portions de riz vinaigré que vous avez de crevettes. Mettez une portion de riz dans votre paume et pressez-la avec les doigts pour former un ovale, épais de 3 cm et long de 5 cm environ. Posez le riz moulé sur un plat et procédez de la même façon pour toutes les autres portions. Humectez vos doigts et essuyez-vous les mains souvent.

7 Étalez une mince bande de pâte au raifort le long de chaque barquette de riz.

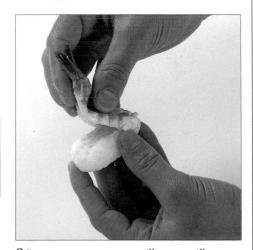

8 Posez une crevette-papillon, entaille vers le bas, sur chaque barquette de riz.

9 Disposez sur un plat de service et aplatissez bien les queues. Décorez avec des frises de concombre, une julienne de concombre et du gingembre au vinaigre. Servez avec de la sauce soja japonaise. Ce plat convient pour 8 personnes.

SALADE
DE POULET À L'INDIENNE

🍽 POUR 4 À 6 PERSONNES   🥣 PRÉPARATION : DE 25 À 35 MIN   🍲 CUISSON : DE 20 À 30 MIN

ÉQUIPEMENT

robot ménager*

couteau d'office

couteau chef

spatule en caoutchouc

casseroles, dont une avec couvercle

cuiller en bois

fourchettes

cuillers en métal

planche
à découper

bols

plat peu profond

fouet

passoire
en toile
métallique

* ou mixeur

L'assaisonnement de cette salade, très original, est épaissi par du fromage blanc et parfumé au curry et à la confiture. Du riz au safran apporte un élégant contrepoint au poulet rôti, servi froid.

SAVOIR S'ORGANISER

Vous pouvez préparer la sauce au curry, le riz au safran, les tomates et la vinaigrette 24 h à l'avance.

LE MARCHÉ

1 poulet rôti de 1,8 kg
3 cuil. à soupe de jus de citron
20 cl d'huile végétale
500 g de tomates cerises
1/2 cuil. à café de paprika pour décorer le plat
Pour le riz
filaments de safran
60 cl d'eau
300 g de riz à grains longs
3 branches de céleri
Pour la sauce
1 petit oignon
10 cl d'huile végétale
1 cuil. à soupe de curry en poudre
4 cuil. à soupe de jus de tomate
4 cuil. à soupe de vinaigre de vin rouge
2 cuil. à café de confiture d'abricots
2 cuil. à soupe de jus de citron
250 g de fromage blanc en faisselle
sel et poivre

INGRÉDIENTS

tomates cerises   oignon

poulet entier rôti

confiture d'abricots

filaments de safran

jus de citron

fromage blanc

branches de céleri

jus de tomate

paprika

riz à grains longs

curry en poudre

huile végétale   vinaigre de vin

DÉROULEMENT

1 CUIRE
LE RIZ

2 PRÉPARER
LA SAUCE

3 APPRÊTER
LE POULET

4 TERMINER LE PLAT
ET PRÉPARER LES
TOMATES CERISES

1 CUIRE LE RIZ AU SAFRAN

1 Remplissez une grande casserole avec les 60 cl d'eau. Mettez-y une grosse pincée de filaments de safran et une pincée de sel. Portez à ébullition et laissez frémir 2 min. Versez le riz, attendez que l'eau bouille de nouveau, puis couvrez et faites cuire de 15 à 20 min, jusqu'à ce que le riz soit tendre. Laissez refroidir de 5 à 10 min, puis mélangez avec une fourchette; goûtez et rectifiez l'assaisonnement. Réservez.

ATTENTION !
Ne mélangez pas le riz quand il est chaud; les grains s'écraseraient.

Une pincée de filaments de safran suffit à colorer et à parfumer le riz

2 PRÉPARER LA SAUCE AU CURRY

1 Hachez finement l'oignon. Chauffez doucement 1 cuil. à soupe d'huile dans une petite casserole. Faites-y fondre l'oignon haché 2 min, en remuant de temps en temps.

2 Ajoutez le curry en poudre et faites revenir 2 min en remuant. Versez le jus de tomate et le vinaigre, puis laissez mijoter et réduire de moitié.

ATTENTION !
Une cuiller en bois absorbe les saveurs fortes : pour préparer cette sauce, utilisez une cuiller en métal.

Versez lentement l'huile pendant que le robot tourne : la sauce sera homogène et liée

3 Mélangez la confiture d'abricots à la préparation. Laissez refroidir puis versez dans le bol du robot ménager ou dans le mixeur.

4 Réduisez la préparation en un mélange homogène, en raclant éventuellement avec la spatule les parois du bol.

5 Ajoutez le jus de citron et le fromage blanc et faites de nouveau tourner l'appareil. Versez le reste de l'huile. Goûtez et rectifiez l'assaisonnement.

3 APPRÊTER LE POULET

Tenez la cage thoracique
d'une main et la cuisse
de l'autre pour les séparer

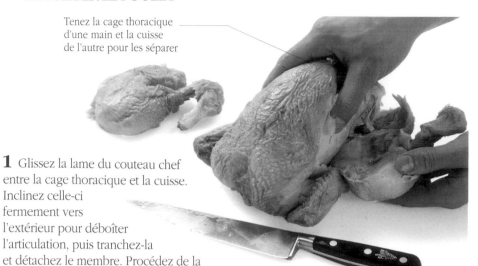

1 Glissez la lame du couteau chef
entre la cage thoracique et la cuisse.
Inclinez celle-ci
fermement vers
l'extérieur pour déboîter
l'articulation, puis tranchez-la
et détachez le membre. Procédez de la
même façon pour la seconde cuisse.

2 Passez la lame du couteau le long de
la cage thoracique. À l'aide de vos doigts et
de la pointe du couteau, détachez le blanc
de la carcasse et enlevez l'aileron
et le blanc sans les séparer. Procédez
de la même façon pour l'autre moitié.

4 Enlevez et jetez la peau des blancs.
Émiettez-les grossièrement entre
vos doigts et mettez les
morceaux de viande
dans le plat.

3 Avec les doigts, ôtez le bréchet
et la viande qui le recouvre, puis
détachez tous les morceaux encore
attachés à la carcasse.

Tirez sur
la peau et
retirez-la

5 Avec les doigts et la pointe du couteau,
détachez la chair des cuisses. Enlevez
les tendons et la peau. Émiettez
grossièrement la viande et mettez-la
dans le plat.

CONSEIL MALIN
*«Vous devez obtenir environ
500 g de viande.»*

4 TERMINER LE PLAT ET PRÉPARER LES TOMATES CERISES

2 Préparez la vinaigrette en mélangeant
au fouet le jus de citron, le sel et le poivre
dans un petit bol. Ajoutez l'huile en
un mince filet en fouettant sans arrêt pour
que la vinaigrette épaississe légèrement.
Versez-en les 3/4 sur le riz et tournez
la salade à l'aide de 2 fourchettes. Réservez
le reste de sauce.

CONSEIL MALIN
*«La sauce vinaigrette se conserve
une semaine ou plus dans un récipient
hermétique ou dans une bouteille.
Si les ingrédients se sont dissociés,
fouettez à nouveau la sauce.»*

1 Ôtez les extrémités des branches
de céleri et coupez-les en tranches fines.
À l'aide d'une fourchette, mélangez-les
au riz. Versez dans un grand bol.

3 Mettez la moitié des tomates cerises dans la passoire en toile métallique et plongez-les de 8 à 10 s dans une casserole d'eau bouillante. Égouttez-les puis pelez-les avec le couteau d'office. Procédez de la même façon pour les autres tomates. Assaisonnez avec le reste de la vinaigrette.

Les tomates, plongées dans l'eau bouillante, se pèlent facilement

🍽 POUR SERVIR

Mélangez le poulet émietté avec la moitié de la sauce au curry, puis disposez-le sur un lit de riz au safran. Saupoudrez du paprika et décorez des tomates cerises. Servez à part le reste de sauce au curry.

V A R I A N T E

SALADE DE POULET À L'ESTRAGON

Le poulet et l'estragon se marient naturellement.

1 Apprêtez le poulet et préparez les tomates en suivant la recette principale.
2 Préparez la salade de riz, mais n'utilisez pas le safran.
3 À l'aide d'un robot ménager ou d'un mixeur, mélangez 250 g de fromage blanc en faisselle et 1 cuil. à soupe de vinaigre à l'estragon. Ajoutez-y 1 brin d'estragon ciselé. Goûtez, salez et poivrez. Remplacez la sauce au curry par cette préparation.
4 Disposez sur des assiettes individuelles et décorez avec quelques brins d'estragon frais.

La sauce du poulet est onctueuse et épicée

NOUILLES CHINOISES EN SALADE

 POUR 6 PERSONNES PRÉPARATION : DE 30 À 35 MIN* 🍲 CUISSON : DE 6 À 9 MIN

ÉQUIPEMENT

grand faitout

couteau chef

couteau d'office

fouet

casserole
moyenne

bols

passoire

planche à découper

gants en caoutchouc

grandes fourchettes

Les nouilles, marinées dans une sauce soja épicée, sont ici garnies à la chinoise.

SAVOIR S'ORGANISER
Vous pouvez préparer la salade 24 h à l'avance
et la conserver, couverte, au réfrigérateur. Servez-la
très froide, ou à température ambiante.

* plus 1 h de marinage

LE MARCHÉ

250 g de nouilles chinoises
175 g de pois gourmands
4 oignons nouveaux
75 g de cacahuètes nature grillées
1 petit bouquet de coriandre fraîche
400 g de grosses crevettes décortiquées cuites
sel et poivre
Pour la sauce
2 cm de racine de gingembre fraîche
2 piments verts frais
2 gousses d'ail
2 cuil. à café de sucre
4 cuil. à soupe de vinaigre d'alcool de riz
15 cl de sauje soja
4 cuil. à soupe d'huile de noisette
2 cuil. à soupe d'huile de sésame

INGRÉDIENTS

crevettes

nouilles
chinoises

racine de
gingembre
fraîche

huile
de sésame

huile
de noisette**

piments
verts frais

vinaigre d'alcool
de riz***

sauce
soja

pois gourmands

sucre

cacahuètes
nature
grillées

coriandre fraîche

gousses
d'ail

oignons nouveaux

** ou huile de maïs

*** ou vinaigre de cidre

DÉROULEMENT

1 PRÉPARER
LA SAUCE
ET FAIRE CUIRE
LES NOUILLES

2 COMPOSER
LA SALADE

1 PRÉPARER LA SAUCE SOJA ÉPICÉE ET FAIRE CUIRE LES NOUILLES

1 Épluchez la racine de gingembre avec le couteau d'office. À l'aide du couteau chef, coupez-la en tranches, en taillant à travers les fibres. Écrasez-les sous le plat de la lame du couteau, puis hachez-les finement.

2 Ôtez le pédoncule et les graines des piments frais et hachez-les (voir encadré p. 56). Posez le plat de la lame du couteau chef sur chaque gousse d'ail et appuyez avec le poing. Pelez-les et hachez-les finement.

3 Mettez le gingembre, les piments, l'ail, le sucre, le vinaigre et du poivre dans un bol. Versez-y la sauce soja.

4 Incorporez petit à petit les huiles : la sauce s'émulsionne et épaissit légèrement. Goûtez et rectifiez l'assaisonnement.

Fouettez bien quand vous versez l'huile de noisette

L'huile de sésame a une saveur très fine

5 Remplissez le grand faitout d'eau, portez à ébullition et salez. Mettez-y les nouilles et laissez frémir de 4 à 6 min, ou en suivant les indications portées sur l'emballage. Remuez de temps en temps pour éviter qu'elles ne collent.

7 Mettez les nouilles dans un grand bol. Fouettez vivement la sauce, versez-la sur les nouilles chaudes et remuez jusqu'à ce qu'elles en soient bien enrobées. Laissez mariner 1 h au moins, le temps que les saveurs se mêlent. Pendant ce temps, préparez les autres ingrédients de la salade.

6 Égouttez les nouilles dans la passoire, rincez-les sous l'eau chaude, égouttez-les de nouveau.

Les grandes fourchettes sont idéales pour tourner les nouilles

ENLEVER LE PÉDONCULE D'UN PIMENT, L'ÉPÉPINER ET LE COUPER EN DÉS

Les piments frais doivent être finement hachés pour mieux libérer leur chaleur. Enfilez toujours des gants en caoutchouc et évitez tout contact avec les yeux, car ils peuvent brûler la peau et les muqueuses.

1 Ouvrez le piment en deux dans le sens de la longueur. Ôtez le pédoncule et grattez les graines et les membranes blanches.

2 Posez les moitiés à plat sur une planche à découper et taillez-les en longues lanières très fines.

3 Rassemblez les lanières et détaillez-les avec un couteau d'office en tout petits dés.

2 COMPOSER LA SALADE

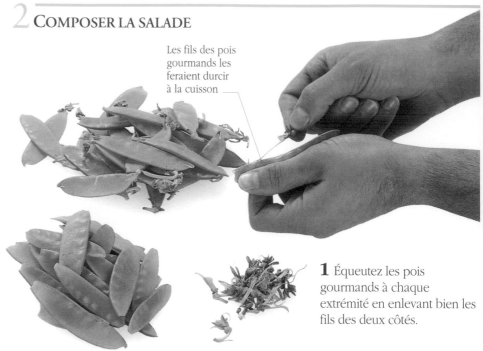

Les fils des pois gourmands les feraient durcir à la cuisson

1 Équeutez les pois gourmands à chaque extrémité en enlevant bien les fils des deux côtés.

2 Cuisez les pois gourmands dans de l'eau bouillante salée de 2 à 3 min. Égouttez-les, rincez-les sous l'eau froide, égouttez-les de nouveau. Rassemblez-en quelques-uns et coupez-les en biais en 2 ou 3 morceaux.

3 À l'aide du couteau chef, parez les oignons nouveaux et coupez-les en biais en tranches fines, en gardant une partie du vert.

4 Avec le couteau chef, hachez grossièrement les cacahuètes. Détachez de leur tige les feuilles de coriandre, empilez-les sur la planche à découper et hachez-les grossièrement.

Tournez la salade pour bien enrober les ingrédients de sauce épicée

5 Ajoutez aux nouilles les pois gourmands, les oignons nouveaux, les 2/3 des cacahuètes hachées et de la coriandre, et toutes les crevettes. Remuez bien tous les ingrédients de la salade. Goûtez et rectifiez l'assaisonnement. N'oubliez pas que la sauce soja est déjà salée.

¶©¶ POUR SERVIR

Disposez la salade sur un plat et couronnez-la de cacahuètes hachées et de coriandre.

La coriandre hachée gardera sa belle couleur si vous l'ajoutez à la salade au dernier moment

Les crevettes sont très parfumées

57

SALADE DE NOUILLES THAÏ

Du porc émincé — des restes seront parfaits — remplace ici les crevettes, et la sauce est parfumée à la mode thaï de citronnelle et de jus de citron vert.

1 Préparez la sauce sans utiliser la racine de gingembre ni le vinaigre d'alcool de riz. Hachez l'ail et les piments frais. Hachez grossièrement une tige de citronnelle et pressez 1 citron vert. Mélangez en fouettant la sauce soja, le jus de citron vert, l'ail, les piments, la citronnelle, le sel et le poivre. Incorporez petit à petit les huiles. Goûtez et rectifiez l'assaisonnement.

2 Cuisez et égouttez les nouilles en suivant la recette principale et assaisonnez-les avec la sauce.

3 N'utilisez ni crevettes, ni pois gourmands. Coupez 250 g de porc cuit en tranches fines. Rassemblez-les et coupez-les en lamelles de 3 mm.

4 Hachez les cacahuètes et la coriandre fraîche. Ciselez de 7 à 10 brins de basilic frais. Égouttez 250 g de châtaignes d'eau en conserve et coupez-les en tranches.

5 Mélangez les nouilles et la sauce avec le porc émincé, les châtaignes d'eau, les oignons nouveaux, toutes les cacahuètes hachées et les herbes. Couvrez et laissez reposer 1 h au moins.

6 Répartissez la salade sur 6 assiettes. Décorez avec un brin de basilic.

SALADE DE POULET LAQUÉ

 POUR 4 PERSONNES   PRÉPARATION : DE 25 À 30 MIN*   CUISSON : DE 10 À 15 MIN

ÉQUIPEMENT

plat peu profond
non métallique

couteau chef

couteau d'office

pinceau
à pâtisserie

fouet

essoreuse à salade

bols

passoire en toile
métallique

pinces

planche à découper

grille et plaque
à pâtisserie

*Le mariage du poulet et du gingembre frais apporte
une touche asiatique à cette salade.
Les blancs de poulet, marinés dans une sauce au
soja, à la moutarde et au gingembre, sont grillés.
Tout brillants, ils sont servis avec de la salade.*

SAVOIR S'ORGANISER

Vous pouvez faire mariner les blancs de poulet et préparer
la vinaigrette 12 h à l'avance. Conservez celle-ci dans
un récipient hermétique à température ambiante. Grillez
le poulet et composez la salade juste avant de servir.

* plus 1 à 2 h de marinage

LE MARCHÉ

4 blancs de poulet sans peau ni os, soit 750 g environ
1 romaine
125 g de germes de soja
100 g de petits épis de maïs en conserve, égouttés
Pour la marinade et la sauce
1 morceau de 1,5 cm de racine de gingembre fraîche
1 gousse d'ail
50 g de cassonade
2 cuil. à soupe de moutarde de Dijon
3 cuil. à soupe de vin jaune chinois
3 cuil. à soupe d'huile de sésame
sel et poivre
4 cuil. à soupe de sauce soja
15 cl d'huile végétale, et un peu pour graisser la grille

INGRÉDIENTS

blancs de poulet

gingembre
frais

huile végétale

romaine

moutarde
de Dijon

germes de soja

gousse d'ail

vin jaune
chinois**

sauce
soja

huile
de sésame

cassonade

petits épis
de maïs

** ou xérès

DÉROULEMENT

1 PRÉPARER
LA MARINADE
ET FAIRE MARINER
LE POULET

2 PRÉPARER
LES LÉGUMES

3 FAIRE GRILLER LE
POULET ET COMPOSER
LA SALADE

1 PRÉPARER LA MARINADE ET FAIRE MARINER LE POULET

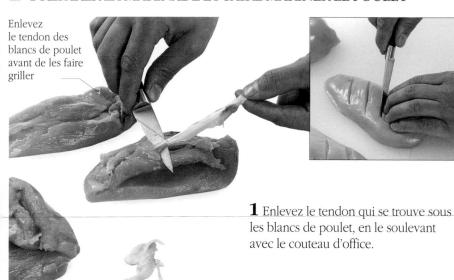

Enlevez le tendon des blancs de poulet avant de les faire griller

1 Enlevez le tendon qui se trouve sous les blancs de poulet, en le soulevant avec le couteau d'office.

2 Pelez et hachez la racine de gingembre fraîche (voir encadré ci-dessous). Posez le plat de la lame du couteau chef au sommet des gousses d'ail et appuyez avec le poing. Pelez-les et hachez-les.

4 Arrosez le poulet, couvrez et mettez au réfrigérateur pour 1 à 2 h, en le retournant 3 ou 4 fois.

3 Pour la marinade, mélangez dans un bol le gingembre, l'ail, la cassonade, la moutarde, 1 cuil. à soupe de vin jaune chinois et autant d'huile de sésame, et du poivre. Versez la sauce soja et mélangez. Réservez 4 cuil. à soupe de cette marinade dans un autre bol.

5 Pour préparer la sauce, incorporez à la marinade réservée le reste de vin jaune chinois et d'huile de sésame. Incorporez petit à petit l'huile végétale : la sauce s'émulsionne et épaissit légèrement. Goûtez et rectifiez l'assaisonnement. Réservez.

ÉPLUCHER ET HACHER UNE RACINE FRAÎCHE DE GINGEMBRE

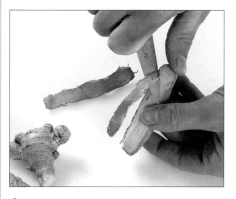

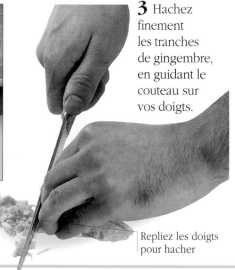

3 Hachez finement les tranches de gingembre, en guidant le couteau sur vos doigts.

1 Épluchez la racine de gingembre avec un couteau d'office. À l'aide d'un couteau chef, détaillez-la en tranches, en coupant à travers les fibres.

2 Posez le plat de la lame du couteau chef sur chaque tranche et appuyez avec le poing ou le talon de la main.

Repliez les doigts pour hacher

2 PRÉPARER LES LÉGUMES

Empilez et roulez les feuilles de salade pour les émincer plus rapidement

La romaine émincée se mélangera facilement aux autres ingrédients

1 Ôtez la base de la romaine en la tournant. Plongez les feuilles dans une grande quantité d'eau froide, puis lavez-les une à une sous un filet d'eau froide. Enlevez-en les côtes dures et séchez-les dans une essoreuse. Empilez 5 ou 6 feuilles, roulez-les serré et émincez-les. Procédez de la même façon avec les autres feuilles, et mettez-les dans un grand bol.

2 Triez les germes de soja et mettez-les dans un bol. Couvrez-les largement d'eau bouillante et laissez-les blanchir 1 min. Égouttez-les, rincez-les sous l'eau froide, égouttez-les de nouveau.

3 À l'aide du couteau chef, coupez les petits épis de maïs en deux dans le sens de la longueur. Réservez-les.

3 FAIRE GRILLER LE POULET ET COMPOSER LA SALADE

1 Préchauffez le gril et huilez la grille. Posez-y les blancs de poulet et enduisez-les de marinade. Enfournez-les à 7 cm environ sous la source de chaleur pour 5 à 7 min, en les badigeonnant souvent de marinade, jusqu'à ce qu'ils soient très bruns.

Enduisez souvent le poulet de marinade en cours de cuisson pour qu'il prenne un bel aspect laqué

2 Retournez les blancs de poulet. Enduisez-les de marinade. Enfournez-les de nouveau pour 5 à 7 min, jusqu'à ce qu'ils soient bruns, brillants et tendres.

3 Pendant ce temps, ajoutez à la romaine les germes de soja et les petits épis de maïs. Fouettez vivement la sauce pour qu'elle s'émulsionne de nouveau.

4 Versez la sauce sur la salade. Tournez. Goûtez et rectifiez l'assaisonnement. Disposez au centre d'un plat.

5 Quand les blancs de poulet sont cuits et bien laqués, posez-les sur la planche à découper et détaillez-les en biais en tranches.

Les tranches de poulet seront plus belles si vous les coupez en biais

¶©¶ POUR SERVIR

Disposez les tranches de poulet en 4 éventails entourant la salade, et servez tant qu'elles sont encore chaudes.

Les germes de soja apportent leur saveur asiatique

La marinade fait briller le poulet

VARIANTE
SALADE DE POULET TERIYAKI

La marinade a ici un goût plus prononcé, caractéristique du teriyaki japonais.

1 N'utilisez ni cassonade, ni moutarde. Préparez la marinade en suivant la recette principale, avec 15 cl de sauce soja claire et en ajoutant 2 cuil. à soupe de cassonade et 2 d'huile végétale.
2 Mettez 4 cuil. à soupe de la marinade dans un autre bol, ajoutez le reste de vin jaune chinois et d'huile de sésame, et mélangez bien. Incorporez petit à petit le reste d'huile végétale : la sauce s'émulsionne et épaissit légèrement Goûtez et rectifiez l'assaisonnement.
3 N'utilisez pas le maïs. Passez la lame d'un couteau autour du pédoncule d'un poivron rouge. Retirez-le en tournant. Coupez le poivron en deux et grattez les graines et les membranes blanches. Posez les moitiés de poivron sur un plan de travail, peau vers le haut, aplatissez-les sous le talon de votre main, et détaillez-les dans le sens de la longueur en fines lanières. Mettez-les dans le bol avec la sauce; laissez-les s'attendrir de 1 à 2 h. Faites mariner les blancs de poulet.
4 Préparez la romaine et le soja. Grillez les blancs de poulet, laissez-les refroidir, puis coupez-les en biais en fines tranches.
5 Mettez la romaine et les germes de soja dans un grand bol. Ajoutez-y les lanières de poivron avec leur sauce et mélangez. Goûtez-la et rectifiez l'assaisonnement. Répartissez-la sur un côté de 4 assiettes. Disposez le poulet de l'autre côté.

SALADE
AU RIZ SAUVAGE

 POUR 8 PERSONNES   PRÉPARATION : DE 30 À 35 MIN*   CUISSON : DE 45 MIN À 1 H 15

ÉQUIPEMENT

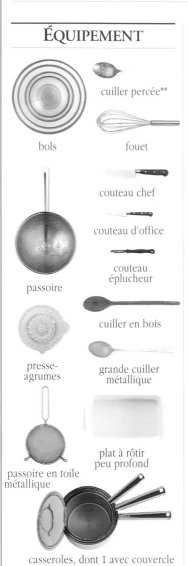

bols

cuiller percée**

fouet

couteau chef

couteau d'office

couteau éplucheur

passoire

cuiller en bois

grande cuiller métallique

presse-agrumes

plat à rôtir peu profond

passoire en toile métallique

casseroles, dont 1 avec couvercle

plaque à pâtisserie

planche à découper

** ou écumoire

Le riz sauvage est ici agrémenté de noix de pecan grillées et hachées, de zeste d'orange et d'une sauce aux airelles, et couronné de lamelles de blanc de dinde fumé. Cette salade est meilleure quelques heures après avoir été préparée.

SAVOIR S'ORGANISER
Vous pouvez préparer la salade de riz sauvage 2 h à l'avance et la conserver, couverte, au réfrigérateur. Servez-la à température ambiante. Disposez au centre les lamelles de dinde juste avant de servir.

*plus au moins 1 h de temps de repos

LE MARCHÉ

1,5 litre d'eau
sel et poivre
350 g de riz sauvage
50 g de noix de pecan
350 g de blanc de dinde fumé en tranches
Pour la sauce
175 g d'airelles fraîches
50 g de sucre
1 orange
2 échalotes
50 cl de vinaigre de cidre
15 cl d'huile de carthame

INGRÉDIENTS

blancs de dinde fumés

airelles fraîches***

noix de pecan

riz sauvage

vinaigre de cidre

sucre

orange

huile de carthame****

échalotes

*** ou airelles surgelées décongelées

**** ou huile végétale légère

DÉROULEMENT

1 PRÉPARER LE RIZ, LES AIRELLES ET LES NOIX DE PECAN

2 PRÉPARER LE ZESTE, LA SAUCE ET LA DINDE; COMPOSER LA SALADE

1 PRÉPARER LE RIZ, LES AIRELLES ET LES NOIX DE PECAN

Saupoudrez
régulièrement
le sucre sur
les airelles

1 Remplissez une grande casserole d'eau salée et portez à ébullition. Versez-y le riz en pluie, couvrez et laissez frémir 1 h environ, jusqu'à ce qu'il soit tendre.

CONSEIL MALIN

«Certains riz sauvages doivent cuire plus longtemps que les autres; suivez les indications portées sur l'emballage.»

2 Préchauffez le four à 190 °C. Étalez les airelles sur la plaque à pâtisserie, saupoudrez-les de sucre et enfournez-les pour 10 à 15 min si elles sont fraîches, pour 5 à 8 min si elles sont décongelées, jusqu'à ce qu'elles commencent à éclater. Laissez-les refroidir dans le plat.

En cuisant, les grains
de riz sauvage
s'ouvrent

GRILLER DES NOIX DE PECAN

Préchauffez le four à 180 °C. Étalez les noix de pecan sur une plaque à pâtisserie. Enfournez pour 5 à 8 min, en remuant de temps en temps.

En grillant, les noix
de pecan libèrent
tout leur arôme

Les noix de pecan
doivent être
croustillantes

3 Grillez les noix de pecan (voir encadré à gauche). Hachez-les grossièrement. Égouttez soigneusement le riz dans la passoire. Laissez refroidir. Transvasez le riz dans un grand bol et réservez.

2 PRÉPARER LE ZESTE, LA SAUCE ET LA DINDE; COMPOSER LA SALADE

3 Avec le couteau chef, hachez finement la julienne et réservez.

Rassemblez les bâtonnets pour les couper en dés

1 À l'aide du couteau éplucheur, prélevez le zeste de l'orange, en laissant la membrane blanche. Détaillez-le en très fine julienne.

2 Remplissez une petite casserole d'eau, portez à ébullition et mettez-y la julienne. Laissez blanchir 2 min, puis égouttez.

4 Pressez l'orange : vous devez obtenir 10 cl de jus environ. Versez-le dans un bol.

Le jus d'orange donne toute son originalité à la sauce

6 Ajoutez au jus d'orange le vinaigre, les dés d'échalote, du sel et du poivre. Incorporez l'huile petit à petit : la sauce s'émulsionne et épaissit légèrement. Goûtez et rectifiez l'assaisonnement.

5 Pelez les échalotes; séparez-les éventuellement en deux. Tenez-en une fermement avec les doigts, et coupez-la horizontalement, sans entailler sa base. Tranchez-la ensuite verticalement, toujours sans entailler sa base, puis hachez-la en tout petits dés. Procédez de la même façon pour l'autre échalote.

Pelez l'échalote à l'aide du couteau d'office

7 À l'aide de la cuiller percée, transvasez les airelles du plat à rôtir dans le bol de sauce, sans prendre le jus. Mélangez bien.

La base évite à l'échalote de se défaire

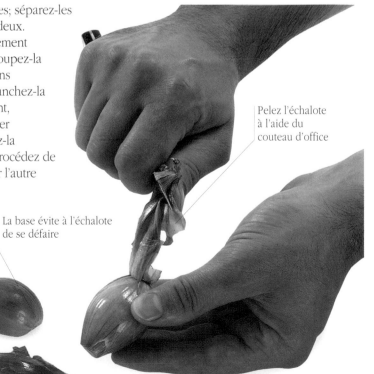

8 Enlevez éventuellement la peau du blanc de dinde fumé. Rassemblez 2 ou 3 tranches sur la planche à découper et coupez-les en biais en lamelles de 1 cm d'épaisseur. Procédez de la même façon avec les autres tranches.

CONSEIL MALIN
«Les lamelles de dinde coupées en biais sont plus décoratives.»

9 Ajoutez au riz sauvage les noix de pecan hachées, le zeste d'orange, et environ 2/3 de la sauce aux airelles. Mélangez bien. Laissez reposer 1 h. Goûtez et rectifiez l'assaisonnement.

Versez les airelles délicatement pour qu'elles ne se défassent pas

Les blancs de dinde ont un délicat goût fumé

🍽 POUR SERVIR
Mettez la salade de riz sauvage dans un plat creux et disposez au centre les lanières de dinde. Couronnez à la cuiller avec le reste de sauce aux airelles.

Les airelles donnent au plat un air de fête

VARIANTE

SALADE DE RIZ SAUVAGE AU CANARD FUMÉ

Le magret de canard fumé rend cette salade encore plus élégante. Vous pouvez aussi utiliser du blanc de poulet ou du jambon fumé.

1 N'utilisez ni airelles, ni sucre, ni orange, ni blanc de dinde fumé, ni noix de pecan, ni huile de carthame. Cuisez le riz sauvage. Hachez les échalotes. Ciselez les feuilles de 6 à 8 brins de persil.

2 Parez 250 g de champignons sauvages, pleurotes ou shiitakes par exemple, essuyez-les dans du papier absorbant et émincez-les finement.

3 Chauffez 1 cuil. à soupe d'huile végétale dans une poêle et faites-y sauter les échalotes 1 min, en remuant.

4 Ajoutez les champignons avec du sel et du poivre et cuisez-les de 3 à 5 min, jusqu'à ce que tout le liquide se soit évaporé. Versez sur le riz sauvage.

5 Grillez 100 g de cerneaux de noix. Réservez-en 8 et hachez grossièrement les autres. Ajoutez en fouettant 4 cuil. à soupe de vinaigre de cidre avec du sel et du poivre. Incorporez petit à petit 15 cl d'huile de noix.

6 À l'aide d'un couteau chef, émincez finement 2 magrets de canard fumés, soit 400 g environ.

7 Versez la sauce sur le riz et les légumes, ajoutez les noix et le persil hachés, et mélangez. Disposez la salade sur des assiettes, couronnez avec les lamelles de canard et un cerneau de noix.

SALADE DE LA MER ÉPICÉE

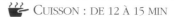

Yum pla talay

🍴 POUR 4 PERSONNES   🥣 PRÉPARATION : DE 30 À 40 MIN   🍲 CUISSON : DE 12 À 15 MIN

ÉQUIPEMENT

bols

papier absorbant   grande casserole

écumoire en bambou*

gants en caoutchouc   presse-agrumes

couteau chef**

couteau d'office

baguettes   petite passoire en toile métallique

planche à découper

Cette salade thaïe piquante épicée par du piment vert, légère et rafraîchissante, est idéale en été. Si vous la servez aussitôt prête, elle offrira les parfums délicats des fruits de mer ; si vous la laissez mariner toute une nuit, elle sera plus relevée.

SAVOIR S'ORGANISER

Vous pouvez préparer et mélanger les fruits de mer et la sauce 24 h à l'avance et les conserver, couverts, au réfrigérateur ; les saveurs se mêleront. Décorez la salade juste avant de servir.

LE MARCHÉ

250 g de grosses crevettes crues non décortiquées
250 g de petits encornets préparés
250 g de noix de Saint-Jacques
250 g de filet de poisson blanc
sel
petites feuilles de salade pour servir
fleurs de citron vert (voir p. 9) pour la décoration (facultatif)
Pour la sauce
4 feuilles de citron vert ou le zeste paré de 1 citron vert
2 gousses d'ail
1 piment vert frais
1 tige de citronnelle
3 gros citrons verts, ou plus
4 cuil. à soupe de sauce de poisson, ou plus
2 cuil. à soupe de sucre

INGRÉDIENTS

poisson blanc***

encornets

grosses crevettes crues   citrons verts

noix de Saint-Jacques   feuilles de citron vert

gousses d'ail   citronnelle

piment vert

sauce de poisson   sucre

*** églefin ou cabillaud, par exemple

DÉROULEMENT

1 PRÉPARER ET FAIRE CUIRE LES FRUITS DE MER

2 FAIRE LA SAUCE ET COMPOSER LA SALADE

* ou écumoire métallique
* ou couperet

1 PRÉPARER ET FAIRE CUIRE LES FRUITS DE MER

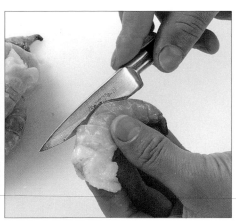

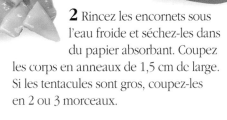

1 Décortiquez les crevettes avec les doigts. Faites une entaille profonde le long de leur dos et enlevez la veine intestinale noire. Rincez-les et séchez-les dans du papier absorbant.

Les encornets sont faciles à préparer quand ils ont été nettoyés par le poissonnier

2 Rincez les encornets sous l'eau froide et séchez-les dans du papier absorbant. Coupez les corps en anneaux de 1,5 cm dc large. Si les tentacules sont gros, coupez-les en 2 ou 3 morceaux.

3 Enlevez éventuellement le muscle dur qui se trouve sur le côté des noix de Saint-Jacques. Rincez-les sous l'eau froide et séchez-les dans du papier absorbant. Coupez les plus grosses en deux dans le sens de la hauteur.

4 Rincez le poisson sous l'eau froide et séchez-le dans du papier absorbant.

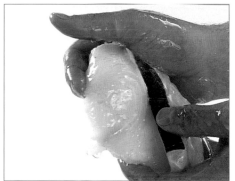

Les crevettes doivent cuire très peu pour ne pas devenir caoutchouteuses

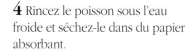

5 Tapissez un plateau de papier absorbant. Versez de l'eau dans la casserole sur une hauteur de 5 cm, mettez-y une pincée de sel et portez à ébullition. Réduisez le feu, ajoutez les encornets et laissez frémir 2 min environ, jusqu'à ce qu'ils soient opaques . Sortez-les à l'aide de l'écumoire en bambou et égouttez-les sur du papier absorbant.

6 Mettez les crevettes dans l'eau bouillante et laissez frémir de 1 à 2 min, jusqu'à ce qu'elles deviennent roses. Sortez-les avec l'écumoire et mettez-les à égoutter sur le papier absorbant avec les encornets.

8 Mettez les noix de Saint-Jacques dans l'eau bouillante et laissez frémir de 1 à 2 min, jusqu'à ce qu'elles soient opaques. Sortez-les avec l'écumoire et laissez-les s'égoutter sur le papier absorbant.

CONSEIL MALIN

« Peu cuits, les fruits de mer sont plus tendres. »

7 Mettez le poisson blanc dans l'eau bouillante et laissez frémir 2 min environ, jusqu'à ce qu'il soit ferme. Sortez-le avec l'écumoire et laissez-le s'égoutter sur le papier absorbant.

La peau du poisson doit être retirée après la cuisson

Les tentacules des encornets formeront de jolis dessins dans la salade

2 FAIRE LA SAUCE ET COMPOSER LA SALADE

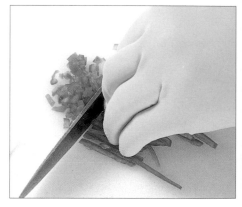

1 Enlevez toutes les nervures centrales dures des feuilles de citron vert. Empilez-les et coupez-les en lanières de 3 mm. Rassemblez-les et coupez-les en très petits dés. Procédez de la même façon si vous utilisez du zeste de citron.

2 Posez le plat de la lame du couteau chef au sommet de chaque gousse d'ail et appuyez avec le poing. Pelez-les et hachez-les finement.

3 Enfilez les gants en caoutchouc, coupez le piment en deux et ôtez son pédoncule. Grattez les graines et les membranes blanches. Tranchez les moitiés en très fines lanières, rassemblez-les et détaillez-les en très petits dés.

4 Ôtez le bout sec de la tige de citronnelle. Enlevez toutes les couches extérieures jusqu'à ce que vous atteigniez le cœur tendre. Écrasez-la sous le plat de la lame du couteau chef, puis coupez-la en très fines tranches.

5 Coupez les citrons verts en deux, pressez-les et filtrez le jus : vous devez en avoir 10 cl environ.

6 Dans un bol, mettez les feuilles de citron vert, l'ail, le piment, la citronnelle, le jus de citron vert, la sauce de poisson et le sucre. Mélangez bien pour qu'il fonde.

7 Mettez les crevettes, les encornets et les noix de Saint-Jacques dans un grand bol. Versez la sauce par-dessus. Mélangez pour bien enrober les fruits de mer.

8 Enlevez la peau du poisson blanc et ajoutez-le aux autres ingrédients. Mélangez doucement pour le défaire en gros morceaux. Goûtez et ajoutez éventuellement un peu de jus de citron vert ou de sauce de poisson.

POUR SERVIR

Tapissez les assiettes avec des feuilles de salade verte, puis disposez au milieu 1/4 des fruits de mer. Décorez éventuellement avec des fleurs de citron vert.

Les jolies fleurs faites avec des quartiers de citron vert pourront être pressées pour parfumer encore la salade

Les feuilles de salade forment un écrin croquant pour cette salade épicée

VARIANTE
FRUITS DE MER ÉPICÉS SUR SALADE DE VERMICELLES

Ici, les fruits de mer sont d'abord sautés, puis assaisonnés et servis très frais sur un lit de vermicelles de riz.

1 N'utilisez ni poisson blanc, ni feuilles de laitue. Préparez les crevettes, les encornets et les noix de Saint-Jacques.
2 Chauffez le wok sur feu vif et versez 2 cuil. à café d'huile pour graisser le fond et les côtés. Continuez à chauffer jusqu'à ce que l'huile soit chaude ; mettez-y les crevettes et faites-les sauter 30 s environ. Ajoutez les encornets et les noix de Saint-Jacques et cuisez 2 min encore, jusqu'à ce qu'ils soient opaques (les crevettes doivent être roses). Mettez les fruits de mer dans un bol et réservez.
3 Préparez la sauce de la salade et versez-en les 2/3 sur les fruits de mer chauds. Remuez doucement, couvrez et mettez au réfrigérateur pour 2 h au moins, et jusqu'à 12 h. Couvrez et gardez au frais le reste.
4 Remplissez une grande casserole d'eau et portez à ébullition. Mettez-y 175 g de vermicelles de riz et laissez frémir de 1 à 2 min, ou suivant les indications portées sur l'emballage. Égouttez-les dans une passoire, rincez-les sous l'eau fraîche jusqu'à ce qu'ils soient froids, égouttez-les de nouveau. Assaisonnez-les avec le reste de sauce et 2 cuil. à soupe d'huile de sésame, et remuez pour bien les enrober. Mettez au réfrigérateur pour 1 h au moins.
5 Pour servir, disposez un lit de vermicelles froids au fond de bols et versez par-dessus les fruits de mer. Décorez éventuellement avec des quartiers de citron.

SALADES DU MOYEN-ORIENT

 POUR 6 À 8 PERSONNES   PRÉPARATION : DE 35 À 40 MIN*

ÉQUIPEMENT

bols

passoire

couteau d'office

couteau chef

cuillers en bois

presse-agrumes

plaque à pâtisserie

passoire en toile métallique

planche à découper

Les mézès — petits plats de légumes, de salades, d'olives, de pois chiches — ouvrent très souvent les repas au Moyen-Orient. Le taboulé — du boulghour avec de la menthe fraîche et du persil — et le cacik — du concombre au yaourt et à l'ail — offrent des consistances et des saveurs contrastées.

SAVOIR S'ORGANISER

Les deux salades développent leurs arômes au froid; préparez-les plusieurs heures à l'avance et conservez-les, couvertes, au réfrigérateur. Servez-les à température ambiante.

* plus 2 h de réfrigération

LE MARCHÉ

200 g de boulghour
2 petits concombres, soit 500 g environ
sel et poivre
3 gousses d'ail
1 bouquet de persil
2 bouquets de menthe fraîche
3 citrons
500 g de tomates moyennes
3 oignons nouveaux
15 cl d'huile d'olive
1/2 cuil. à café de coriandre en poudre
1/4 de cuil. à café de cumin en poudre
4 yaourts entiers
125 g d'olives noires, pour la décoration
6 à 8 pains pitta moyens, pour servir

INGRÉDIENTS

boulghour

concombres

ail

oignons nouveaux

cumin en poudre

coriandre en poudre

huile d'olive

olives noires

citrons

tomates

pains pitta

persil

yaourt

menthe

CONSEIL MALIN

«Choisissez des olives noires en saumure de bonne qualité; les calamatas grecques comptent parmi les meilleures.»

DÉROULEMENT

1 PRÉPARER LES INGRÉDIENTS DES SALADES

2 PRÉPARER LE TABOULÉ ET LE CACIK

1 PRÉPARER LES INGRÉDIENTS DES SALADES

1 Mettez le boulghour dans un grand bol et versez suffisamment d'eau pour le couvrir largement. Laissez-le gonfler 30 min, puis égouttez-le dans la passoire. Il aura absorbé un maximum d'eau; enlevez-en l'excès en le pressant dans votre main.

ATTENTION !

Si le boulghour n'est pas suffisamment égoutté, le tabboulé sera détrempé.

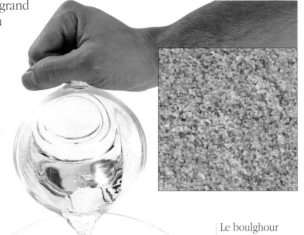

Le boulghour doré a une saveur de noisette

Dans l'eau, le boulghour devient léger et moelleux

2 Pelez et parez les concombres, et coupez-les en deux dans le sens de la longueur. Ôtez les graines avec une cuiller à café. Tranchez les moitiés en 3 ou 4 lanières, rassemblez-les et détaillez-les en dés.

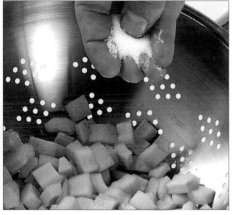

3 Mettez les concombres dans la passoire, saupoudrez-les de sel et remuez. Laissez-les dégorger leur jus amer de 15 à 20 min.

4 Pendant ce temps, posez le plat de la lame du couteau chef sur chaque gousse d'ail et appuyez avec le poing. Pelez-les et hachez-les finement. Détachez de leur tige les feuilles de persil et rassemblez-les sur la planche à découper. À l'aide du couteau chef, hachez-les grossièrement. Détachez de leur tige les feuilles de menthe et hachez-les.

La menthe est un des ingrédients essentiels des salades du Moyen-Orient

Le persil donne de la consistance au tabboulé

5 Pressez les citrons : vous devez obtenir 15 cl de jus environ. Enlevez tous les pépins.

6 Avec la pointe du couteau d'office, ôtez le pédoncule des tomates.

7 Coupez les tomates en deux et pressez-les pour en chasser les graines, puis concassez-les grossièrement.

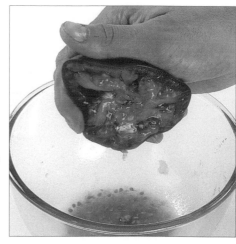

Le couteau chef est idéal pour hacher les oignons nouveaux

Les tomates concassées coloreront le tabboulé

8 Parez et hachez les oignons nouveaux, en gardant une partie du vert.

9 Rincez les dés de concombre sous un filet d'eau froide. Laissez s'égoutter.

2 PRÉPARER LE TABOULÉ ET LE CACIK

1 Dans un grand bol, mélangez le boulghour, les tomates, les oignons, le persil, le jus de citron, l'huile d'olive et les 2/3 de la menthe. Salez et poivrez généreusement.

Les saveurs et les consistances des ingrédients du taboulé se complètent et se mêlent

Le jus de citron apporte un piquant indispensable

2 Remuez le taboulé; goûtez et rectifiez l'assaisonnement. Couvrez et mettez au réfrigérateur pour 2 h au moins.

CONSEIL MALIN

«Les proportions entre le boulghour et les herbes fraîches dépendent du goût de chacun. Vous pouvez donc rajouter du persil ou de la menthe.»

3 Préparez le cacik. Mettez les dés de concombre dans un bol et ajoutez l'ail haché, le reste de menthe, la coriandre en poudre, le cumin en poudre, du sel et du poivre. Versez le yaourt.

Le yaourt lie des ingrédients du cacik

4 Mélangez les ingrédients du cacik avec la cuiller en bois. Goûtez et rectifiez l'assaisonnement. Mettez au réfrigérateur pour 2 h au moins, le temps que les arômes se mêlent.

🍽 POUR SERVIR
Laissez les salades revenir à température ambiante et disposez-les dans des plats séparés. Décorez le taboulé avec des olives et un brin de menthe.

Le concombre donne une salade très rafraîchissante

Les pains pitta resteront moelleux si vous les passez au four de 3 à 5 min seulement

VARIANTE
SALADES MÉDITERRANÉENNES
La semoule à couscous remplace ici le boulghour, et l'aneth frais crée la variante grecque du cacik, le tzatziki.

1 Hachez 1 bouquet de persil frais, 1 de menthe, et 1, plus petit, d'aneth. Préparez l'ail, le jus de citron, les tomates et les oignons nouveaux. Essuyez 1 petit concombre, puis râpez-le sans le peler ni l'égrener. Salez-le et laissez-le dégorger.
2 N'utilisez pas le boulghour. Mettez 250 g de semoule à couscous dans un grand bol et couvrez-le avec 25 cl d'eau bouillante, en remuant vivement avec une fourchette. Laissez-le gonfler 5 min. Procédez ensuite comme pour le taboulé. Goûtez et rectifiez l'assaisonnement, couvrez et mettez au réfrigérateur.
3 Préparez le tzatziki avec le concombre, de la même façon que le cacik, en remplaçant la menthe par l'aneth. Goûtez et rectifiez l'assaisonnement, couvrez et mettez au réfrigérateur.
4 Remplacez les olives noires par des olives vertes. Réchauffez les pains pitta dans le four de 3 à 5 min. Disposez les salades et les olives, sans les mélanger, sur 6 à 8 assiettes et servez-les accompagnées des pains pitta coupés en quartiers. Décorez avec un brin de menthe et une fine tranche de citron.

SALADE WALDORF

 POUR 6 PERSONNES   PRÉPARATION : DE 25 À 30 MIN*   CUISSON : DE 25 À 35 MIN

ÉQUIPEMENT

couteau chef

couteau d'office

couteau éplucheur

grande poêle peu profonde**   cuiller parisienne***

papier absorbant

bols

cuiller percée

cuiller en bois

planche à découper   pinces

plaque à pâtisserie

Cette salade classique a été créée au début du siècle par le maître d'hôtel Oscar, de l'hôtel Waldorf, à New York. Un émincé de poulet poché enrichit ici le mélange traditionnel de pommes, de noix et de céleri hachés qu'accompagne une mayonnaise allégée par du yaourt.

SAVOIR S'ORGANISER

Vous pouvez préparer la salade 6 h à l'avance et la conserver, couverte, au réfrigérateur.

* plus 1 h de réfrigération

LE MARCHÉ

4 blancs de poulet sans peau ni os, soit 750 g environ
125 g de cerneaux de noix
500 g de pommes acides et croquantes
1 citron
1 1/2 yaourt entier
20 cl de mayonnaise
sel et poivre
Pour le court-bouillon
1 oignon
1 carotte
4 branches de céleri, si possible avec les feuilles
1 litre d'eau
10 à 12 grains de poivre noir
1 bouquet garni, composé de 5 ou 6 brins de persil, 2 ou 3 brins de thym et 1 feuille de laurier

INGRÉDIENTS

pommes   blancs de poulet

noix   yaourt entier

bouquet garni   mayonnaise

citron   carotte

poivre en grains   oignon

céleri-branche

DÉROULEMENT

1 POCHER LES BLANCS DE POULET

2 PRÉPARER LES INGRÉDIENTS DE LA SALADE ET LA COMPOSER

** ou casserole peu profonde
*** ou cuiller à café

74

1 POCHER LES BLANCS DE POULET

Le bouquet garni parfumera encore davantage le court-bouillon

Le court-bouillon prendra toutes les saveurs des légumes

1 Parez et pelez l'oignon et la carotte, et coupez-les en quartiers. Rassemblez les branches de céleri, enlevez le haut des tiges et les feuilles, et réservez-les pour le court-bouillon.

2 Versez l'eau dans la grande casserole peu profonde. Ajoutez les grains de poivre, l'oignon et la carotte, le céleri, le bouquet garni et du sel. Portez à ébullition et laissez frémir de 10 à 15 min.

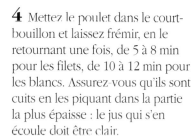

3 Pendant ce temps, enlevez le tendon qui se trouve sous les blancs de poulet, en le soulevant délicatement avec le couteau d'office. Ôtez aussi le petit morceau de filet.

4 Mettez le poulet dans le court-bouillon et laissez frémir, en le retournant une fois, de 5 à 8 min pour les filets, de 10 à 12 min pour les blancs. Assurez-vous qu'ils sont cuits en les piquant dans la partie la plus épaisse : le jus qui s'en écoule doit être clair.

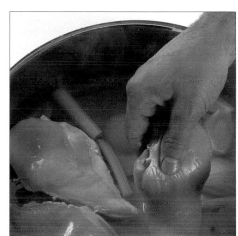

5 Retirez du feu. Remettez les filets dans le court-bouillon avec les blancs et laissez refroidir de 10 à 15 min. Puis posez les morceaux de poulet sur du papier absorbant pour les égoutter.

Le poulet qui a refroidi dans le court-bouillon reste moelleux

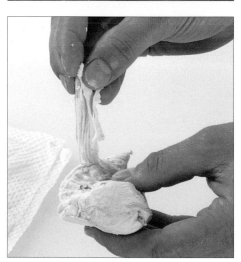

6 Avec les doigts, émiettez les blancs de poulet en morceaux de 5 cm de long environ. Séparez les filets en deux. La chair restera plus juteuse si vous ne tranchez pas les fibres avec un couteau.

2 PRÉPARER LES INGRÉDIENTS DE LA SALADE ET LA COMPOSER

1 Préchauffez le four à 180 °C. Étalez les cerneaux de noix sur la plaque à pâtisserie et enfournez-les pour 5 à 8 min, en les remuant de temps en temps pour qu'ils grillent de tous les côtés, jusqu'à ce qu'ils soient croustillants.

2 À l'aide du couteau éplucheur, enlevez les fils des branches de céleri. Détaillez-les en biais en tranches de 5 mm.

La cuiller parisienne entaille bien le cœur des pommes, mais vous pouvez utiliser une cuiller à café aux bords tranchants

3 Avec le couteau d'office, ôtez la base et le sommet des pommes, mais ne les pelez pas. Coupez-les en deux et enlevez le cœur et ses pépins.

4 Posez les moitiés de pomme à plat sur la planche à découper. Coupez-les horizontalement en deux, puis verticalement en tranches de 1 cm. Rassemblez-les et détaillez-les en dés. Mettez-les dans un grand bol.

6 Mettez dans le bol le poulet, le céleri, le yaourt, la mayonnaise et les 2/3 des cerneaux de noix. Assaisonnez avec du sel et du poivre.

Les dés de pomme enrobés de jus de citron ne noirciront pas

Le yaourt allège la mayonnaise de cette salade

5 Pressez le citron et versez-en le jus sur les dés de pomme. Remuez avec la cuiller en bois pour qu'ils en soient bien enrobés.

7 Mélangez bien tous les ingrédients. Goûtez et rectifiez l'assaisonnement. Couvrez et laissez 1 h au réfrigérateur.

8 Hachez grossièrement le reste des cerneaux de noix et réservez pour la décoration.

🍽 **POUR SERVIR**
Disposez la salade bien froide sur des assiettes individuelles et parsemez avec les noix hachées.

Les pommes acides apportent couleur et saveur

V A R I A N T E
SALADE DE POULET TROPICALE

Dans cette recette, le cumin, la cardamome, la coriandre et les fruits tropicaux apportent de l'exotisme à la salade. Les couleurs de la papaye, de la mangue et des boules de melon s'harmonisent. Vous pouvez ajouter une carambole, un kiwi ou des graines de grenade.

1 Préparez et pochez le poulet en suivant la recette principale. N'utilisez ni noix, ni pommes, ni céleri, ni mayonnaise.
2 Coupez en deux un petit melon d'Espagne à chair verte, soit 500 g environ. Ôtez-en les graines. À l'aide d'une cuiller parisienne, prélevez des boules dans la chair et mettez-les dans un grand bol.
3 Coupez en deux une papaye moyenne, soit 250 g environ. Ôtez-en les graines sombres. Prélevez des boules dans la chair et mettez-les dans le bol.

Le poulet est tendre et juteux

4 Coupez en longueur une mangue moyenne, soit 350 g environ, au ras du noyau. Procédez de la même façon de l'autre côté. À l'aide d'un couteau d'office, faites un quadrillage dans chaque moitié de mangue en laissant des intervalles de 1,5 cm, sans percer la peau.

5 Pressez avec les pouces au centre de la peau pour ressortir la chair. Détachez les cubes de mangue et mettez-les dans le bol.
6 Ajoutez l'émincé de poulet. Mélangez 1 1/2 yaourt entier, le jus de 1 citron, 1/4 de cuil. à café de cumin en poudre, un autre de cardamome en poudre, et un autre de coriandre en poudre. Assaisonnez avec du sel et du poivre. Versez la sauce et mélangez bien. Goûtez, rectifiez l'assaisonnement et mettez au réfrigérateur.
7 Disposez la salade sur un grand plat. Décorez éventuellement avec des tortillons de citron et des brins de menthe.

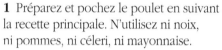

DES PlatS POUR ChangeR

CHAUSSONS MEXICAINS	80
CHAUSSONS MEXICAINS AU PORC	85
CARRÉ DE PORC À LA MEXICAINE	86
STEAKS SAUCE BARBECUE	91
MOLE POBLANO	92
MOLE DE PORC	95
CHILI CON CARNE	96
CHILI À LA MEXICAINE	99
BROCHETTES DE POULET À LA THAÏ	100
SALADE DE POULET À LA JAPONAISE	103
FONDUE JAPONAISE	104
BŒUF ET LÉGUMES BRAISÉS	109
POULET À LA CITRONNELLE	110
PORC À LA CITRONNELLE	115
CANARD À LA CHINOISE	116
POULET RÔTI À LA CANTONAISE	121
PORC FLEUR JAUNE	122
LÉGUMES FLEUR JAUNE	127
CURRY DE BŒUF À L'INDONÉSIENNE	128
BŒUF BRAISÉ À LA VIETNAMIENNE	133
DÉLICE DE BOUDDHA	134
LÉGUMES SAUTÉS À LA VIETNAMIENNE	139
POULET ET CREVETTES DE MALAISIE	140
POULET ET CREVETTES À LA THAÏ	145
BROCHETTES À L'INDONÉSIENNE	146
BROCHETTE DE POULET À LA VIETNAMIENNE	149
PORC AIGRE-DOUX DU SICHUAN	150
TRAVERS DE PORC ÉPICÉS À L'INDONÉSIENNE	153
SUKIYAKI DE PORC	154
SUKIYAKI DE BŒUF AU GINGEMBRE	157
SAUTÉ DE POULET AU PAPRIKA	158
SAUTÉ DE POULET À LA BIÈRE	161
POULET SAUTÉ AU POIVRE DU SICHUAN	161
TAJINE DE POULET AUX ÉPICES	162
TAJINE DE POULET AUX AUBERGINES	165
FLÉTAN À L'ORIENTALE	166
FLÉTAN À LA THAÏ EN PAPILLOTES	169
BROCHETTES D'AGNEAU À LA TURQUE	170
BOULETTES D'AGNEAU À L'INDIENNE	173
AGNEAU BRAISÉ À L'INDIENNE	174
AGNEAU À LA MAROCAINE	177
COUSCOUS VÉGÉTARIEN	180
COUSCOUS AU POISSON	183
COUSCOUS D'AGNEAU ET DE LÉGUMES	183
GADO GADO	184
NID DE SALADE SAUCE CACAHUÈTES	189
POULET POJARSKI	190
BOULETTES POUR COCKTAIL	193

CHAUSSONS MEXICAINS

Quesadillas con pollo

🍽 POUR 8 PERSONNES   🥣 PRÉPARATION : DE 35 À 40 MIN   🍲 CUISSON : DE 3 À 6 MIN*

ÉQUIPEMENT

couteau chef

palette

casserole   couteau d'office

cuiller en bois

cuiller percée

gants en caoutchouc   poêle

bols   râpe à fromage

planche à découper

film alimentaire

CONSEIL MALIN

«Vous pouvez également utiliser une plaque à pâtisserie. Si elle est assez grande, cuisez 2 ou 3 chaussons à la fois.»

Ces chaussons salés permettent d'utiliser agréablement des restes de poulet cuit. Le cheddar relèvera leur farce.

* le temps de friture dépend de la taille de la poêle

LE MARCHÉ

2 oignons moyens
500 g de tomates
sel et poivre
3 piments verts forts frais
4 gousses d'ail
400 g de poulet cuit désossé
4 cuil. à soupe d'huile végétale, ou plus
15 cl de bouillon de volaille ou d'eau
250 g de cheddar un peu affiné
12 tortillas de 15 cm de diamètre environ

Pour le guacamole

5 à 7 brins de coriandre
1 petite tomate bien mûre
1 petit oignon
1 gousse d'ail
1 avocat bien mûr
2 ou 3 gouttes de tabasco
le jus de 1/2 citron vert

INGRÉDIENTS

poulet cuit   tortillas de farine de blé**

bouillon de volaille   piments forts   oignons

jus de citron vert   huile végétale   cheddar   avocat

tomates

coriandre fraîche   gousses d'ail   tabasco

** ou tortillas de farine de maïs

DÉROULEMENT

1 PRÉPARER LA GARNITURE ET LA FARCE

2 PRÉPARER LE GUACAMOLE

3 FAIRE CUIRE LES QUESADILLAS

1 PRÉPARER LA GARNITURE ET LA FARCE DES QUESADILLAS

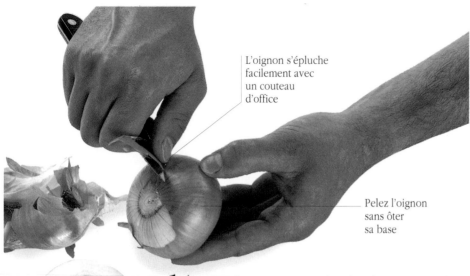

L'oignon s'épluche
facilement avec
un couteau
d'office

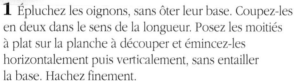

Pelez l'oignon
sans ôter
sa base

1 Épluchez les oignons, sans ôter leur base. Coupez-les en deux dans le sens de la longueur. Posez les moitiés à plat sur la planche à découper et émincez-les horizontalement puis verticalement, sans entailler la base. Hachez finement.

2 Pelez, épépinez et concassez les tomates (voir encadré p. 82). Mélangez-les à un quart de l'oignon haché. Salez et poivrez selon votre goût; réservez pour la garniture.

4 Coupez les piments en fines rondelles et réservez-les pour la décoration. Épépinez et coupez en dés le dernier piment (voir encadré p. 84).

Les gants en caoutchouc
protègent vos mains
de la brûlure des piments

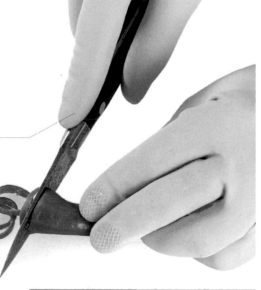

3 Ôtez le pédoncule de deux des piments; épépinez-les à l'aide d'une cuiller à café ou en les tapant contre le plan de travail.

5 Posez le plat de la lame du couteau chef sur chaque gousse d'ail et appuyez avec le poing. Retirez la peau; hachez finement l'ail.

6 Émiettez la viande de poulet entre vos doigts en retirant toute la peau et les cartilages.

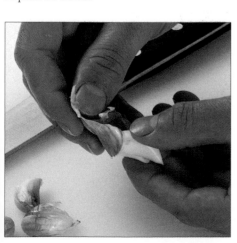

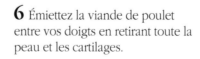

PELER, ÉPÉPINER ET CONCASSER DES TOMATES

Pelées, épépinées, puis concassées, les tomates mijotées donnent une purée onctueuse.

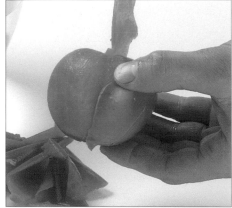

1 Remplissez d'eau une petite casserole et portez à ébullition. Ôtez le pédoncule des tomates. Retournez-les et entaillez-les en croix. Mettez-les dans l'eau bouillante : la peau se décolle. Plongez-les aussitôt dans un bol d'eau fraîche.

2 Pelez les tomates à l'aide d'un couteau d'office. Coupez-les en deux et pressez chaque moitié dans votre main pour en chasser les graines.

3 Retournez les moitiés de tomate sur la planche à découper et coupez-les en tranches. Faites-leur faire un quart de tour et émincez-les. Hachez-les.

8 Versez le bouillon de volaille et laissez mijoter de 5 à 7 min, jusqu'à ce que toute l'eau se soit évaporée. Ajoutez le poulet et cuisez de 1 à 2 min. Mettez la préparation dans un bol et nettoyez la poêle. Râpez le cheddar.

Le bouillon, concentré par la cuisson, parfume les miettes de poulet

7 Chauffez 3 cuil. à soupe d'huile dans la poêle. Ajoutez le reste d'oignon, l'ail et le piment hachés, et faites-les fondre sans se colorer de 2 à 3 min.

2 PRÉPARER LE GUACAMOLE

1 Détachez de leur tige les feuilles de coriandre et rassemblez-les sur la planche à découper. À l'aide du couteau chef, hachez finement les feuilles. Pelez, épépinez et concassez la tomate (voir encadré p. 82).

2 Épluchez et hachez l'oignon et l'ail. Mettez la tomate concassée, la coriandre, l'oignon et l'ail dans un bol et mélangez.

3 Coupez l'avocat dans le sens de la longueur. Faites pivoter les deux moitiés et séparez-les. Plantez la lame du couteau chef dans le noyau et sortez-le. Retirez la pulpe et mettez-la dans un bol.

CONSEIL MALIN
*«Vous pouvez aussi retirer le noyau
à l'aide d'une cuiller.»*

Une cuiller à café permet de retirer toute la pulpe de l'avocat

La pulpe de l'avocat bien mûr s'écrase facilement

4 Mélangez tous les ingrédients à l'aide d'une fourchette, en les écrasant contre les parois du bol. Ajoutez une pincée de sel et quelques gouttes de tabasco.

5 Incorporez le jus de citron vert. Goûtez et rectifiez l'assaisonnement. Couvrez et réservez au réfrigérateur.

3 FAIRE CUIRE LES QUESADILLAS

1 Préchauffez le four à 100 °C pour maintenir les quesadillas au chaud. Chauffez le reste d'huile dans la poêle et mettez-y une tortilla. Saupoudrez-la de 2 cuil. à soupe de cheddar râpé, jusqu'à 1,5 cm du bord. Ajoutez environ 2 cuil. de la préparation au poulet et cuisez jusqu'à ce que le fromage commence à fondre.

Déposez le poulet au centre, sur le fromage

ÉPÉPINER ET COUPER UN PIMENT FRAIS EN DÉS

Les piments frais forts doivent être finement hachés pour que leur parfum se répande uniformément. Si vous souhaitez un plat encore plus relevé, ajoutez les graines. Les piments frais peuvent brûler la peau : portez des gants en caoutchouc et évitez tout contact avec les yeux.

1 Ouvrez le piment en long avec un couteau d'office.

2 Ôtez le pédoncule et grattez les graines et les membranes blanches.

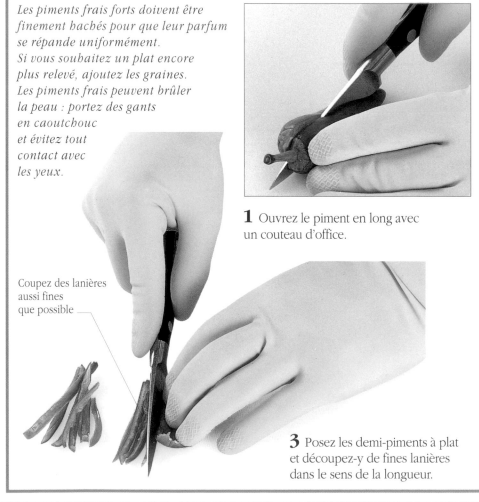

Coupez des lanières aussi fines que possible

3 Posez les demi-piments à plat et découpez-y de fines lanières dans le sens de la longueur.

4 Rassemblez les lanières et détaillez-les en très petits dés.

CHAUSSONS MEXICAINS AU PORC

Des dés de porc enrichissent la farce de ces quesadillas.

2 À l'aide de la palette, repliez la tortilla pour recouvrir la garniture. Poursuivez la cuisson de 1 à 2 min, jusqu'à ce qu'elle soit croustillante et dorée.

3 Retournez-la pour la dorer de l'autre côté. Posez-la sur un plat résistant à la chaleur et réservez-la dans le four très doux pendant que vous cuisez les autres. Ajoutez éventuellement un peu d'huile de friture.

🍽 POUR SERVIR

Coupez les quesadillas en deux et déposez trois moitiés sur chaque assiette avec du guacamole, des tomates, des oignons et des anneaux de piment. Décorez éventuellement avec de la coriandre.

1 Préparez la farce en suivant la recette principale, en remplaçant le poulet par 500 g de porc maigre détaillé en cubes de 2,5 cm. N'utilisez que 2 piments, que vous couperez en dés, et 60 g de cheddar. Hachez les feuilles de 5 à 7 brins de coriandre.

2 Faites fondre l'oignon haché avec l'ail et les dés de piment, puis ajoutez le porc et laissez revenir de 5 à 7 min. Ajoutez les tomates concassées. Poursuivez la cuisson de 5 à 7 min : le mélange va épaissir. Goûtez et rectifiez l'assaisonnement; laissez refroidir légèrement.

3 Ne préparez pas le guacamole. Cuisez les tortillas en suivant la recette principale. Saupoudrez-les de 1 ou 2 cuil. à café de cheddar râpé et d'une pincée de coriandre hachée avant d'ajouter la farce et de replier.

4 Coupez les quesadillas en deux et décorez-les de rondelles d'oignon et de feuilles de coriandre juste avant de servir.

Des tortillas croustillantes cachent une délicieuse farce mexicaine

Des anneaux de piment décorent le plat

SAVOIR S'ORGANISER

Vous pouvez préparer la farce au poulet la veille et la conserver au frais. Le guacamole se garde 24 h, bien couvert, au réfrigérateur.

CARRÉ DE PORC
À LA MEXICAINE

 POUR 6 PERSONNES   PRÉPARATION : DE 35 À 40 MIN*   CUISSON : DE 40 À 50 MIN

ÉQUIPEMENT

gants en caoutchouc

papier sulfurisé

pinceau à pâtisserie

papier absorbant

couteau chef

presse-agrumes

bols

couperet de boucher**

grande cuiller en métal

couteau d'office

cuiller percée

pinces métalliques

sauteuse   robot ménager***

plat peu profond

plat creux   poêle

spatule en caoutchouc

** ou casserole à fond épais,
ou rouleau à pâtisserie
*** ou mixeur

*La sauce donne ici au porc un goût
de cuisson au barbecue. Elle se prépare avec
des piments jalapeños frais, mais vous pouvez
les remplacer par des piments verts, plus faciles
à trouver en Europe.*

*plus de 2 à 8 h de marinage

LE MARCHÉ

1 kg de carré de porc désossé
3 avocats bien mûrs
1 citron
3 tortillas
10 cl ou plus d'huile végétale
Pour la salade et la sauce
2 gros oignons
4 gousses d'ail
3 ou 4 brins de coriandre fraîche
2 piments verts frais
1 kg ou 1,5 kg de tomates
1 poivron jaune ou rouge
2 citrons verts
tabasco
sel
3 cuil. à soupe d'huile végétale
1 cuil. à soupe de graines de coriandre
4 citrons verts
50 cl de vinaigre de vin rouge
15 cl de mélasse

INGRÉDIENTS

carré de porc désossé

avocats

mélasse

tortillas

piments verts frais

citrons verts

oignons

huile végétale

poivron jaune

vinaigre de vin rouge

gousses d'ail

graines de coriandre   tomates

coriandre fraîche

citrons

tabasco

DÉROULEMENT

1 PRÉPARER
LA SALADE
ET LA SAUCE

2 APPRÊTER
LE PORC

3 PRÉPARER
LA GARNITURE ET
FAIRE GRILLER LA
VIANDE

1 PRÉPARER LA SALADE SALSA ET LA SAUCE BARBECUE

La coriandre est délicate; hachez-la grossièrement pour qu'elle ne se flétrisse pas

1 Épluchez les oignons sans entailler leur base pour qu'ils ne se défassent pas et coupez-les en deux. Émincez les moitiés d'oignon horizontalement puis verticalement, toujours sans entailler la base. Détaillez-les en dés.

2 Posez le plat du couteau chef au sommet de chaque gousse d'ail et appuyez avec le poing. Pelez ensuite les gousses avec les doigts et hachez-les finement.

3 Détachez les feuilles de coriandre de leur tige, rassemblez-les sur la planche à découper puis ciselez-les finement. Enlevez le pédoncule des piments, épépinez-les et coupez-les en dés (voir encadré ci-dessous).

ENLEVER LE PÉDONCULE DES PIMENTS, LES ÉPÉPINER ET LES COUPER EN DÉS

Les piments frais doivent être finement hachés pour mieux libérer leur saveur. Leur goût sera plus fort si vous leur laissez leurs graines. Quand vous les préparez, enfilez toujours des gants en caoutchouc : la membrane blanche qui porte les graines contient en effet un alcaloïde, une substance qui peut irriter la peau. En outre, quand vous ôterez vos gants, vous ne risquerez pas de vous irriter les yeux en les frottant machinalement.

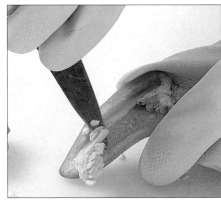

1 À l'aide d'un couteau d'office, ouvrez les piments dans le sens de la longueur.

2 Ôtez le pédoncule et grattez les membranes blanches et les graines.

3 Découpez chaque demi-piment en fines lanières dans le sens de la longueur.

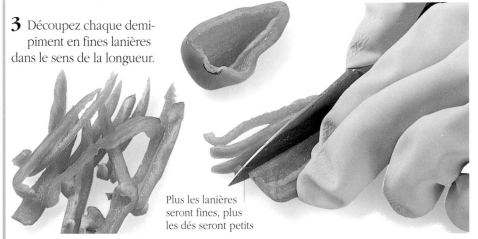

Plus les lanières seront fines, plus les dés seront petits

4 Rassemblez les lanières et détaillez-les en très petits dés.

La salade salsa se prépare
avec des ingrédients
de consistance
différente

4 Ôtez le pédoncule des tomates; retournez-les et
entaillez-les en croix. Plongez-les dans une casserole
d'eau bouillante de 8 à 15 s : la peau se décolle en frisant
au niveau de la croix. Laissez-les refroidir dans
un bol d'eau fraîche puis pelez-les, coupez-les en
deux, épépinez-les et concassez-les.

CONSEIL MALIN
*«Une partie de ces ingrédients sera utilisée
pour la salade salsa; le reste servira
à préparer la sauce barbecue.»*

5 Pour préparer la salade salsa, mettez
dans un grand bol la moitié des oignons
hachés, 1/4 de l'ail haché, la coriandre
hachée, la moitié des dés de piment
et 1/3 des tomates.

Saveurs fortes
et parfums frais
stimulent les papilles
gustatives

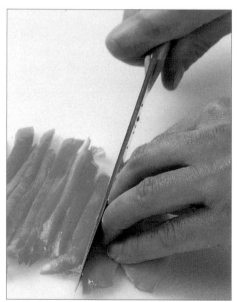

Le poivron jaune
apporte du croquant
à la salade salsa

6 Ôtez le pédoncule du poivron en
le faisant tourner puis coupez le légume
en deux. Grattez les graines et les
membranes blanches qui se trouvent
à l'intérieur. Posez les demi-poivrons
à plat sur la planche à découper, aplatissez-
les sous le talon de votre main et émincez-
les finement dans le sens de la longueur.
Rassemblez les lanières et détaillez-les
en dés.

7 Ajoutez les dés de poivron et le jus
du citron pressé aux ingrédients de la
salade salsa. Assaisonnez de tabasco
et de sel selon votre goût, puis couvrez
et laissez refroidir au réfrigérateur.

Le jus des citrons verts
fraîchement pressés est
délicatement parfumé

8 Pour préparer la sauce barbecue, chauffez
l'huile dans la sauteuse et faites-y revenir
de 3 à 4 min le reste de l'oignon, de l'ail
et des dés de piment. Ajoutez les graines
de coriandre et le reste
des tomates. Pressez les
citrons verts et incorporez
leur jus à la sauce.

Les graines de coriandre
relèvent la saveur
du plat

9 Chauffez la sauce à feu moyen 15 min,
en mélangeant de temps en temps : elle va
réduire et épaissir.

10 Versez le vinaigre de vin rouge, portez
à ébullition et laissez de nouveau réduire et
épaissir la sauce de 8 à 10 min.

11 Ajoutez la mélasse et chauffez encore
de 1 à 2 min. Salez. Laissez refroidir.

12 Lorsque la sauce est tiède, réduisez-la
en purée à l'aide du robot ménager, puis
laissez-la refroidir complètement.

2 APPRÊTER LE CARRÉ DE PORC

1 Dégraissez et dénervez le carré de porc puis découpez-le en 6 fines côtelettes. Placez-en une entre 2 feuilles de papier sulfurisé et aplatissez-la sous le plat d'un couperet de boucher. Procédez de la même façon avec les 5 autres côtelettes.

CONSEIL MALIN
«La viande aplatie cuit régulièrement, rapidement et sans se dessécher.»

Coupez des tranches de viande de même épaisseur afin qu'elles cuisent toutes à la même vitesse

Vous pouvez laisser quelques petits morceaux de gras

2 Mettez les côtelettes dans le plat creux, recouvrez-les de la sauce barbecue froide en les retournant pour qu'elles soient enrobées de tous les côtés. Couvrez et laissez mariner au réfrigérateur de 2 à 8 h.

3 PRÉPARER LA GARNITURE ET FAIRE GRILLER LES CÔTES DE PORC

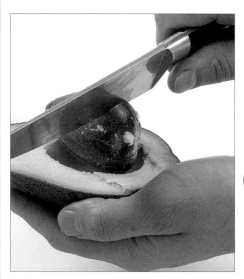

1 Allumez le gril. Coupez chaque avocat en deux. Enfoncez la lame du couteau chef dans le noyau et ôtez-le en le faisant doucement pivoter. Vous pouvez aussi l'enlever avec une cuiller.

2 Pressez le citron. À l'aide du couteau d'office, pelez les moitiés d'avocat et émincez-les finement. Disposez les tranches sur le plat peu profond et enduisez-les aussitôt de jus de citron à l'aide du pinceau à pâtisserie.

3 Rassemblez les tortillas et découpez-les en lanières de 5 mm de large. Versez l'huile dans la poêle; faites-y sauter les tortillas à feu vif de 1 à 2 min : elles doivent être croustillantes. Posez-les sur du papier absorbant et réservez au four.

4 Huilez la grille du four à l'aide du pinceau à pâtisserie. Soulevez les côtelettes avec la pince métallique, laissez-les s'égoutter puis posez-les sur la grille. Enfournez pour 5 à 7 min à 5 cm sous la source de chaleur.

Bien huilée, la viande ne colle pas à la grille

5 Retournez les côtelettes; badigeonnez-les de sauce barbecue à l'aide du pinceau à pâtisserie et faites-les cuire de l'autre côté de 5 à 7 min.

CONSEIL MALIN

«Pressez la côtelette avec le doigt : la viande doit être ferme.»

🍽 POUR SERVIR

Disposez les côtelettes sur des assiettes chaudes. Mettez un peu de salade salsa sur un lit de salades mélangées, ajoutez les tortillas et les tranches d'avocat et décorez le plat d'une feuille d'aneth.

L'avocat
rafraîchissant adoucit le porc épicé

STEAKS SAUCE BARBECUE

Des côtes de bœuf fines ou des entrecôtes remplacent ici les côtes de porc.

1 Préparez la salade salsa et la sauce barbecue en suivant la recette principale.
2 Dégraissez et dénervez 6 côtes de bœuf ou 6 entrecôtes, de 2 cm d'épaisseur. Laissez-les mariner dans la sauce barbecue comme les côtes de porc. N'utilisez ni les tortillas ni les avocats.
3 Allumez le gril, cuisez les côtes ou les entrecôtes en les badigeonnant de sauce pendant la cuisson, de 2 à 3 min si vous aimez le bœuf saignant, de 5 à 6 min si vous le préférez à point. Retournez-les, badigeonnez-les de nouveau et grillez-les de 2 à 3 min ou de 5 à 6 min selon votre goût. Pour vérifier la cuisson, pressez un steak avec le doigt : la viande saignante est tendre, la viande cuite à point est plus ferme.
4 Sortez les morceaux de viande du four et nappez-les du reste de sauce barbecue. Disposez la salade salsa sur un lit de feuilles tendres d'épinards frais; décorez d'aneth.

— SAVOIR S'ORGANISER —

Vous pouvez préparer la salade salsa et la sauce barbecue de 48 à 72 h à l'avance et les conserver, dans des récipients couverts, au réfrigérateur. La viande peut mariner jusqu'à 8 h, mais ne la grillez qu'au dernier moment.

MOLE POBLANO

🍴 POUR 8 PERSONNES · **🥄 PRÉPARATION : DE 45 À 55 MIN** · **🍲 CUISSON : DE 1 H 15 À 1 H 30**

ÉQUIPEMENT

grande cocotte pouvant aller sur le feu, avec couvercle

petite poêle

casseroles

passoire en toile métallique

bols

robot ménager*

couteau chef

couteau d'office

fourchette à rôti

couteau éplucheur

spatule en caoutchouc

planche à découper

cuiller en bois

louche

* ou mixeur

Un mélange de chaudes épices et de chocolat amer fait toute la personnalité de ce ragoût de dinde mexicain, servi avec du riz. Ne vous laissez pas rebuter par la liste du marché : ce célèbre plat ravira vos invités.

LE MARCHÉ

1 branche de céleri
2 oignons
1 carotte
4 gousses d'ail
4 cuil. à soupe d'huile végétale
1,5 kg de cuisses de dinde désossées
sel et poivre
1 litre d'eau
1 cuil. à café de grains de poivre noir
Pour la sauce mole
500 g de tomates
50 g de chocolat amer
1 tranche de pain de mie rassis
1 tortilla de maïs rassise
200 g d'amandes mondées
75 g de raisins secs
30 g de piment en poudre
3 cuil. à café d'un mélange en parts égales de clou de girofle, de coriandre et de cumin en poudre
1/4 de cuil. à café de graines d'anis en poudre
2 cuil. à café de cannelle en poudre
30 g de graines de sésame

INGRÉDIENTS

 carotte

 huile végétale

 tomates

 raisins secs

 oignons

 cuisses de dinde désossées

 graines de sésame

 amandes mondées

 piment en poudre

  cannelle

 mélange d'épices

 graines d'anis

 céleri-branche

 gousses d'ail

 grains de poivre noir

 tortilla de maïs

 pain de mie

chocolat amer

DÉROULEMENT

1 CUIRE LA DINDE ET LES LÉGUMES

2 PRÉPARER LA SAUCE

3 TERMINER LE PLAT

1 CUIRE LA DINDE ET LES LÉGUMES

1 Parez la branche de céleri, enlevez-en les fils à l'aide du couteau éplucheur, et coupez-la en quartiers. Épluchez les oignons et coupez-les en quatre. Épluchez les carottes et coupez-les en quatre.

Coupez les légumes en gros morceaux pour qu'ils ne se défassent pas à la cuisson, qui sera longue

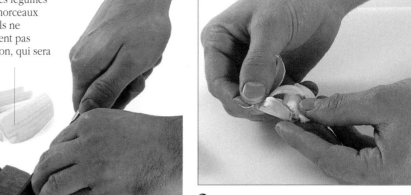

3 Assaisonnez les cuisses de dinde avec du sel et du poivre. Chauffez la moitié de l'huile dans la cocotte. Mettez-y les morceaux de volaille, côté peau vers le fond. Laissez dorer de 10 à 15 min, en les retournant de temps en temps.

4 Ajoutez l'eau, le céleri, 4 quartiers d'oignon, les grains de poivre et la carotte. Portez à ébullition, couvrez et laissez mijoter de 45 à 60 min, jusqu'à ce que la dinde soit très tendre sous les dents de la fourchette à rôti.

2 Posez le plat de la lame du couteau chef au sommet de chaque gousse d'ail et appuyez avec le poing. Pelez-les.

L'eau doit recouvrir presque complètement la dinde et les légumes

Les carottes apportent leur douceur sucrée au liquide de cuisson

2 PRÉPARER LA SAUCE MOLE

1 Ôtez le pédoncule des tomates, retournez-les et entaillez-les en croix. Mettez-les dans l'eau bouillante de 8 à 15 s : la peau se décolle. Plongez-les aussitôt dans l'eau fraîche. Lorsqu'elles ont refroidi, pelez-les. Coupez-les en deux, pressez-les pour en chasser les graines, et concassez-les grossièrement.

2 Cassez le chocolat en morceaux et hachez-le grossièrement. Émiettez le pain et la tortilla.

3 Mettez les tomates dans le robot ménager avec le reste des quartiers d'oignon, l'ail, le pain, la tortilla, les amandes, les raisins secs, le piment en poudre, le clou de girofle, la coriandre et le cumin en poudre, les graines d'anis, la cannelle et la moitié des graines de sésame. Mixez jusqu'à ce que la sauce soit très lisse.

CONSEIL MALIN

«Si le mélange est très épais, ou si vous utilisez un mixeur, ajoutez 15 cl d'eau et travaillez la sauce en deux fois.»

Les amandes donnent de la consistance à la purée

ATTENTION !

La force des poudres de piment varie beaucoup; assurez-vous de celle que vous avez achetée avant de l'utiliser dans cette recette.

3 TERMINER LE PLAT

1 Retirez la cocotte du feu, sortez les cuisses de dinde et posez-les sur un plat. Filtrez le liquide de cuisson au-dessus d'un bol pour retenir les légumes.

2 Quand les cuisses de dinde ont suffisamment refroidi pour que vous ne vous brûliez pas, enlevez la peau et toute trace de graisse à l'aide du couteau d'office. Avec les doigts, émiettez la chair.

Le chocolat amer renforce la saveur de la sauce mole

3 Chauffez le reste de l'huile dans la cocotte. Mettez-y la sauce mole et cuisez 5 min environ, en remuant sans arrêt avec la cuiller en bois, jusqu'à ce qu'elle soit épaisse et brune.

4 Ajoutez le chocolat et cuisez 5 min encore, en remuant sans arrêt pour bien l'incorporer.

5 Versez le liquide de cuisson réservé, salez et remuez bien. Laissez frémir de 25 à 30 min, jusqu'à ce que la sauce commence à épaissir.

7 Remettez la chair de dinde dans la cocotte et laissez mijoter de 10 à 15 min encore, jusqu'à ce que la sauce soit suffisamment épaisse pour napper le dos de la cuiller en bois. Goûtez et rectifiez l'assaisonnement.

6 Pendant ce temps, grillez le reste des graines de sésame : chauffez la poêle, mettez-y les graines et cuisez de 2 à 3 min, en remuant de temps en temps, jusqu'à ce qu'elles soient légèrement dorées.

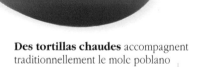

La sauce mole, sombre et épaisse, ne doit pas être collante

🍽 POUR SERVIR

Servez dans des bols chauds, en couronne autour d'un cœur de riz blanc. Parsemez des graines de sésame grillées; couronnez le riz avec de la coriandre ciselée et du piment frais haché, si vous l'aimez.

Des tortillas chaudes accompagnent traditionnellement le mole poblano

V A R I A N T E
MOLE DE PORC

La sauce mole rélève la saveur douce du porc, et s'accompagne ici de crème fleurette froide.

1 N'utilisez ni cuisses de dinde, ni céleri, ni carottes, ni grains de poivre noir. Pelez 3 gousses d'ail et 1 oignon, que vous couperez en quatre. Préparez la sauce mole. Cuisez-la avec le chocolat, en utilisant 1 litre d'eau. Laissez mijoter de 25 à 30 min, jusqu'à ce qu'elle commence à épaissir.

2 Pendant ce temps, enlevez l'excès de graisse de 8 côtes de porc (200 g environ chacune) et assaisonnez-les des deux côtés avec du sel et du poivre. Chauffez 2 cuil. à soupe d'huile dans une grande poêle et faites bien dorer la viande sur feu vif de 1 à 2 min de chaque côté. Mettez-la dans la sauce mole, couvrez, et laissez doucement mijoter de 1 h à 1 h 15, jusqu'à ce que le porc soit tendre sous les dents d'une fourchette à rôti.

3 Grillez les graines de sésame en suivant la recette principale. Goûtez et rectifiez l'assaisonnement. Répartissez les côtes de porc et la sauce sur 8 assiettes, parsemez des graines de sésame grillées, et couronnez le tout avec 1 cuil. à soupe de crème fleurette. Servez avec du riz agrémenté de coriandre ciselée et de piment haché, et des haricots rouges.

── SAVOIR S'ORGANISER ──

Vous pouvez cuire le mole poblano 24 ou 48 h à l'avance et le conserver, couvert, au réfrigérateur. Réchauffez-le sur le feu juste avant de servir.

CHILI CON CARNE

🍴 POUR 6 PERSONNES   🥣 PRÉPARATION : DE 35 À 40 MIN   ☕ CUISSON : DE 2 H À 2 H 30

ÉQUIPEMENT

grande cocotte en fonte émaillée
avec couvercle

plat peu profond

couteau d'office

couteau chef

casserole

cuiller en bois

cuiller percée

bols

planche
à découper

louche

*Au Texas, où ce plat est un souvenir
de la cuisine des pionniers, il serait hérétique
de laisser mijoter la viande avec les haricots rouges !
Ceux-ci sont cuits séparément
et servis en accompagnement avec
du riz et des parts de polenta.*

SAVOIR S'ORGANISER
Vous pouvez préparer le chili 72 h à l'avance, il n'en
sera que meilleur. Vous pouvez même le congeler.

LE MARCHÉ
3 oignons moyens
3 gousses d'ail
750 g de tomates
2 à 4 piments forts séchés
5 ou 6 brins d'origan frais ou 1 cuil à café d'origan séché
1,5 kg de bœuf à braiser
3 cuil. à soupe d'huile végétale ou plus
50 cl d'eau ou plus
2 cuil. à soupe de poudre de piment
1 cuil. à soupe de paprika
2 cuil. à café de cumin en poudre
1 ou 2 cuil. à café de tabasco ou plus
sel et poivre
1 cuil. à soupe de semoule de maïs fine précuite

INGRÉDIENTS

bœuf à braiser

origan
frais

huile
végétale

tomates

oignons

piments rouges
séchés

paprika

poudre
de piment

semoule
de maïs fine

tabasco

gousses
d'ail

cumin
en poudre

DÉROULEMENT

1 PRÉPARER
   LES INGRÉDIENTS

2 CUIRE LE CHILI

1 PRÉPARER LES INGRÉDIENTS DU CHILI

1 Épluchez les oignons, mais gardez leur base pour qu'ils ne se défassent pas, et coupez-les en deux. Émincez chaque moitié horizontalement en partant du sommet, sans entailler la base. Émincez-les ensuite verticalement, toujours sans entailler la base. Hachez-les en dés.

2 Posez le plat du couteau chef au sommet de chaque gousse d'ail et appuyez avec le poing. Pelez-les avec les doigts et hachez-les finement. Pelez, épépinez et concassez finement les tomates (voir encadré p. 98).

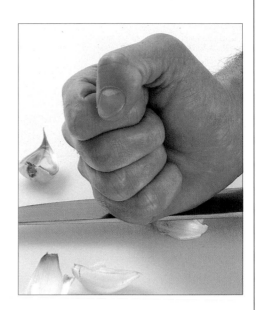

3 Coupez les extrémités des piments et ouvrez-les dans le sens de la longueur. Grattez les graines qui se trouvent à l'intérieur, puis hachez finement les piments ou écrasez-les. Si vous utilisez de l'origan frais, ciselez les feuilles.

CONSEIL MALIN
«Les graines sont la partie la plus piquante des piments séchés. Si vous aimez les plats très relevés, conservez-les.»

Grattez les graines avec un couteau d'office

Vous découperez facilement la viande avec un couteau chef bien aiguisé

4 Dégraissez et dénervez le bœuf à braiser. Coupez-le en cubes de 1 à 2 cm de côté.

Coupez des cubes égaux afin qu'ils cuisent à la même vitesse

2 CUIRE LE CHILI

En faisant dorer la viande, vous renforcez la saveur du chili

1 Chauffez la moitié de l'huile dans la cocotte, ajoutez environ 1/4 des cubes de bœuf et saisissez-les à feu vif en mélangeant jusqu'à ce qu'ils soient dorés de tous les côtés. À l'aide de la cuiller percée, mettez-les sur le plat peu profond. Faites revenir le reste de viande en trois fois, en rajoutant éventuellement un peu d'huile.

ATTENTION !

Faites revenir les morceaux de viande en plusieurs fois, sinon ils ne doreront pas.

2 Remettez tous les morceaux de viande dans la cocotte, en gardant le jus de cuisson. Ajoutez les oignons, l'ail et les tomates. Laissez mijoter de 8 à 10 min, jusqu'à ce que les oignons soient tendres.

PELER, ÉPÉPINER ET CONCASSER DES TOMATES

Si vous voulez obtenir une purée bien lisse de tomates cuites, pelez-les et épépinez-les avant de les hacher.

1 Remplissez une casserole d'eau et portez à ébullition. À l'aide d'un petit couteau, ôtez le pédoncule de chaque tomate.

2 Retournez les tomates et entaillez-les en croix avec la pointe du couteau.

3 Mettez les tomates dans la casserole d'eau bouillante de 8 à 15 s : la peau se décolle en frisant au niveau de la croix. Plongez-les dans un bol d'eau fraîche.

Pincez la peau entre votre pouce et la lame du couteau

4 Quand les tomates ont refroidi, pelez-les à l'aide d'un couteau.

5 Coupez les tomates en deux comme un pamplemousse et pressez chaque moitié dans votre main pour en chasser les graines.

6 Posez chaque moitié de tomate sur la planche à découper et tranchez-les. Puis faites-les tourner de 90° et émincez-les. Hachez-les.

3 Versez l'eau dans la cocotte et ajoutez les piments, l'origan, la poudre de piment, le paprika, le cumin, le tabasco, le sel et le poivre. Mélangez et portez à ébullition, puis couvrez et laissez mijoter de 2 h à 2 h 30, jusqu'à ce que la viande soit très tendre.

La poudre de piment relève le plat

La semoule de maïs épaissit et parfume le chili

4 Environ 30 min avant la fin de la cuisson, ajoutez en remuant la semoule de maïs pour épaissir la sauce.

Des haricots rouges accompagnent ce plat, mais certains cuisiniers préfèrent les faire cuire dans le chili

¶©¶ POUR SERVIR
Goûtez et rectifiez l'assaisonnement; servez très chaud avec une garniture de riz blanc à grains longs, des parts de polenta et des haricots rouges cuits à l'eau.

VARIANTE

CHILI À LA MEXICAINE

Au Mexique (au «sud de la frontière»), le chili se prépare avec du chocolat noir et d'autres épices.

1 Préparez les oignons, l'ail, les tomates, les piments forts séchés et la viande en suivant la recette principale. N'utilisez pas l'origan.
2 Faites dorer la viande puis cuisez-la avec les oignons, l'ail, les piments et les tomates.
3 Ajoutez l'eau, les épices en poudre et le tabasco avec 30 g de chocolat noir râpé, 1 cuil. à café de clous de girofle en poudre et 2 cuil. à café de cannelle en poudre. Terminez le plat en suivant la recette principale.
4 Servez éventuellement le chili mélangé avec des haricots rouges et accompagné de tranches d'avocat et de morceaux de tortilla.

La viande est tendre, juteuse et épicée

BROCHETTES DE POULET À LA THAÏ

Gai satay

🍽 POUR 4 PERSONNES   🥣 PRÉPARATION : DE 20 À 30 MIN*   🍲 CUISSON : DE 6 À 8 MIN

ÉQUIPEMENT

bols

couteau à désosser

couteau d'office**

baguettes

12 brochettes en bambou
de 20 cm de long

planche à découper

*Du lait de coco et de la sauce de poisson parfument
cette version thaïe du* satay, *plat de poulet en
brochettes très populaire en Indonésie.*

SAVOIR S'ORGANISER

Vous pouvez préparer la sauce 24 h à l'avance et faire mariner
le poulet jusqu'à 12 h. Gardez-les, bien couverts,
au réfrigérateur. Grillez le poulet juste avant de servir.

* plus 2 à 12 h de marinage

LE MARCHÉ

6 beaux pilons de poulet, soit 1 kg environ	
salade au concombre et au piment (voir encadré p. 102)	
pour servir (facultatif)	
Pour la marinade	
2 gousses d'ail	
15 cl de lait de coco en boîte	
2 cuil. à café de coriandre en poudre	
1 cuil. à café de cumin en poudre	
1 cuil. à café de curcuma en poudre	
huile pour graisser la grille	
Pour la sauce	
8 à 10 brins de coriandre fraîche	
le jus de 1 citron	
3 cuil. à soupe de cassonade	
2 cuil. à soupe de sauce de poisson	
3 cuil. à soupe de sauce soja claire	
1/2 cuil. à café de piments écrasés	

INGRÉDIENTS

gousses d'ail

pilons de poulet***

coriandre

cassonade   lait de coco
en boîte   huile

jus de citron   cumin
en poudre   curcuma
en poudre

coriandre
en poudre

sauce soja
claire   sauce de
poisson

piments écrasés

*** ou blancs de poulet désossés

DÉROULEMENT

1 DÉSOSSER, COUPER ET
FAIRE MARINER
LE POULET

2 PRÉPARER
LA SAUCE

3 COMPOSER
LES BROCHETTES
ET LES FAIRE GRILLER

** ou couperet

100

1 DÉSOSSER, COUPER ET FAIRE MARINER LE POULET

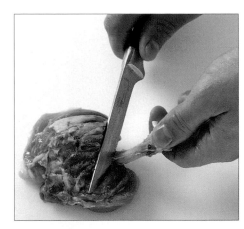

1 À l'aide du couteau à désosser, faites une entaille profonde sous les pilons de poulet, le long de l'os.

2 Dégagez la chair à une extrémité de l'os, puis glissez la lame du couteau tout du long, jusqu'à l'autre extrémité. Ôtez l'os.

Coupez les pilons desossés en morceaux réguliers

3 Détaillez chaque pilon désossé en 6 morceaux réguliers, en ôtant bien la graisse et les tendons.

Tenez fermement la peau pour couper facilement

4 Préparez la marinade : posez le plat de la lame du couteau chef au sommet de chaque gousse d'ail et appuyez avec le poing. Pelez-les et hachez-les.

5 Mettez l'ail, le lait de coco, la coriandre, le cumin et le curcuma dans un grand bol, et mélangez bien avec les baguettes.

6 Ajoutez les morceaux de poulet et remuez pour bien les enrober. Couvrez le bol et laissez mariner 2 h au moins, et jusqu'à 12 h.

CONSEIL MALIN

«Si vous laissez mariner le poulet plus de 2 h, mettez-le au réfrigérateur.»

Remuez de temps en temps pour que les morceaux soient toujours enrobés de marinade

2 PRÉPARER LA SAUCE

1 Réservez quelques feuilles de coriandre pour la décoration et détachez les autres de leur tige. Rassemblez-les sur la planche à découper et hachez-les grossièrement.

2 Dans un petit bol, mettez le jus de citron, la cassonade, la sauce de poisson, la sauce soja, les piments écrasés et la coriandre hachée, et mélangez bien. Couvrez le bol et réservez au réfrigérateur jusqu'au moment de servir.

Les baguettes sont idéales pour remuer

SALADE AU CONCOMBRE ET AU PIMENT

Cette salade toute simple est délicieuse avec les plats grillés. Plus elle marinera, plus elle sera épicée.

🍽 POUR 4 PERSONNES

🥣 PRÉPARATION : DE 15 À 20 MIN*

* plus 1 h au moins de marinage

LE MARCHÉ

15 cl d'eau	
15 cl de cassonade	
1/2 cuil. à café de sel	
15 cl de vinaigre de riz	
1 concombre	
1 piment rouge frais	

1 Dans une casserole, mélangez l'eau, le sucre et le sel. Portez à ébullition, en remuant avec des baguettes, jusqu'à ce que le sucre ait fondu. Retirez du feu, incorporez le vinaigre, et laissez refroidir.

2 Épluchez et parez le concombre. Coupez-le en deux dans le sens de la longueur et égrenez-le avec une cuiller à café. Tranchez finement les moitiés.

Si vous voulez une salade moins épicée, n'utilisez que la moitié du piment

3 Enfilez des gants en caoutchouc et coupez le piment en deux dans le sens de la longueur, en ôtant le pédoncule. Grattez les graines et les membranes blanches qui se trouvent à l'intérieur. Détaillez les moitiés en très fines lanières.

4 Dans un bol, mélangez le concombre, le piment et la sauce au vinaigre. Couvrez et laissez mariner au réfrigérateur 1 h au moins, et jusqu'à 4 h. Goûtez avant de servir.

3 COMPOSER LES BROCHETTES ET LES FAIRE GRILLER

1 Faites tremper les brochettes dans un plat à moitié rempli d'eau froide pour qu'elles ne brûlent pas durant la cuisson. Chauffez le gril et huilez légèrement la grille. Enfilez les morceaux de poulet, peau au-dessus, sur les brochettes, en les répartissant régulièrement.

🍽 POUR SERVIR

Disposez les brochettes de poulet sur un plat chaud, décorez avec les feuilles de coriandre réservées, et servez avec la sauce. Proposez la salade à part.

2 Disposez les brochettes, côté peau vers le haut, sur la grille, au-dessus de la lèchefrite. Enfournez pour 4 à 5 min à 7 cm environ sous la source de chaleur, jusqu'à ce qu'elles commencent à dorer. Retournez-les et poursuivez la cuisson de 2 à 3 min, jusqu'à ce que le poulet ne soit plus rose au centre. Grillez-les éventuellement en plusieurs fournées pour qu'elles ne collent pas.

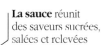

La sauce réunit des saveurs sucrées, salées et relevées

Le poulet grillé est brun doré

VARIANTE

BROCHETTES DE POULET À LA JAPONAISE

YAKITORI

Un repas japonais traditionnel comprend au moins un plat grillé, de poisson ou de poulet. Pour les préparer, le barbecue est idéal, mais un gril convient aussi très bien.

1 N'utilisez ni marinade, ni sauce. Apprêtez les pilons de poulet.

2 Préparez une sauce soja sucrée : dans une casserole, portez à ébullition 15 cl de sauce soja japonaise, 4 cuil. à soupe de saké et 3 de sucre, jusqu'à ce qu'il ait fondu.

3 Préparez la salade, sans y mettre de piment. Faites tremper les brochettes.

4 Parez 6 oignons nouveaux et coupez-les en morceaux de 4 cm. Enfilez sur les brochettes, en les alternant, des morceaux de poulet, côté peau vers le haut, et d'oignons, en commençant et en terminant par du poulet.

5 Grillez les brochettes, côté peau vers le haut, 2 min environ, puis enduisez-les de sauce soja sucrée. Poursuivez la cuisson 3 min de chaque côté, en les retournant une fois, et en les enduisant souvent de sauce, jusqu'à ce que le poulet ne soit plus rose au centre.

6 Enlevez la graisse de la lèchefrite et mettez les sucs de cuisson dans la casserole avec le reste de sauce soja. Portez à ébullition et versez dans des bols. Disposez les brochettes sur des assiettes et servez avec la sauce et la salade.

FONDUE JAPONAISE

Yosenabe

 POUR 4 PERSONNES PRÉPARATION : DE 50 À 60 MIN*  CUISSON : DE 5 À 7 MIN

ÉQUIPEMENT

 mousseline

 récipient allant sur le feu et réchaud de table

 couteau éplucheur

casseroles

 passoire en toile métallique

couteau chef

 baguettes

bols

 passoire

 torchon**

 couteau à huîtres   papier absorbant

 couteau d'office   petite brosse dure

CONSEIL MALIN

«L'ustensile de cuisson japonais pour ce plat est le traditionnel donabe, un récipient en céramique aux bords arrondis et au couvercle bombé, que l'on place sur un réchaud de table. Une jolie cocotte en terre cuite allant sur le feu conviendra aussi très bien.

Divers ingrédients qui cuisent sur la table dans le même pot : un plat courant au Japon. Dans cette recette, du poulet, des fruits de mer, des nouilles et des légumes mijotent dans un délicieux bouillon, le dashi.

* plus 1 h au moins de repos

LE MARCHÉ

250 g de shirataki ou 60 g de vermicelles de riz séchés	
1 grosse carotte	
250 g de tofu ferme	
1/2 chou chinois, soit 250 g environ	
4 oignons nouveaux	
4 shiitakes frais	
2 blancs de poulet sans peau et sans os, soit 350 g environ	
8 amandes de mer ou vénus	
4 belles huîtres	
Pour la sauce	
le jus de 1 citron	
3 cuil. à soupe de vin de riz doux	
1 cuil. à soupe de saké	
2,5 cm de nori	
1 cuil. à café de flocons de bonite	
5 à 10 cl de sauce soja japonaise	
Pour le bouillon	
1 litre d'eau froide	
10 cm de nori	
1 cuil. à café de flocons de bonite séchée	
2 cuil. à soupe de sauce soja japonaise	
2 cuil. à soupe de saké doux	
sel	

INGRÉDIENTS

 amandes de mer

 oignons nouveaux

blancs de poulet

huîtres

feuilles de nori

 sauce soja japonaise

shiratakis (nouilles d'igname)

 jus de citron

tofu ferme

chou chinois

 carotte

 shiitakes***

flocons de bonite

vin de riz doux

saké****

*** ou champignons de Paris
**** ou xérès sec

DÉROULEMENT

1 FAIRE LA SAUCE ET LE BOUILLON

2 PRÉPARER LES INGRÉDIENTS

3 TERMINER LE PLAT

1 FAIRE LA SAUCE ET LE BOUILLON

Le nori donne un bouillon délicatement parfumé

1 Pour faire la sauce, mélangez dans un bol le jus de citron, les 2 sakés, le nori, les flocons de bonite et la sauce soja. Laissez reposer à température ambiante au moins 1 h et jusqu'à 24 h. Pendant ce temps, faites le bouillon.

2 Pour le bouillon, versez l'eau froide dans une grande casserole et mettez-y les 10 cm de nori.

3 Portez à léger frémissement, puis retirez immédiatement le nori avec les baguettes ou une écumoire et jetez-le. Retirez la casserole du feu.

ATTENTION !

Enlevez le nori dès que l'eau commence à bouillir, sinon le bouillon sera amer et trouble.

La mousseline retient les très fines particules de flocons de bonite pour donner un bouillon clair

4 Saupoudrez régulièrement les flocons de bonite à la surface de l'eau parfumée. Laissez reposer de 3 à 5 min selon l'épaisseur et la sécheresse des flocons, jusqu'à ce qu'ils tombent au fond. Chemisez la passoire en toile métallique avec la mousseline humide.

5 Filtrez le bouillon à travers la mousseline au-dessus du récipient. Ajoutez la sauce soja et le vin de riz doux. Remuez, goûtez et ajoutez éventuellement un peu de sel.

2 PRÉPARER LES INGRÉDIENTS

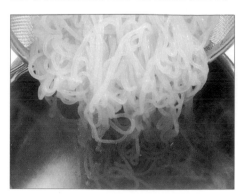

1 Remplissez une grande casserole d'eau Mettez-y les shiratakis. Laissez frémir 1 min, jusqu'à ce qu'elles soient tendres mais encore légèrement croquantes, en remuant avec les baguettes.

CONSEIL MALIN

«Si vous utilisez des vermicelles de riz séchés, faites-les tremper dans un bol d'eau chaude 30 min, puis procédez comme pour les shiratakis.»

2 Égouttez les nouilles, rincez-les sous l'eau froide, égouttez-les de nouveau. Coupez-les sur la planche à découper en morceaux de 15 cm.

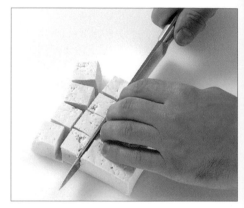

La carotte est finement tranchée pour cuire rapidement

3 Pelez la carotte et ôtez-en les extrémités. Coupez-la en morceaux de 5 cm, puis en tranches de 3 mm.

4 Rincez le tofu sous l'eau froide et égouttez-le. Posez-le sur la planche à découper et coupez-le en lanières de 2,5 cm, puis en cubes de 2,5 cm de côté.

Le chou chinois est très répandu dans la cuisine asiatique

5 Retirez le trognon du chou. Séparez les feuilles. Lavez-les dans beaucoup d'eau froide, puis séchez-les dans le torchon ou dans une essoreuse à salade.

6 Empilez les feuilles ct coupez-les en lanières de 2,5 cm.

7 Parez les oignons nouveaux et coupez-les en morceaux de 2,5 cm, en gardant une partie du vert.

8 Essuyez les champignons avec du papier absorbant humide. Ôtez les queues ligneuses. Tranchez les chapeaux.

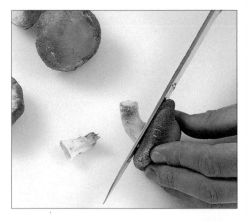

Les shiratakis, «cascade blanche» en japonais, sont préparées à partir de racine d'igname

9 Disposez le tofu, les légumes et les nouilles dans un grand plat ou sur un plateau. Couvrez bien et mettez au réfrigérateur.

Mettez le tofu au milieu des légumes pour que la présentation soit plus jolie.

10 Séparez des blancs de poulet le petit morceau de filet, en le tirant avec les doigts. Enlevez-en le tendon à l'aide du couteau d'office. Coupez les blancs en deux dans le sens de la longueur, puis en morceaux de 2,5 cm de long. Détaillez les filets en 2 ou 3 morceaux. Couvrez et mettez au réfrigérateur.

Le bout du couteau détache facilement le muscle de la coquille

11 Brossez et rincez les amandes de mer. Protégez votre main avec le torchon et prenez-en une. En tenant le couteau à huîtres dans l'autre main, glissez sa pointe entre les deux moitiés de la coquille, du côté opposé à la charnière. Poussez le couteau à l'intérieur de l'amande et faites pivoter la lame pour ouvrir la coquille.

12 Coupez le muscle des 2 côtés de la coquille et jetez la demi-coquille supérieure. Procédez de la même façon pour ouvrir les autres amandes.

13 Brossez et rincez les huîtres. Protégez votre main avec le torchon et prenez-en une. En tenant le couteau à huîtres dans l'autre main, glissez la pointe de la lame près de la charnière de la coquille. Faites-la pivoter pour l'ouvrir. Détachez le haut du muscle de l'huître et jetez la demi-coquille supérieure.

14 À l'aide de la lame du couteau à huîtres, détachez le muscle de la demi-coquille inférieure. Procédez de la même façon avec les autres huîtres.

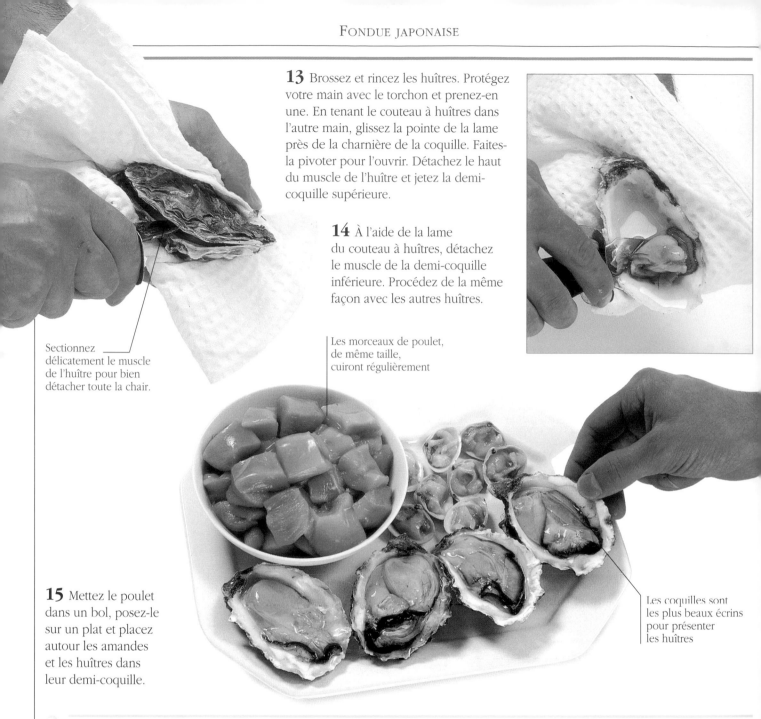

Sectionnez délicatement le muscle de l'huître pour bien détacher toute la chair.

Les morceaux de poulet, de même taille, cuiront régulièrement

Les coquilles sont les plus beaux écrins pour présenter les huîtres

15 Mettez le poulet dans un bol, posez-le sur un plat et placez autour les amandes et les huîtres dans leur demi-coquille.

3 TERMINER LE PLAT

1 Chemisez la passoire en toile métallique avec une mousseline propre. Filtrez la sauce et versez-la dans 4 petits bols. Posez le récipient sur le réchaud de table. Portez doucement le bouillon à ébullition sur feu moyen.

2 Quand le bouillon frémit, ajoutez le poulet et la carotte à l'aide des baguettes. Cuisez de 2 à 3 min, jusqu'à ce que le poulet soit ferme et la carotte presque tendre.

3 Mettez dans le récipient la moitié du tofu, des légumes et des nouilles, et cuisez de 2 à 3 min, jusqu'à ce que les légumes soient tendres. Ajoutez les huîtres et les amandes, sans leur coquille, et cuisez jusqu'à ce que le bord des huîtres commencent à s'enrouler.

¶◎¶ POUR SERVIR

Les convives se servent eux-mêmes avec les baguettes, en prenant des ingrédients pour les tremper dans la sauce avant de les déguster. Quand le récipient est vide, remplissez-le avec le reste des ingrédients et cuisez-les jusqu'à ce qu'ils soient tendres. À la fin du repas, versez le bouillon dans des bols et servez.

Le *yosenabe*, cuit et servi dans le *donabe*, est vraiment un plat complet

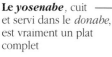

VARIANTE
BŒUF ET LÉGUMES BRAISÉS

SUKIYAKI

Cuit à table dans un sukiyaki nabe, ou cocotte en fonte, cette potée japonaise est la plus connue. Vous pouvez également utiliser une poêle épaisse en fonte.

1 N'utilisez ni carotte, ni huîtres, ni amandes de mer, ni sauce. Mettez au congélateur 600 g de côte de bœuf désossée pour 1 h (elle sera plus facile à couper).

2 Préparez le bouillon avec 25 cl d'eau, 2,5 cm de nori et 1 cuil. à soupe de flocons de bonite.

3 Filtrez le bouillon, puis incorporez 15 cl de sauce soja japonaise, 4 cuil. à soupe de vinde riz doux et 2 de sucre.

4 Préparez les nouilles, le tofu, le chou et les oignons nouveaux. Nettoyez et parez 8 shiitakes frais. Taillez une croix au sommet des chapeaux. Ôtez les queues ligneuses et les côtes de 125 g d'épinards frais, puis lavez les feuilles à grande eau. Séchez-les dans une essoreuse à salade ou un torchon. Disposez le tofu, les nouilles et les légumes sur un plateau.

5 Coupez le bœuf en très fines tranches et mettez-les sur un plateau. Couvrez et laissez revenir à température ambiante.

6 Chauffez à feu vif sur un réchaud de table 2 cuil. à soupe d'huile végétale dans un *sukiyaki nabe*. Mettez-y la moitié du bœuf et faites-le légèrement dorer de 1 à 2 min, en remuant sans arrêt avec des baguettes. Poussez la viande d'un côté du plat. Ajoutez la moitié du reste des ingrédients, sans les mélanger. Versez la moitié du bouillon et portez à ébullition. Réduisez le feu. Cuisez la viande et les légumes de 2 à 3 min, en remuant les ingrédients pour qu'ils cuisent uniformément, mais toujours sans les mélanger.

7 Les convives se serviront avec les baguettes. Ajoutez au fur et à mesure le reste des ingrédients dans le plat.

SAVOIR S'ORGANISER
Vous pouvez préparer la sauce, le bouillon et les autres ingrédients, à l'exception des fruits de mer, 24 h à l'avance, et les conserver, couverts, au réfrigérateur.

POULET À LA CITRONNELLE

Ga xao xa ot

 POUR 4 PERSONNES   PRÉPARATION : DE 45 À 55 MIN*   CUISSON : 10 MIN ENVIRON

ÉQUIPEMENT

couperet**

baguettes   wok

bols

gants en
caoutchouc

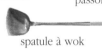

essoreuse
à salade

passoire

spatule à wok

planche à découper

moulin à poivre

couteau
éplucheur

INGRÉDIENTS

citronnelle

hauts de cuisse
de poulet

basilic

germes de soja

sauce
de poisson

huile

laitue

oignons
nouveaux

concombre

piments

sucre

cacahuètes
grillées
non salées

grains de
poivre noir

gousses d'ail

*Ce plat vietnamien de poulet sauté est parfumé
par la traditionnelle citronnelle sud-asiatique,
la sauce de poisson et les piments.
La force de ceux-ci varie beaucoup; choisissez-les
selon votre goût. Une salade de laitue croquante,
de germes de soja, de basilic et de concombre
est un accompagnement rafraîchissant.*

* plus 1 h au moins de marinage

LE MARCHÉ

8 gros hauts de cuisse de poulet, soit 1,2 kg environ
2 gousses d'ail
2 tiges de citronnelle
3 cuil. à soupe de sauce de poisson, ou plus
1/4 de cuil. à café de poivre fraîchement moulu
3 oignons nouveaux
2 piments rouges frais pas trop forts
2 cuil. à soupe d'huile
1 cuil. à café de sucre
30 g de cacahuètes grillées non salées
Pour la salade
1/2 laitue
125 g de germes de soja
1 petit bouquet de basilic
1 petit concombre

DÉROULEMENT

1 PRÉPARER
LE POULET

2 FAIRE LA SALADE

3 PRÉPARER
LES LÉGUMES

4 FAIRE SAUTER
LES INGRÉDIENTS

** ou couteau à désosser
et couteau chef
*** ou torchon

1 PRÉPARER LE POULET

1 Avec les doigts, retirez la peau des hauts de cuisse de poulet. Enlevez toute la graisse et les tendons.

2 À l'aide du couperet, faites une entaille profonde sous les hauts de cuisse, le long de l'os.

Tenez fermement la lame du couperet

3 Avec les doigts, libérez la chair à une des extrémités de l'os puis, avec le couperet, grattez tout du long jusqu'à ce que vous atteigniez l'autre côté.

4 Dégagez la chair de l'os. Enlevez tout le reste de graisse et ôtez les derniers tendons de la chair.

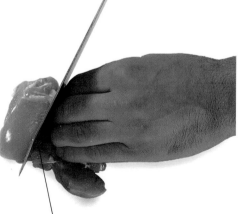

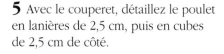

Coupez des morceaux assez gros, car ils vont se rétracter à la cuisson

5 Avec le couperet, détaillez le poulet en lanières de 2,5 cm, puis en cubes de 2,5 cm de côté.

6 Posez le plat de la lame du couperet au sommet de chaque gousse d'ail et appuyez avec le poing.

7 Pelez les gousses d'ail et hachez-les finement. Pelez et hachez la citronnelle (voir encadré p. 112).

8 Pour la marinade, mettez dans un grand bol la citronnelle, l'ail, 2 cuil. à soupe de sauce de poisson et le poivre noir moulu, et mélangez bien.

9 Ajoutez les morceaux de poulet et remuez jusqu'à ce qu'ils soient bien enrobés de marinade. Couvrez le bol et laisser mariner 1 h au moins, et jusqu'à 24 h.

CONSEIL MALIN
«Si vous laissez mariner le poulet plus de 1 h, mettez-le au réfrigérateur.

PELER ET HACHER DE LA CITRONNELLE

La citronnelle apporte un délicieux parfum à de nombreux plats asiatiques. Parce qu'elle est très dure, elle doit être hachée finement.

1 Coupez et jetez l'extrémité sèche de la tige de citronnelle pour en garder environ 15 cm.

2 Enlevez toutes les couches extérieures sèches pour dégager le cœur tendre et moelleux.

La citronnelle est écrasée puis hachée pour libérer le maximum de saveur

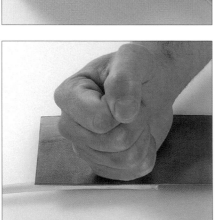

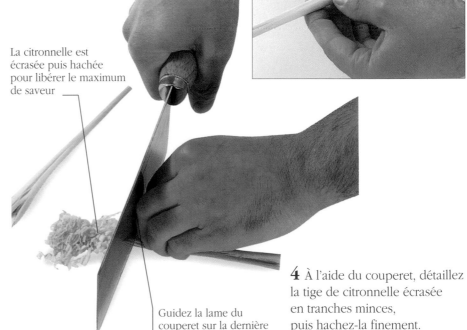

3 Posez le plat de la lame du couperet sur la tige et appuyez avec le poing pour l'écraser.

Guidez la lame du couperet sur la dernière phalange de vos doigts

4 À l'aide du couperet, détaillez la tige de citronnelle écrasée en tranches minces, puis hachez-la finement.

2 FAIRE LA SALADE

1 Coupez le trognon de la laitue et séparez les feuilles. Lavez-les dans beaucoup d'eau froide ; enlevez les côtes dures. Séchez-les dans l'essoreuse à salade ou dans un torchon.

Enlevez les côtes dures avec les doigts

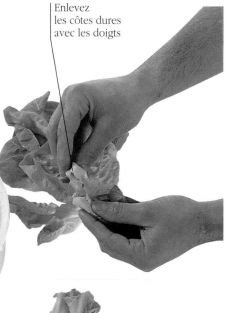

2 Triez les germes de soja, et jetez tous ceux qui sont décolorés. Enlevez les fines racines et les pousses vertes. Mettez les germes dans la passoire, rincez les sous l'eau froide, puis égouttez-les.

3 Rincez les brins de basilic dans un bol d'eau froide et séchez-les dans l'essoreuse à salade ou dans un torchon. Détachez les feuilles de leur tige. Réservez-en la moitié pour les faire sauter.

4 Parez le concombre. À l'aide du couteau éplucheur, pelez-le, mais en laissant une bande de peau sur deux pour créer un effet décoratif.

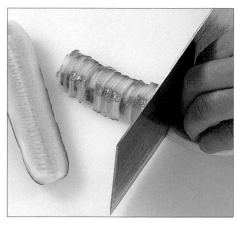

La lame du couperet est pratique pour disposer les ingrédients sur le plat

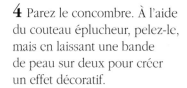

6 Disposez sur un grand plat, en tas séparés, la laitue, les germes de soja, la moitié des feuilles de basilic et le concombre. Couvrez bien et mettez au réfrigérateur.

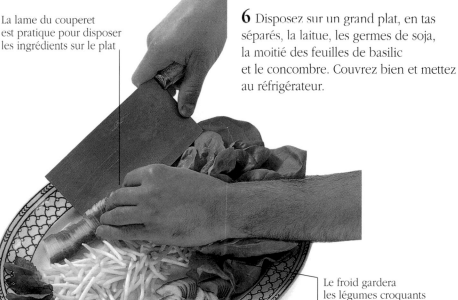

5 Coupez le concombre en deux dans le sens de la longueur. Posez les moitiés à plat sur la planche à découper, et émincez-les finement.

Le froid gardera les légumes croquants

3 PRÉPARER LES LÉGUMES

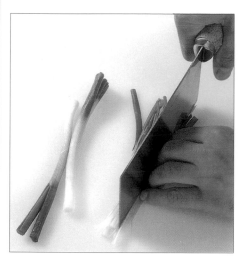

L'oignon nouveau finement coupé s'attendrira rapidement à la cuisson

1 Parez les oignons nouveaux, en gardant une partie du vert. Tranchez-les en fines lanières.

2 Rassemblez les lanières d'oignon sous vos doigts et coupez-les en morceaux de 4 cm.

3 Enfilez des gants en caoutchouc, coupez les piments rouges en deux dans le sens de la longueur et ôtez leur pédoncule. Grattez les graines et les membranes blanches qui se trouvent à l'intérieur. Détaillez les moitiés en très fines lanières.

4 Rassemblez les lanières et coupez-les en morceaux de 4 cm.

4 FAIRE SAUTER LES INGRÉDIENTS

Le poulet sera bien doré s'il a cuit à feu vif

Tenez fermement le wok d'une main pendant la cuisson

1 Chauffez le wok sur feu vif. Versez-y l'huile pour graisser le fond et les côtés. Continuez à chauffer jusqu'à ce que l'huile soit chaude.

2 Mettez dans le wok le poulet et sa marinade. Faites-le sauter de 8 à 10 min, en remuant et en secouant souvent, jusqu'à ce qu'il ne soit plus rose.

CONSEIL MALIN
«Vous pouvez remplacer les hauts de cuisse par des blancs de poulet. Ils n'auront besoin que de 5 min de cuisson.»

3 Ajoutez dans le wok le reste de la sauce de poisson, les piments, le sucre et les oignons, et faites sauter 1 min.

¶⊙¶ POUR SERVIR

Servez le poulet avec le plat de salade. Chaque convive fera dans son assiette un lit de salade et le garnira avec du poulet et des cacahuètes grillées.

4 Ajoutez le reste des feuilles de basilic et remuez vivement pour bien les mélanger au poulet. Goûtez et ajoutez éventuellement un peu de sauce de poisson.

Les cacahuètes grillées apportent du croquant au poulet grillé, que relèvent les piments rouges.

VARIANTE
PORC À LA CITRONNELLE
MOO PAHT TAK RAI
Le filet de porc désossé est facile à découper. Servez ce plat épicé avec du riz à grains longs à l'eau, qui le rendra plus consistant que la salade de la recette principale.

1 N'utilisez ni poulet, ni laitue, ni germes de soja, ni concombre. Enlevez la graisse et les tendons de 750 g de filet de porc désossé et coupez la viande en tranches de 5 mm, puis en lanières de 5 mm.

2 Préparez la marinade en suivant la recette principale et faites mariner le porc comme le poulet.

3 Faites sauter le porc. Servez sur un lit de riz à l'eau, décoré éventuellement avec des brins de coriandre fraîche.

── SAVOIR S'ORGANISER ──
Vous pouvez faire mariner le poulet 24 h à l'avance. La salade se garde, bien couverte, au réfrigérateur. Faites sauter le poulet juste avant de servir.

CANARD À LA CHINOISE

Shao ya

 POUR 4 PERSONNES  PRÉPARATION : 45 MIN* CUISSON : DE 1 H 45 À 2 H

ÉQUIPEMENT

grille à   wok**
pâtisserie

couperet***

bols

plat à rôtir

papier absorbant   baguettes

planche
à découper

passoire en toile
métallique

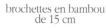   pinceau à pâtisserie

louche

brochettes en bambou
de 15 cm

ficelle de cuisine

** ou grande casserole profonde
*** ou couteau chef

Ce plat très parfumé se prépare
traditionnellement avec un canard entier,
tête comprise, comme on en voit souvent pendus
aux devantures des magasins et des restaurants
chinois. Mais vous pouvez bien sûr utiliser
un canard tout apprêté.

SAVOIR S'ORGANISER

Vous pouvez laisser sécher le canard toute la nuit, non couvert,
au réfrigérateur, sur la grille posée sur le plat à rôtir. Cuisez-le
et découpez-le juste avant de servir.

plus 2 h environ de séchage

LE MARCHÉ

1 beau canard, soit 2,5 kg environ	
1 cuil. à soupe de miel liquide	
4 cuil. à soupe d'eau bouillante	
Pour l'assaisonnement	
1 cuil. à café de grains de poivre du Sichuan	
2 cuil. à soupe de sauce aux haricots noirs	
1 cuil. à soupe de vin jaune chinois	
2 cuil. à café de sucre semoule	
1/2 cuil. à café de cinq-épices	
2 cuil. à soupe de sauce soja claire	
3 gousses d'ail	
4 oignons nouveaux	
1 petit bouquet de coriandre fraîche	
2,5 cm de racine de gingembre fraîche	
1 cuil. à café d'huile	

INGRÉDIENTS

canard   sauce
soja claire

          huile

miel liquide
racine de
gingembre fraîche

poivre   sauce aux
du Sichuan   haricots
noirs   vin jaune
chinois****

cinq-épices

oignons nouveaux

sucre

coriandre   gousses d'ail

**** ou xérès sec

DÉROULEMENT

1 FAIRE SÉCHER
LE CANARD

2 PRÉPARER
L'ASSAISONNEMENT
AROMATIQUE

3 ASSAISONNER ET FAIRE
RÔTIR LE CANARD

4 DÉCOUPER
LE CANARD

1 FAIRE SÉCHER LE CANARD

2 Enlevez toute la graisse possible de la cavité abdominale. Fermez bien avec de la ficelle de cuisine, en faisant plusieurs boucles, la peau autour du cou. Si celui-ci a été coupé trop court, maintenez la ficelle en la passant autour des ailes.

Gardez une bonne longueur de ficelle pour suspendre le canard

1 Rincez bien le canard sous l'eau froide à l'extérieur et à l'intérieur, et séchez-le avec du papier absorbant.

3 Remplissez le wok d'eau jusqu'à mi-hauteur et portez à ébullition. Plongez-y le canard. À l'aide de la louche, versez de l'eau sur son ventre pendant 1 min, jusqu'à ce que la peau soit tendue. Sortez-le et séchez-le avec du papier absorbant.

ATTENTION !

Si vous utilisez un wok à fond rond, posez-le sur un anneau à wok pour le stabiliser.

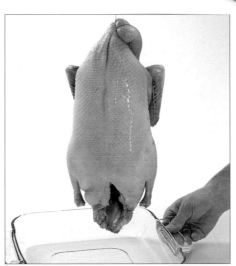

4 Suspendez le canard par la ficelle dans un endroit frais (10-13 °C) et bien aéré. Placez dessous un plat pour recueillir les gouttes. Laissez-le ainsi 2 h environ, jusqu'à ce que la peau soit sèche. Pendant ce temps, préparez l'assaisonnement aromatique.

CONSEIL MALIN

«Vous pouvez sécher le canard avec un séchoir électrique. Mais le temps de séchage dépendra toujours de l'humidité ambiante.»

2 PRÉPARER L'ASSAISONNEMENT AROMATIQUE

1 Chauffez le wok sur feu moyen. Ajoutez les grains de poivre et cuisez de 1 à 2 min, en remuant avec les baguettes, jusqu'à ce qu'ils fument légèrement.

2 Mettez les grains de poivre dans un petit bol résistant. Avec le manche du couperet, concassez-les grossièrement.

3 Mettez le poivre concassé dans un bol moyen et ajoutez la sauce aux haricots, le vin jaune, le sucre, la poudre de cinq-épices et la sauce soja. Mélangez bien avec les baguettes.

5 Posez le plat de la lame du couperet au sommet de chaque gousse d'ail et appuyez avec le poing. Pelez-les et hachez-les finement.

4 Parez les oignons nouveaux en gardant une partie du vert. Coupez-les en morceaux de 2,5 cm. Détachez de leur tige la moitié des feuilles de coriandre. Rassemblez-les sur la planche à découper et hachez-les grossièrement à l'aide du couperet. Réservez les autres brins pour la décoration.

Les cuisiniers chinois utilisent à la fois le vert et le blanc des oignons nouveaux ou des ciboules

Le poids du couperet permet de hacher facilement

6 Grattez la peau de la racine de gingembre, puis tranchez-la, en coupant à travers les fibres. Écrasez les tranches sous le plat de la lame du couperet, et hachez-les finement.

7 Chauffez le wok sur feu moyen. Versez-y l'huile pour graisser le fond et les côtés. Continuez à chauffer jusqu'à ce qu'elle soit très chaude, puis ajoutez l'ail, le gingembre et les oignons nouveaux, et faites sauter 30 s, en remuant avec les baguettes.

8 Ajoutez le mélange poivré et la coriandre hachée. Portez à ébullition, puis réduisez le feu et laisser frémir 1 min environ. Mettez cet assaisonnement dans un bol et laissez revenir à température ambiante.

En mijotant, les ingrédients libèrent toutes leurs saveurs

3 ASSAISONNER ET FAIRE RÔTIR LE CANARD

Enlevez
l'excès de ficelle
avant la cuisson

1 Environ 45 min avant de rôtir
le canard, mettez la brochette en bambou
à tremper dans un bol d'eau froide.
Préchauffez le four à 200 °C. Farcissez
à la cuiller l'intérieur du canard avec
l'assaisonnement.

2 Rabattez la peau pour fermer la cavité
abdominale et piquez 2 ou 3 fois
la brochette à travers les 2 épaisseurs
de peau, puis à travers le croupion.

3 Passez la ficelle autour du croupion
et du haut de la brochette et faites un
nœud solide. Mettez le canard, ventre
vers le haut, sur la grille à pâtisserie
posée sur le plat à rôtir. Enfournez
pour 15 min.

À la cuisson,
le canard prend
une chaude couleur
acajou

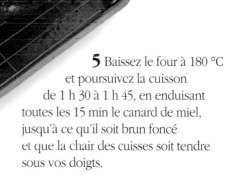

Quand le canard est cuit,
la chair des cuisses
se détache facilement
quand vous la pincez

4 Pendant ce temps, mélangez dans
un petit bol l'eau bouillante et le miel,
et remuez bien avec les baguettes
pour le dissoudre complètement.
Sortez le canard du four et enduisez-le
généreusement de tous les côtés de cette
préparation.

5 Baissez le four à 180 °C
et poursuivez la cuisson
de 1 h 30 à 1 h 45, en enduisant
toutes les 15 min le canard de miel,
jusqu'à ce qu'il soit brun foncé
et que la chair des cuisses soit tendre
sous vos doigts.

6 Mettez le canard rôti sur la planche
à découper et laissez-le reposer 15 min
environ, puis enlevez délicatement
la ficelle et la brochette.

7 Posez la passoire en toile
métallique sur un bol.
Retournez le canard par-dessus
pour recueillir le liquide
de l'assaisonnement.
Dégraissez-le et réservez-le.

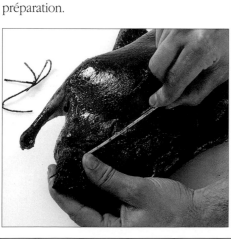

4 DÉCOUPER LE CANARD

1 Posez le canard, ventre vers le haut, sur la planche à découper. Avec le couperet, détachez les ailerons, en tranchant à travers l'articulation.

Tirez l'aileron vers vous pour mieux repérer l'articulation

CONSEIL MALIN

«Pour découper encore plus efficacement, maintenez le couperet le long de l'os et tapez avec un marteau ou un maillet. Vous pouvez aussi utiliser des ciseaux à volaille.»

2 Coupez les ailerons en deux au niveau de la jointure.

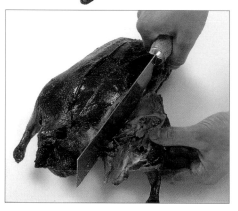

3 Détachez les cuisses en tranchant à travers l'articulation, le long du corps.

4 Coupez les cuisses au niveau de la jointure pour séparer les pilons des hauts de cuisse.

5 Détaillez les cuisses en morceaux de 2,5 cm, en tranchant l'os.

6 Disposez les ailerons, les tranches de cuisse et les pilons tout autour d'un plat chaud pour reconstituer la forme du canard.

Choisissez un plat assez grand pour accueillir tout le canard découpé

7 Coupez la carcasse en deux en tranchant les côtes de façon à séparer le dos du ventre.

ATTENTION !

Tenez fermement la carcasse du canard pour qu'elle ne se déchire pas quand vous la coupez en deux.

8 Coupez le dos du canard en morceaux de 2,5 cm. Glissez la lame du couperet sous les tranches pour les soulever. Disposez-les au milieu du plat, en longueur.

La lame bien plate du couperet est parfaite pour déplacer les tranches sans les défaire

9 Coupez le ventre en deux dans le sens de la longueur, en tranchant le bréchet, puis détaillez chaque moitié en morceaux de 2,5 cm. Glissez la lame du couperet sous les tranches et disposez-les sur les tranches de dos.

🍴 POUR SERVIR

Arrosez avec le liquide de l'assaisonnement qui s'est égoutté du canard et décorez avec les brins de coriandre réservés. Servez aussitôt.

Le traditionnel canard rôti chinois est brun, croustillant et très parfumé

Le canard est coupé en petits morceaux pour être mangé avec des baguettes

V A R I A N T E
POULET RÔTI À LA CANTONAISE
SHAO JI

En Chine, le poulet rôti est moins présent sur les marchés depuis que de plus en plus de familles disposent d'un four.

1 N'utilisez ni canard, ni grains de poivre, ni oignons nouveaux, ni coriandre fraîche, ni miel. Préparez un poulet de 1,8 kg, mais sans l'arroser ni le faire sécher.
2 Hachez l'ail et faites-le sauter 15 s. Mélangez 15 cl de sauce hoisin, 10 cl d'eau et 1 cuil. à café d'huile de sésame sombre avec la sauce aux haricots, le vin de riz, le sucre, le cinq-épices et la sauce soja. Laissez mijoter puis refroidir.
3 Préchauffez le four à 180 °C. Farcissez l'intérieur du poulet avec 3 cuil. à soupe de l'assaisonnement et fermez-le avec une brochette. Mettez-le sur une grille posée sur un plat à rôtir. Badigeonnez-le avec 3 cuil. à soupe de l'assaisonnement et ajoutez 35 cl d'eau dans le plat.
4 Enfournez pour 45 min, ajoutez 40 cl d'eau et couvrez avec de l'aluminium ménager. Enfournez de nouveau le canard pour 1 h 15, en le badigeonnant 2 ou 3 fois avec l'assaisonnement.
5 Enlevez la brochette. Retournez le poulet au-dessus d'une casserole pour recueillir le liquide qui se trouve à l'intérieur. Laissez-le reposer, puis coupez-le en suivant la recette principale.
6 Versez les sucs de cuisson du plat à rôtir dans la casserole contenant le liquide et dégraissez bien. Incorporez le reste de l'assaisonnement et portez à ébullition.
7 Servez le poulet sur un lit de riz à l'eau, décoré avec des brins de coriandre ; proposez la sauce à part.

PORC FLEUR JAUNE

Mu shu rou

 POUR 4 PERSONNES   PRÉPARATION : DE 35 À 45 MIN*   CUISSON : DE 15 À 20 MIN

ÉQUIPEMENT

papier absorbant

couperet**

wok avec couvercle

bols

torchons

baguettes

spatule à wok

pinceau à pâtisserie

petit rouleau à pâtisserie (30 x 3 cm environ)***

petite casserole

passoire en toile métallique

planche à découper

** ou couteau chef
*** ou rouleau à pâtisserie ordinaire

Les plats sautés qui comportent des œufs sont baptisés en Chine mu shu, *comme la jolie fleur jaune du même nom. Ce mélange d'œufs et de porc sauté, originaire du nord du pays, s'enrichit de pleurotes et de fleurs de lis séchées, et se déguste enroulé dans de fines crêpes.*

plus 30 min de repos et de trempage

LE MARCHÉ

250 g de farine de blé supérieure, et un peu pour le saupoudrage
15 à 20 cl d'eau bouillante, ou plus
1 cuil. à soupe d'huile de sésame sombre
4 cuil. à soupe de sauce hoisin
32 cuil. à soupe d'huile
Pour la garniture
8 champignons noirs séchés, soit 30 g environ
15 g de pleurotes séchées
30 g de fleurs de lis séchées
75 cl d'eau chaude, ou plus
250 g de filet de porc désossé
2 oignons nouveaux
2 cuil. à café de fécule de maïs
2 cuil. à soupe de sauce soja claire, ou plus
2 cuil. à soupe de vin jaune chinois
3 œufs
2 cuil. à café d'huile de sésame sombre

INGRÉDIENTS

farine de blé supérieure

champignons parfumés séchés

pleurotes séchées

rôti de porc désossé

fécule de maïs

oignons nouveaux

huile

œufs

fleurs de lis séchées ****

sauce soja claire

huile de sésame sombre

sauce hoisin

vin jaune chinois*****

**** ou 100 g de pousses de bambou en boîte égouttées et tranchées
***** ou xérès sec

DÉROULEMENT

1 FAIRE LA PÂTE À CRÊPES

2 PRÉPARER LA GARNITURE

3 FAIRE CUIRE LES CRÊPES

4 FAIRE SAUTER LA GARNITURE

1 FAIRE LA PÂTE À CRÊPES

1 Mettez la farine dans un grand bol et creusez un puits au centre. Versez-y doucement l'eau bouillante, en l'incorporant à l'aide des baguettes. Continuez à mélanger jusqu'à ce que la farine l'ait complètement absorbée et que la pâte soit grossière.

2 Laissez reposer 1 min environ, pour ne pas vous brûler. Rassemblez la pâte et pressez-la pour former une boule.

CONSEIL MALIN

«Ajoutez éventuellement 1 cuil. à soupe de farine pour lier la pâte.»

3 Mettez la pâte sur un plan de travail légèrement fariné et pétrissez-la 5 min environ, en ajoutant éventuellement un peu de farine, jusqu'à ce qu'elle soit lisse et élastique. Couvrez bien avec un torchon et laissez reposer 30 min.

2 PRÉPARER LA GARNITURE

1 Mettez les champignons séchés et les fleurs de lis dans des bols séparés. Ajoutez dans chacun d'eux 25 cl d'eau et laissez tremper 30 min.

Coupées finement, les lanières de viande cuiront rapidement dans le wok

3 Parez les oignons nouveaux, en gardant une partie du vert. Coupez-les dans le sens de la longueur en fines lanières. Rassemblez-les et détaillez-les en morceaux de 5 cm.

2 Ôtez toute la graisse du porc. Coupez-le en tranches de 5 mm, puis en lanières de 3 mm.

Les fines lanières de porc, une fois cuites, seront très tendres

4 Égouttez les champignons parfumés, en réservant le liquide. Enlevez les queues dures et ligneuses, puis tranchez les chapeaux.

5 Chemisez la passoire en toile métallique avec du papier absorbant et tenez-la au-dessus d'un verre gradué. Filtrez-y le liquide de trempage des champignons ; réservez-en 15 cl.

6 Mettez la fécule de maïs dans un petit bol. Ajoutez le liquide réservé et remuez avec les baguettes jusqu'à ce que le mélange soit lisse. Incorporez la sauce soja, le vin jaune et l'huile de sésame.

Le savoureux liquide de trempage des champignons permet de dissoudre la fécule de maïs

Le vin jaune est un assaisonnement classique des mélanges au porc

7 Égouttez séparément dans la passoire les pleurotes et les fleurs de lis et rincez-les bien sous l'eau froide. Égouttez-les de nouveau et pressez-les. Ôtez-en les extrémités dures.

Les œufs sont faciles à battre avec les baguettes

8 Hachez éventuellement les pleurotes ramollies en petits morceaux.

9 Dans un petit bol, battez les œufs en omelette avec les baguettes.

3 FAIRE CUIRE LES CRÊPES

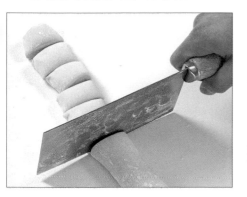

1 Sur le plan de travail légèrement fariné, roulez la pâte en un cylindre de 30 cm. Farinez le couperet et détaillez le cyclindre en 12 morceaux égaux. Couvrez-les avec un torchon légèrement humide.

2 Farinez-vous les mains et roulez entre vos paumes les morceaux de pâte. Aplatissez-les pour obtenir des disques de 7,5 cm de diamètre, et couvrez-les avec le torchon humide.

3 Mettez l'huile de sésame dans un petit bol. Enduisez-en légèrement un des côtés des disques de pâte. Pressez l'un contre l'autre les côtés huilés de 2 disques pour obtenir 6 paires de disques. Farinez le plan de travail et le rouleau à pâtisserie. Abaissez les paires de disques pour obtenir des crêpes de 20 cm de diamètre environ, en les retournant souvent et en appuyant régulièrement des deux côtés.

Les crêpes réunies deux par deux resteront souples à la cuisson

Les crêpes doivent avoir une épaisseur uniforme

ATTENTION !

N'abaissez pas trop les bords, sinon les crêpes seront difficiles à dédoubler et se déchireront.

La spatule à wok, avec ses bords recourbés, est idéale pour retourner les crêpes

4 Chauffez le wok jusqu'à ce qu'il soit très chaud. Mettez-y 1 crêpe et cuisez 1 min environ. Retournez-la avec la spatule à wok et cuisez-la de l'autre côté 30 s environ, en appuyant avec la spatule, jusqu'à ce que des points bruns apparaissent à l'extérieur.

5 À l'aide de la spatule, sortez la crêpe du wok, laissez un peu refroidir, et séparez les 2 disques. Procédez de la même façon pour les autres crêpes. Quand elles sont toutes cuites, empilez-les sur un plat et gardez-les au chaud sous un torchon humide.

FAIRE SAUTER LA GARNITURE

1 Chauffez le wok sur feu moyen. Versez-y 1 cuil. à soupe d'huile pour graisser le fond et les côtés. Continuez à chauffer jusqu'à ce que l'huile soit chaude, puis mettez-y les œufs battus. Secouez le wok pour les répartir en une couche régulière. Cuisez 2 min environ, jusqu'à obtenir une fine omelette, prise au centre et légèrement croustillante sur les bords.

2 À l'aide de la spatule à wok, retournez délicatement l'omelette. Cuisez de 15 à 30 s, jusqu'à ce que l'autre côté soit légèrement doré.

3 Faites glisser avec la spatule l'omelette sur la planche à découper. Laissez-la légèrement refroidir. Repliez-la en un rouleau lâche et, à l'aide du couperet, coupez-la en anneaux de 5 mm.

4 Chauffez de nouveau le wok sur feu vif. Versez-y le reste d'huile et continuez à chauffer jusqu'à ce qu'elle soit très chaude. Mettez-y le porc et cuisez de 2 à 3 min, en remuant et en secouant, jusqu'à ce qu'il ne soit plus rose.

5 Ajoutez les pleurotes, les fleurs de lis et les champignons parfumés, et faites sauter avec le porc jusqu'à ce que le mélange soit très chaud.

Les fleurs de lis et les pleurotes apportent au mélange leur texture

6 Avec les baguettes, remuez la fécule de maïs, puis versez-la sur le mélange au porc.

7 Faites sauter 2 min environ, en utilisant la spatule à wok, jusqu'à ce que les champignons soient très chauds et que la sauce commence à épaissir légèrement.

8 Ajoutez les oignons nouveaux et l'omelette. Goûtez et ajoutez éventuellement un peu de sauce soja. Faites sauter 1 min.

¶◎¶ POUR SERVIR

Versez à la cuiller la garniture sur un plat chaud. Pliez les crêpes en deux et disposez-les sur le plat. Mettez la sauce hoisin dans un petit bol. Chaque convive versera un peu de sauce sur sa crêpe, la garnira avec du mélange au porc, et la roulera.

Les crêpes, parfumées au sésame, sont enduites de sauce hoisin

Les oignons nouveaux relèvent les chaudes saveurs du porc, des œufs et des champignons sautés

─── SAVOIR S'ORGANISER ───

Vous pouvez faire les crêpes 24 h à l'avance et les conserver au réfrigérateur, empilées et bien emballées dans du papier sulfurisé. Pour les réchauffer, mettez-les dans un panier à claie en bambou et posez-le de 2 à 3 min au-dessus d'une casserole remplie d'eau bouillante. Les ingrédients de la garniture se gardent 24 h ; faites-les sauter juste avant de servir.

VARIANTE
LÉGUMES FLEUR JAUNE
MU SHU TS'AI

Le tofu, très nourrissant, remplace le porc dans cette variante végétarienne du Mu shu rou.

1 Faites les crêpes.

2 N'utilisez pas de porc. Préparez les ingrédients de la garniture et l'omelette.

3 Rincez et égouttez 250 g de tofu ferme ; séchez-le avec du papier absorbant. Coupez-le en tranches de 1,5 cm, puis en lanières de 1,5 cm. Enduisez-les légèrement avec 3 cuil. à soupe de fécule de maïs.

4 Réchauffez le wok sur feu moyen jusqu'à ce qu'il soit très chaud. Versez-y 2 cuil. à soupe d'huile pour graisser le fond et les côtés ; continuez à chauffer jusqu'à ce qu'elle soit très chaude. Mettez-y les lanières de tofu et faites-les sauter 5 min environ, sans remuer. Retournez-les délicatement et cuisez de l'autre côté. Sortez-les, mettez-les sur un plat et réservez.

5 Réchauffez le wok, mettez-y les fleurs de lis et les champignons, et faites sauter 2 min environ. Ajoutez la fécule de maïs; cuisez de 2 à 3 min, en remuant, jusqu'à ce que la sauce épaississe.

6 Ajoutez les oignons nouveaux, les lanières d'omelette et le tofu, et remuez doucement. Goûtez et ajoutez éventuellement un peu de sauce soja, et servez en suivant la recette principale.

CURRY DE BŒUF À L'INDONÉSIENNE

Rendang daging

¶⊙¶ POUR 6 PERSONNES · **PRÉPARATION : DE 40 À 50 MIN** · **CUISSON : DE 3 H 30 À 4 H**

ÉQUIPEMENT

wok

bol

couperet*

gants en caoutchouc

robot ménager**

planche à découper

rouleau à pâtisserie

spatule à wok

louche

* ou couteau chef
et couteau d'office
** ou mortier et pilon

*Dans ce curry sec — préparé à l'origine
avec de la viande de buffle —, des morceaux
de bœuf à braiser mijotent avec des épices
et du lait de coco, jusqu'à ce que tout le liquide
ait réduit, ne laissant que très peu de sauce mais
donnant une viande merveilleusement parfumée.*

SAVOIR S'ORGANISER

Vous pouvcz préparer le curry 48 h à l'avance et le conserver,
bien couvert, au réfrigérateur. Réchauffez-le sur le feu
avant de servir.

LE MARCHÉ

1,5 litre de lait de coco en boîte
4 feuilles de laurier
1,5 kg de bœuf à braiser
1 1/2 cuil. à café de sel, ou plus
riz blanc à grains longs à l'eau (voir encadré p. 132) pour servir
6 fleurs en piment (voir p. 123) pour la décoration (facultatif)
Pour la pâte d'épices
2 tiges de citronnelle
6 échalotes
7,5 cm de galanga frais
6 gousses d'ail
6 piments rouges frais
2,5 cm de tuyau de cannelle
12 clous de girofle entiers
1 cuil. à café de curcuma en poudre

INGRÉDIENTS

morceau de
paleron de bœuf

échalotes

citronnelle

lait de coco
en boîte

feuilles de laurier

piments

galanga
frais

tuyau de
cannelle

gousses d'ail

curcuma
en poudre

clous de girofle entiers

DÉROULEMENT

1 PRÉPARER
  LA PÂTE D'ÉPICES

2 APPRÊTER LE BŒUF ET
  CUIRE LE CURRY

1 PRÉPARER LA PÂTE D'ÉPICES

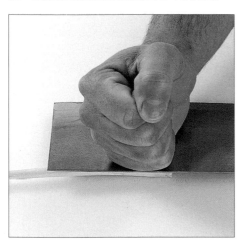

Les échalotes seront hachées finement dans le robot ménager

1 Ôtez l'extrémité sèche des tiges de citronnelle. Enlevez-en toutes les couches extérieures dures jusqu'à ce que vous atteigniez le cœur tendre. Écrasez les tiges sous le plat de la lame du couperet, puis coupez-les en morceaux de 2,5 cm.

2 Pelez les échalotes et séparez-les éventuellement en deux. Ôtez leur base et coupez-les en quartiers.

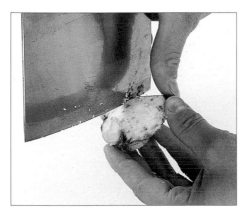

3 Avec le couperet, enlevez les tiges ou les nœuds du galanga et grattez-en la peau. Tranchez-le, en coupant à travers les fibres.

4 Posez le plat de la lame du couperet sur les tranches de galanga et appuyez avec le poing, puis hachez-les grossièrement.

5 Posez le plat de la lame du couperet au sommet de chaque gousse d'ail et appuyez avec le poing. Pelez-les. Coupez les piments en tout petits dés (voir encadré p. 130).

6 Émiettez le tuyau de cannelle et mettez les morceaux dans le petit bol avec les clous de girofle. Écrasez-les grossièrement avec le bout du rouleau à pâtisserie ou du manche du couperet.

Les épices donnent une pâte ferme, qui est le curry proprement dit

7 Mettez la cannelle et les clous de girofle dans le robot ménager avec la citronnelle, les échalotes, le galanga, les piments, le curcuma et l'ail. Réduisez les ingrédients en une pâte grossière. Si elle est très épaisse, ajoutez 4 cuil. à soupe de lait de coco.

CONSEIL MALIN

«Vous pouvez aussi préparer la pâte d'épices avec un mortier et un pilon. Commencez par hacher finement tous les ingrédients. Puis mettez-les les uns après les autres dans le mortier et écrasez-les en une pâte grossière.»

2 PRÉPARER LE BŒUF ET CUIRE LE CURRY

1 Mettez dans le wok la pâte d'épices et le lait de coco et mélangez bien. Ajoutez les feuilles de laurier et portez à ébullition sur feu vif, en remuant de temps en temps.

2 Réduisez un peu le feu et cuisez la sauce 15 min environ, en remuant de temps en temps avec la spatule à wok.

ÔTER LE PÉDONCULE ET LES GRAINES D'UN PIMENT FRAIS ET LE COUPER EN DÉS

Enfilez des gants en caoutchouc et évitez tout contact avec les yeux, car les piments peuvent brûler la peau et les muqueuses.

1 Coupez le piment en deux. Ôtez-en le pédoncule et les membranes blanches; grattez les graines.

2 Posez les demi-piments à plat et tranchez-les finement dans le sens de la longueur.

3 Rassemblez les lanières entre vos doigts et coupez-les en tout petits dés.

3 Pendant ce temps, enlevez la graisse et les tendons du bœuf et coupez-le en cubes de 5 cm de côté.

4 Mettez le bœuf et le sel dans la sauce aux épices, mélangez et portez de nouveau à ébullition sur feu vif. Réduisez le feu et laissez mijoter 2 h à découvert, en remuant de temps en temps.

5 Baissez encore le feu et poursuivez la cuisson de 1 h 30 à 2 h, jusqu'à ce que le bœuf soit tendre et la sauce très épaisse. Remuez souvent avec la spatule pour que le curry n'attache pas.

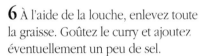

6 À l'aide de la louche, enlevez toute la graisse. Goûtez le curry et ajoutez éventuellement un peu de sel.

CONSEIL MALIN

«Le curry sera consistant et très épais. En fin de cuisson, l'huile va se séparer de la sauce et frire le bœuf.»

🍴 POUR SERVIR

Disposez un lit de riz sur des assiettes chaudes ou dans des bols peu profonds et versez par-dessus à la cuiller le curry de bœuf. Décorez éventuellement avec une fleur de piment.

Le curry de bœuf sec cuit très longtemps pour que presque tout le liquide s'évapore

Du riz blanc bien tendre accompagne traditionnellement les currys

RIZ BLANC À GRAINS LONGS À L'EAU

Le riz est l'ingrédient de base de toutes les cuisines asiatiques : il est en effet très nourrissant et s'accorde bien avec les plats très parfumés. Grâce à cette méthode, vous réussirez un riz parfait.

🍽 POUR 6 PERSONNES

🥣 PRÉPARATION : 5 MIN

🍲 CUISSON : DE 15 À 20 MIN*

*plus 15 min de repos

LE MARCHÉ

400 g de riz blanc à grains longs
75 cl d'eau

1 Mettez le riz dans un bol, couvrez-le d'eau froide, et remuez du bout des doigts jusqu'à ce que l'eau soit d'un blanc laiteux. Jetez-la.

2 Recommencez 1 ou 2 fois jusqu'à ce que l'eau soit parfaitement claire. Égouttez le riz dans une passoire en toile métallique.

Égouttez bien
l'eau du riz

3 Mettez le riz dans une casserole et ajoutez les 75 cl d'eau. Portez à ébullition sur feu vif. Remuez avec des baguettes. Couvrez et réduisez beaucoup le feu. Laissez frémir 15 min environ, jusqu'à ce que le riz ait absorbé toute l'eau et soit tendre.

Les baguettes aèrent
les grains sans rendre
le riz collant

Les grains de riz
sont parfaitement cuits
mais ne collent pas

4 Retirez du feu et laissez reposer 15 min, sans soulever le couvercle. Découvrez et remuez le riz avec les baguettes pour l'aérer.

VARIANTE

Les carottes juteuses
posent des touches
de couleur dans
le ragoût de bœuf

BŒUF BRAISÉ À LA VIETNAMIENNE

THIT BO KNO

*Au Viêt Nam, ce ragoût
de bœuf se déguste avec
du pain français, souvenir
du passé colonial du pays.*

1 N'utilisez ni galanga, ni tuyau de
cannelle, ni clous de girofle, ni curcuma,
ni lait de coco. Préparez 2,5 cm de racine
de gingembre fraîche de la même façon
que le galanga. Détaillez la citronnelle,
les échalotes, l'ail et 2 piments rouges
frais en suivant la recette principale.
2 Coupez le bœuf en cubes. Dans
un grand bol, mélangez le gingembre,
la citronnelle, les échalotes, l'ail et les
piments. Incorporez-y 3 cuil. à soupe
de sauce de poisson, 2 cuil. à café
de cannelle en poudre et autant
de curry en poudre et de sucre.

3 Ajoutez les cubes
de bœuf et mélangez avec les mains,
puis laissez mariner 30 min environ.
4 Pendant ce temps, pelez 1 gros oignon,
sans ôter sa base, et coupez-le en deux
verticalement. Posez les moitiés à plat sur
une planche à découper et tranchez-les
finement. Pelez 6 carottes et coupez-les
en deux dans le sens de la longueur,
puis dans l'autre sens en morceaux
de 5 cm.

5 Chauffez le wok sur feu vif jusqu'à
ce qu'il soit très chaud. Versez-y 1 cuil.
à soupe d'huile pour graisser le fond
et les côtés. Continuez à chauffer jusqu'à
ce qu'elle soit très chaude. Mettez-y
1/3 du bœuf mariné et faites sauter
de 5 à 7 min, jusqu'à ce que les cubes
de viande soient dorés de tous les côtés.
Réservez dans un bol.
6 Chauffez de nouveau le wok, ajoutez
un peu d'huile et faites sauter le reste du
bœuf mariné en 2 fournées. Réservez la
viande et les sucs de cuisson dans le bol.
7 Chauffez de nouveau le wok, mettez-y
l'oignon, et faites sauter 1 min.
Remettez tout le bœuf et les sucs
de cuisson dans le wok.
Ajoutez 3 étoiles entières
d'anis, 4 cuil. à soupe
de purée de tomate, 1 litre
d'eau, et mélangez bien.
Portez à ébullition, et
laissez mijoter 1 h 30
environ, en remuant
de temps en temps.

L'anis étoilé
apporte son
arôme exotique

8 Ajoutez les carottes et poursuivez
la cuisson de 45 à 60 min, jusqu'à ce que
la viande et les légumes soient tendres.
Le ragoût doit être consistant, mais pas
trop épais. Enlevez l'anis étoilé. Servez
chaud, décoré avec des feuilles de basilic
frais, et accompagné de pain croustillant.

DÉLICE DE BOUDDHA

Lo han chai

POUR 4 PERSONNES   **PRÉPARATION : DE 40 À 50 MIN***   **CUISSON : DE 15 À 20 MIN***

ÉQUIPEMENT

couperet**

wok

bols

baguettes

couteau d'office

spatule à wok

cuiller percée***

papier absorbant

passoire

planche à
découper

passoire
en toile
métallique

*La cuisine végétarienne chinoise trouve son
origine dans les monastères bouddhistes.
Les moines n'y consomment pas de viande,
et se nourrissent de légumes, de céréales, d'herbes,
de noix et de graines. Les produits à base de soja,
très riches en protéines, enrichissent leur régime,
comme en témoigne ce plat.*

**plus 30 min de trempage*

LE MARCHÉ

8 champignons parfumés séchés, soit 30 g environ
50 g de fleurs de lis séchées
15 g de champignons noirs séchés
50 g de vermicelles de soja
175 g de petits épis de maïs
250 g de pois gourmands
250 g de racine de lotus
2 cuil. à soupe de jus de citron
6 grosses châtaignes d'eau fraîches
3 gousses d'ail
2 cuil. à soupe de vin jaune, ou plus
3 cuil. à soupe de sauce soja claire, ou plus
2 cuil. à café d'huile de sésame foncée
2 cuil. à soupe de fécule de maïs
250 g de tofu ferme
4 cuil. à soupe d'huile d'arachide

** ou couteau chef
*** ou écumoire

INGRÉDIENTS

racine de lotus   tofu ferme

pois
gourmands

champignons
parfumés séchés

huile
d'arachide

fleurs de
lis séchées

petits épis
de maïs

vermicelles
de soja

jus de citron

gousses d'ail

huile de
sésame
sombre

champignons
noirs séchés

vin jaune***

fécule
de maïs

châtaignes
d'eau

sauce
soja claire

*** ou xérès sec

DÉROULEMENT

**1 PRÉPARER
LES LÉGUMES
ET LES VERMICELLES**

**2 COUPER ET FRIRE
LE TOFU**

**3 FAIRE SAUTER
LES LÉGUMES**

1 PRÉPARER LES LÉGUMES ET LES VERMICELLES

1 Mettez les champignons parfumés, les fleurs de lis et les champignons noirs dans des bols séparés. Ajoutez dans chacun d'eux suffisamment d'eau pour les couvrir, et laissez tremper 30 min.

2 Mettez les vermicelles de soja dans un bol et couvrez-les d'eau chaude. Laissez-les s'attendrir 30 min environ.

Les petits épis de maïs se mangent tout entiers

Les petits épis de maïs sont plus décoratifs quand ils sont coupés en biais

3 Parez les petits épis de maïs et coupez-les en biais en deux.

4 Équeutez les pois gourmands et enlevez les fils des deux côtés.

CONSEIL MALIN

«Si les pois gourmands sont jeunes, ils n'auront pas de fils ; contentez-vous de les équeuter.»

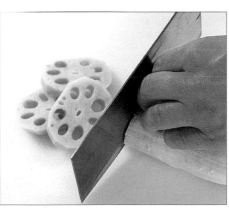

Les châtaignes d'eau seront fermes et croquantes

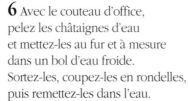

5 À l'aide du couperet, grattez la peau de la racine de lotus et tranchez-la en rondelles de 1,5 cm. Mettez-les avec le jus de citron dans un bol d'eau froide pour leur éviter de noircir.

6 Avec le couteau d'office, pelez les châtaignes d'eau et mettez-les au fur et à mesure dans un bol d'eau froide. Sortez-les, coupez-les en rondelles, puis remettez-les dans l'eau.

7 Pelez et hachez l'ail (voir encadré ci-contre). Égouttez les fleurs de lis et les champignons noirs et rincez-les bien pour en enlever toute trace de sable. Égouttez-les et pressez-les dans votre main.

Les champignons noirs sont peu parfumés, mais ils ont une belle couleur et une consistance agréable

PELER ET HACHER L'AIL

La force de l'ail varie avec son âge ; utilisez-en davantage s'il est frais.

1 Posez le plat de la lame d'un couperet au sommet de la gousse d'ail et appuyez avec le poing. Pelez-la avec les doigts.

2 Hachez l'ail finement avec le couperet, en basculant la lame d'avant en arrière.

8 Coupez les extrémités dures des fleurs de lis et des champignons noirs. Si ceux-ci sont larges, coupez-les en morceaux de 5 cm.

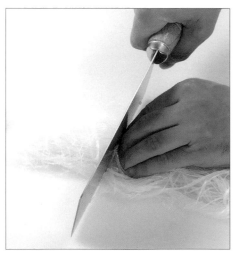

9 Égouttez les vermicelles de soja dans la passoire, mettez-les sur la planche à découper et coupez-les en morceaux de 15 cm.

10 Égouttez les champignons parfumés, en réservant le liquide de trempage. Ôtez les queues ligneuses et tranchez les chapeaux.

11 Chemisez la passoire en toile métallique avec du papier absorbant et posez-la sur un verre gradué. Filtrez-y le liquide de trempage des champignons : vous devez en avoir 20 cl environ. Jetez le reste.

12 Dans un bol, mélangez le liquide de trempage des champignons, le vin jaune, la sauce soja, l'huile de sésame et la moitié de la fécule de maïs, et remuez bien.

Filtrez le liquide de trempage des champignons pour en enlever toute trace de sable

2 COUPER ET FRIRE LE TOFU

1 Rincez le tofu sous un filet d'eau froide, puis égouttez-le bien. Séchez-le dans du papier absorbant.

2 Posez le tofu sur la planche à découper et coupez-le en biais entre les angles pour obtenir 4 triangles.

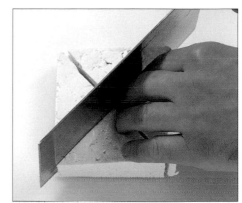

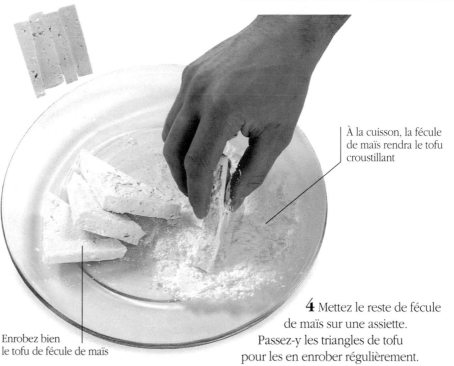

À la cuisson, la fécule de maïs rendra le tofu croustillant

3 Coupez les 4 triangles en deux dans le sens de l'épaisseur. Séchez les 8 triangles de tofu dans du papier absorbant.

CONSEIL MALIN

«Le tofu vendu dans le commerce se présente sous diverses formes. Arrangez-vous pour obtenir 8 triangles d'environ 1,5 cm d'épaisseur.

Enrobez bien le tofu de fécule de maïs

4 Mettez le reste de fécule de maïs sur une assiette. Passez-y les triangles de tofu pour les en enrober régulièrement.

5 Chauffez le wok sur feu vif jusqu'à ce qu'il soit très chaud. Versez-y l'huile pour graisser le fond et les côtés. Continuez à chauffer jusqu'à ce que l'huile soit très chaude, mettez-y les triangles de tofu et faites-les frire de 8 à 10 min, en les retournant avec la spatule pour qu'ils se colorent uniformément, jusqu'à ce qu'ils soient brun doré.

6 À l'aide de la spatule, mettez les triangles de tofu dorés sur un plat et couvrez pour les garder au chaud. Réduisez un peu le feu.

3 FAIRE SAUTER LES LÉGUMES

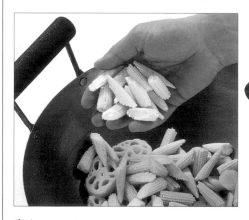

2 Ajoutez les pois gourmands et l'ail et faites sauter 1 min.

Tenez fermement le wok

1 Égouttez la racine de lotus et les châtaignes d'eau. Mettez-les dans le wok avec les petits épis de maïs et faites sauter de 3 à 4 min, jusqu'à ce que la racine de lotus s'attendrisse.

3 Ajoutez les fleurs de lis, les champignons parfumés et les champignons noirs et faites sauter 1 min.

Les fleurs de lis et les champignons vont s'attendrir à la cuisson

4 Remuez le liquide à la fécule de maïs et versez-le dans le wok. Portez à ébullition et cuisez de 1 à 2 min, en remuant, jusqu'à ce que le mélange épaississe.

5 Ajoutez les vermicelles de soja ramollis et faites sauter 2 min environ, jusqu'à ce qu'ils soient très chauds et bien mélangés aux autres ingrédients. Goûtez et rectifiez l'assaisonnement, en ajoutant éventuellement un peu de vin jaune ou de sauce soja.

POUR SERVIR
Disposez le mélange de légumes et de vermicelles sur un plat chaud et couronnez avec les triangles de tofu.

Le tofu doré se marie aux légumes croquants dans ce riche mélange de saveurs et de consistances

VARIANTE

LÉGUMES SAUTÉS À LA VIETNAMIENNE
LA HAN CHAY

Ce plat comporte des poireaux, des carottes et du chou-fleur — des légumes qui ont été introduits au Viêt Nam par les colons européens.

1 N'utilisez ni fleurs de lis, ni petits épis de maïs, ni pois gourmands, ni racine de lotus, ni châtaignes d'eau, ni ail, ni vin jaune. Préparez les champignons et les vermicelles de soja.
2 Coupez 250 g de haricots longs asiatiques ou de haricots verts en biais, en morceaux de 5 cm. Parez 1 poireau, en ôtant la racine et la partie dure du vert. Entaillez-le et rincez-le sous l'eau froide. Posez les moitiés à plat sur une planche à découper et coupez-les en fines tranches.
3 Pelez 2 petites carottes et ôtez-en les

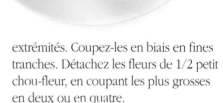

extrémités. Coupez-les en biais en fines tranches. Détachez les fleurs de 1/2 petit chou-fleur, en coupant les plus grosses en deux ou en quatre.
4 Chauffez l'huile dans le wok. Rincez, égouttez et séchez le tofu, sans le couper. Passez-le dans 1 cuil. à soupe de fécule de maïs, puis faites le dorer. Laissez-le s'égoutter sur du papier absorbant.
5 Mettez le poireau dans le wok et faites-le sauter 15 s, jusqu'à ce qu'il libère son arôme. Ajoutez les haricots, les carottes et le chou-fleur et faites sauter 1 min. Ajoutez ensuite 150 g de pousses de bambou, les champignons et 20 cl de leur liquide de trempage. Faites sauter 5 min, jusqu'à ce que les légumes soient tendres, mais encore légèrement croquants.
6 Pendant ce temps, coupez le tofu en tranches de 1,5 cm.
7 Incorporez aux légumes la sauce soja, l'huile de sésame, 2 cuil. à café de sucre et 1/4 de cuil. à café de poivre noir. Ajoutez les vermicelles de soja ramollis et cuisez 2 min, en remuant, jusqu'à ce qu'ils soient chauds et bien incorporés aux autres ingrédients. Goûtez et rectifiez l'assaisonnement. Servez aussitôt.

SAVOIR S'ORGANISER
Vous pouvez préparer les légumes et les vermicelles 24 h à l'avance et les conserver, couverts, au réfrigérateur. Faites sauter le tofu et les légumes juste avant de servir.

POULET ET CREVETTES DE MALAISIE

Laksa Lemak

 POUR 6 PERSONNES   **PRÉPARATION : DE 35 À 40 MIN**   **CUISSON : DE 30 À 35 MIN**

ÉQUIPEMENT

bols

robot ménager*

grand faitout   wok**

cuiller à wok

cuiller percée***

couteau chef

passoire

couteau
d'office

planche
à découper

casserole
moyenne

*Cette association classique du poulet et
des crevettes prend des allures asiatiques grâce
au lait de coco, au gingembre et aux épices;
des nouilles et du tofu lui donnent du corps.*

SAVOIR S'ORGANISER

Vous pouvez pocher le poulet 24 h à l'avance et le conserver,
couvert, au réfrigérateur. Les ingrédients parés
se gardent 2 h au froid.

LE MARCHÉ

750 g de blancs de poulet sans peau
75 cl d'eau
sel et poivre
500 g de crevettes moyennes crues non décortiquées
3 gousses d'ail
5 cm de racine de gingembre fraîche
6 échalotes
3 piments rouges séchés, ou plus selon votre goût
1 1/2 cuil. à café de curcuma en poudre
1 cuil. à soupe de coriandre en poudre
250 g de tofu
250 g de germes de soja
1 petite botte d'oignons nouveaux
125 g de nouilles de riz
2 cuil. à soupe d'huile végétale
50 cl de lait de coco en boîte

INGRÉDIENTS

blancs de poulet

crevettes
moyennes crues

nouilles
de riz****

tofu

huile
végétale

germes
de soja

lait
de coco

gousses
d'ail

échalotes

curcuma
en poudre   racine de
gingembre
fraîche

piments rouges
séchés

coriandre
en poudre

oignons nouveaux

**** ou vermicelles

DÉROULEMENT

1 POCHER LE POULET;
DÉCORTIQUER

2 PRÉPARER
LES AROMATES

3 COMPOSER
LE PLAT

* ou mixeur
** ou grande poêle
*** ou écumoire

1 POCHER LE POULET; DÉCORTIQUER LES CREVETTES

1 Séparez le filet de chaque blanc de poulet en le tirant avec les doigts. Ôtez son tendon en le soulevant délicatement avec le couteau d'office.

2 Remplissez le faitout d'eau et portez à ébullition. Mettez-y les blancs de poulet et les filets, salez et poivrez.

3 Laissez frémir de 5 à 8 min pour les filets, de 12 à 15 min pour les blancs, jusqu'à ce que le poulet soit tendre quand vous le piquez au plus épais de la chair et que le jus qui s'en écoule soit clair.

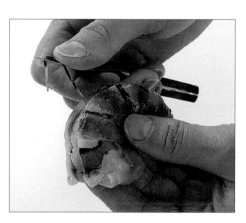

4 Pendant ce temps, enlevez avec les doigts la carapace des crevettes. Entaillez légèrement leur dos avec le couteau d'office et retirez la veine intestinale.

5 À l'aide de la cuiller percée, posez le poulet sur la planche à découper. Réservez le liquide de cuisson.

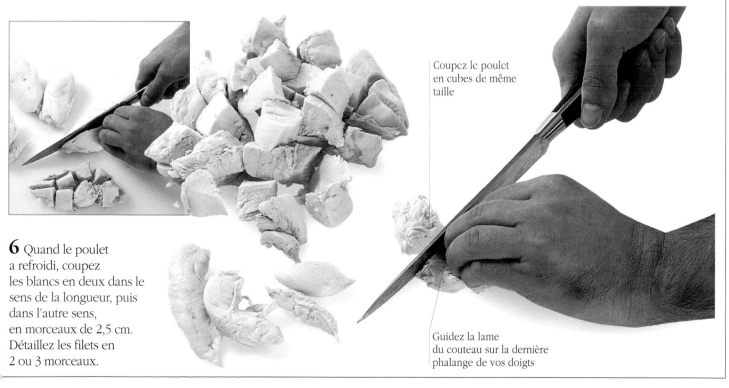

Coupez le poulet en cubes de même taille

6 Quand le poulet a refroidi, coupez les blancs en deux dans le sens de la longueur, puis dans l'autre sens, en morceaux de 2,5 cm. Détaillez les filets en 2 ou 3 morceaux.

Guidez la lame du couteau sur la dernière phalange de vos doigts

ÉGRENER DES PIMENTS ROUGES SÉCHÉS

Quand vous manipulez des piments, évitez tout contact avec les yeux.

1 Mettez les piments séchés dans un bol et recouvrez-les d'eau chaude. Laissez-les s'attendrir 5 min environ, puis égouttez-les.

2 À l'aide d'un couteau d'office, ouvrez les piments en deux dans le sens de la longueur.

3 En tenant l'extrémité d'une moitié de piment, ôtez le pédoncule et grattez les graines et les membranes blanches avec le couteau d'office.

2 PRÉPARER LES AROMATES

1 Écrasez les gousses d'ail sous la lame du couteau chef. Enlevez leur peau. Épluchez, tranchez et écrasez la racine de gingembre fraîche (voir encadré p. 144).

Utilisez un couteau lourd pour écraser légèrement l'ail

2 Épluchez les échalotes, séparez-les éventuellement en deux et coupez-les en 2 ou 3 morceaux. Faites tremper les piments séchés et égrenez-les (voir encadré à gauche).

La racine de gingembre doit être écrasée avant d'être mixée pour donner une purée lisse

3 Mettez dans le robot ménager les échalotes, l'ail, les piments, le curcuma en poudre, la coriandre et le gingembre; réduisez tous ces ingrédients en une purée lisse.

CONSEIL MALIN
«Si le mélange est très épais, ajoutez 2 ou 3 cuil. du liquide de cuisson du poulet.»

4 Égouttez le tofu dans la passoire et jetez le liquide. Posez-le sur la planche à découper et coupez-le en tranches de 1,5 cm avec le couteau chef.

5 Empilez les tranches et coupez-les en lanières de 1,5 cm. Rassemblez-les sous vos doigts et détaillez-les en cubes de 1,5 cm de côté.

Les germes de soja frais sont croquants

6 Triez les germes de soja et jetez tous ceux qui sont bruns. Parez les oignons nouveaux et coupez-les en biais en tranches épaisses, en gardant une partie du vert.

Coupez les oignons nouveaux en biais : ils seront plus décoratifs

Avant de tremper, les fines et longues nouilles de riz sont très cassantes

Laissez simplement tremper les nouilles de riz dans l'eau bouillante

7 Remplissez le grand faitout d'eau et portez à ébullition. Mettez-y les nouilles de riz et retirez du feu. Laissez-les tremper de 3 à 5 min ou selon les indications portées sur l'emballage, jusqu'à ce qu'elles soient tendres, mais encore al dente. Remuez doucement de temps en temps pour qu'elles ne collent pas entre elles.

8 Égouttez les nouilles dans la passoire, rincez-les sous l'eau chaude, égouttez-les de nouveau.

ÉPLUCHER, TRANCHER ET ÉCRASER DU GINGEMBRE

Le gingembre frais doit être écrasé pour mieux libérer son parfum dans les plats. Vous pourrez ensuite hacher les tranches.

1 À l'aide d'un couteau d'office, enlevez bien toute la peau du gingembre et jetez-la.

2 À l'aide d'un couteau chef, tranchez le gingembre, en coupant à travers les fibres.

3 Posez le plat de la lame du couteau chef sur les tranches de gingembre et écrasez-les en appuyant fermement avec le poing.

3 COMPOSER LE PLAT

1 Chauffez l'huile dans le wok. Ajoutez la purée de légumes et cuisez doucement de 1 à 2 min, en remuant sans arrêt, jusqu'à ce qu'elle dégage tout son arôme.

CONSEIL MALIN

« La cuiller à wok a un bord courbe de façon à rester toujours en contact avec la surface du wok. »

La forme conique du wok et son fond bombé assurent une cuisson très régulière

2 Mettez le poulet dans le wok et poursuivez la cuisson de 1 à 2 min, en remuant sans arrêt.

3 Versez le liquide de cuisson du poulet et laissez mijoter de 20 à 25 min, jusqu'à ce que le mélange ait épaissi.

4 Ajoutez les crevettes et cuisez de 3 à 5 min, en remuant de temps en temps, jusqu'à ce qu'elles commencent à devenir opaques et roses.

5 Ajoutez le tofu, les germes de soja et les nouilles. Verscz le lait de coco et mélangez bien. Laissez frémir très doucement 5 min encore. Incorporez la moitié des oignons. Goûtez et rectifiez l'assaisonnement.

L'épais lait de coco enrichit le plat

🍽 **POUR SERVIR**
Répartissez le ragoût dans des bols individuels et parsemez avec le reste des oignons nouveaux.

La sauce relevée par les piments est très parfumée

Les nouilles de riz épaississent le ragoût

V A R I A N T E
POULET ET CREVETTES À LA THAÏ
En Thaïlande, on prépare ce plat en y ajoutant citronnelle et coriandre fraîche.

1 N'utilisez ni piments rouges séchés, ni eau, ni curcuma en poudre, ni coriandre en poudre, ni germes de soja, ni tofu. Hachez finement les feuilles d'un gros bouquet de coriandre fraîche; réservez la moitié des tiges.
2 Hachez 2 tiges de citronnelle ou râpez le zeste de 2 citrons. Pelez 3 échalotes. Parez un morceau de 1,5 cm de gingembre frais.
3 Mettez dans un robot ménager ou un mixeur l'ail, la citronnelle ou le zeste de citron, le gingembre, les échalotes et les tiges de coriandre réservées. Réduisez tous ces ingrédients en une purée lisse.
4 Détaillez les blancs de poulet en biais en tranches aussi fines que possible.
5 Ôtez le pédoncule de 2 piments rouges frais, coupez-les en deux et épépinez-les. Tranchez-les finement puis hachez-les en tout petits dés. Préparez les nouilles.
6 Pressez 2 citrons verts : vous devez obtenir 10 cl de jus environ.
7 Chauffez l'huile dans un wok et cuisez la purée. Faites-y sauter le poulet avec les crevettes et du sel et du poivre de 3 à 5 min.
8 Incorporez 50 cl de lait de coco, 50 cl de bouillon de volaille ou d'eau, le jus de citron vert et 5 cl de sauce de poisson asiatique *(nam pla* ou *patis)*. Laissez frémir 2 min, puis ajoutez les piments hachés et la coriandre.
9 Mettez les nouilles dans le wok et cuisez doucement de 3 à 5 min. Servez.

BROCHETTES À L'INDONÉSIENNE

Saté Ayam, Bumbu Saté

🍽 POUR 6 PERSONNES, EN PLAT PRINCIPAL   🥣 PRÉPARATION : DE 15 À 20 MIN*   🍲 CUISSON : DE 8 À 10 MIN

ÉQUIPEMENT

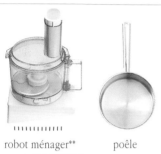

robot ménager**   poêle

couteau chef

pinceau à pâtisserie   couteau à désosser

cuiller en bois

cuiller en métal

spatule en caoutchouc

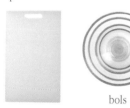

planche à découper   bols

18 brochettes en bambou***

film alimentaire

plat peu profond   casserole moyenne

** ou mixeur
*** ou en inox

*En Indonésie, ces brochettes épicées
se dégustent dans la rue, à tout moment.
Relevées d'une sauce piquante aux cacahuètes,
elles constituent un excellent plat principal.*
plus 3 à 12 h de marinage

LE MARCHÉ

1,5 kg de blancs de poulet sans peau
Pour la marinade
3 échalotes
2 gousses d'ail
1/2 cuil. à café de piment en poudre
2 cuil. à café de coriandre en poudre
2 cuil. à café de gingembre en poudre
3 cuil. à soupe de sauce soja
2 cuil. à soupe de vinaigre de vin blanc
2 cuil. à soupe d'huile végétale
Pour la sauce
1 1/2 cuil. à soupe d'huile végétale
175 g de cacahuètes fraîches décortiquées
1/2 oignon moyen
1 gousse d'ail
1/2 cuil. à café de flocons de piment rouge
2 cuil. à café de gingembre en poudre
1 cuil. à café de cassonade
1 1/2 cuil. à café de jus de citron
50 cl d'eau chaude
sel et poivre

INGRÉDIENTS

blancs de poulet   échalotes

gousses d'ail

sauce soja

oignon

cacahuètes fraîches décortiquées   jus de citron

coriandre en poudre   piment en poudre   gingembre en poudre

flocons de piment rouge   cassonade

huile végétale   vinaigre de vin blanc

DÉROULEMENT

1 APPRÊTER ET FAIRE MARINER LE POULET

2 PRÉPARER LA SAUCE

3 GARNIR ET FAIRE GRILLER LES BROCHETTES

1 APPRÊTER ET FAIRE MARINER LE POULET

1 Retirez le tendon de chaque blanc de poulet. Levez le filet en soulevant son extrémité et en le tirant vers vous. À l'aide du couteau chef, coupez-le en deux dans le sens de la longueur. Émincez le reste du blanc en 7 fines aiguillettes de la taille des moitiés de filet.

2 Hachez finement les échalotes (voir encadré à droite) et l'ail. Mélangez dans un grand bol tous les ingrédients de la marinade à l'aide d'une cuiller en métal.

La marinade attendrit la chair du poulet et la parfume délicieusement

3 Mettez les aiguillettes de poulet dans cette préparation et mélangez jusqu'à ce qu'elles soient bien enrobées de marinade. Couvrez le bol d'un film alimentaire et laissez reposer au réfrigérateur de 3 à 12 h.

HACHER UNE ÉCHALOTE

1 Séparez éventuellement l'échalote en deux. Pelez chaque moitié, posez sa tranche sur une planche à découper et tenez-la fermement avec vos doigts. Émincez-la horizontalement, en partant du sommet, sans entailler la base, qui la maintiendra pendant que vous coupez. Faites des tranches d'environ 3 mm d'épaisseur, ou moins si vous voulez hacher très finement.

2 Émincez ensuite l'échalote verticalement, en partant du sommet, toujours sans entailler la base.

3 Détaillez l'échalote plus ou moins finement, en fonction de la recette que vous avez choisi de préparer. Vous pouvez garder la base pour parfumer un bouillon.

2 PRÉPARER LA SAUCE AUX CACAHUÈTES

1 Chauffez l'huile dans la poêle. Faites-y griller les cacahuètes de 3 à 5 min, en remuant constamment. Mettez-les ensuite dans le bol du robot ménager.

Les cacahuètes grillées dégagent mieux leur parfum

Remuez sans arrêt les cacahuètes pour éviter qu'elles attachent ou qu'elles brûlent

2 Coupez le demi-oignon en gros morceaux. Mettez-les dans le bol du robot avec l'ail, les flocons de piment, le gingembre, la cassonade et le jus de citron. Faites tourner l'appareil jusqu'à ce que la préparation soit homogène.

CONSEIL MALIN

«Si le mélange n'est pas suffisamment lié, ajoutez un peu d'eau chaude.»

3 Diluez la sauce avec l'eau chaude : elle doit être liquide. Versez-la dans la casserole, portez à ébullition et laissez mijoter 2 min, en remuant sans arrêt. Goûtez et rectifiez l'assaisonnement. Retirez du feu et tenez au chaud.

ATTENTION !

Remuez sans arrêt, car la sauce a tendance à attacher.

FAIRE GRILLER LES BROCHETTES

1 Humectez les brochettes en bambou (voir encadré à droite) 30 min environ avant de les utiliser. Allumez le gril du four. Enfilez les aiguillettes de poulet en accordéon sur les brochettes : pour cela, tournez-les légèrement à chaque fois que vous les piquez. Comptez 3 morceaux de viande par brochette.

Tenez fermement la brochette et tournez légèrement les morceaux de chair avant de les piquer

Enfilez les aiguillettes de poulet en accordéon sur les brochettes

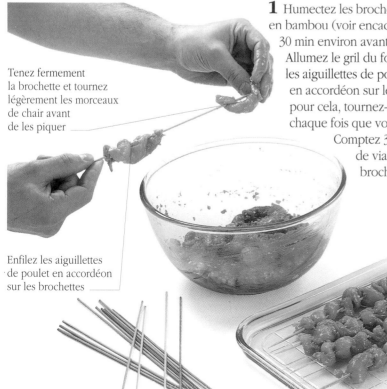

Humecter les brochettes

Laissez-les tremper 30 min dans l'eau froide, puis essuyez-les (ainsi traitées, elles ne brûleront pas).

2 Huilez la grille et posez-y les brochettes.

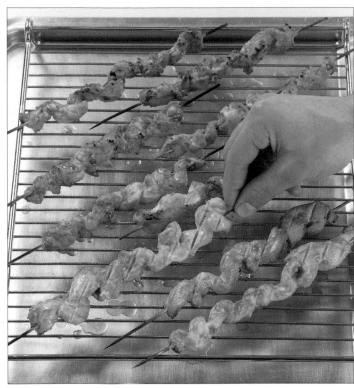

VARIANTE

BROCHETTES DE POULET À LA VIETNAMIENNE

1 Apprêtez les blancs de poulet en suivant la recette principale, puis coupez-les en cubes de 2 cm de côté.

2 Préparez la marinade avec 3 échalotes et 2 gousses d'ail finement hachées, 1 cuil. à café de piment vert frais épépiné et finement haché, 2 cuil. à café de gingembre frais râpé, 3 cuil. à soupe de sauce soja, 2 cuil. à soupe de vinaigre de vin blanc et 2 cuil. à soupe d'huile végétale.

3 Écrasez 1 pied de lemon-grass à l'aide d'un rouleau à pâte et ajoutez-le au mélange.

4 Laissez mariner les cubes de poulet de 3 à 12 h, puis enfilez-les sur 12 brochettes en bambou. Ôtez le lemon-grass.

5 Grillez les brochettes en suivant la recette principale et servez avec la sauce aux cacahuètes.

3 Placez la grille dans le four, à 10 cm environ sous la source de chaleur, pour 2 à 3 min. Puis retournez les brochettes et faites-les griller 2 à 3 min de l'autre côté.

🍽 POUR SERVIR

Disposez les brochettes sur des assiettes individuelles avec la sauce aux cacahuètes. Pour un repas plus copieux, servez-les avec du riz pilaf.

SAVOIR S'ORGANISER

Vous pouvez préparer la sauce aux cacahuètes 2 semaines à l'avance et la conserver au réfrigérateur, dans un récipient couvert. Laissez éventuellement les aiguillettes de poulet mariner 12 h, mais faites-les griller juste avant de servir.

Une salade de crudités — carottes râpées, concombres et tomates assaisonnés avec une sauce vinaigrette — accompagnera agréablement les brochettes

PORC AIGRE-DOUX DU SICHUAN

 POUR 6 PERSONNES PRÉPARATION : DE 15 À 20 MIN CUISSON : 1 H 30

ÉQUIPEMENT

wok

bols

couteau d'office

pinces   couteau à désosser
métalliques

fouet

planche
à découper

*Les travers de porc sont appréciés
dans le monde entier. Ils sont ici grillés
dans un mélange d'huile et de piments,
puis ils s'attendrissent en mijotant doucement
avant d'être nappés d'une sauce parfumée.
Pour transformer cette entrée en plat
principal pour quatre, accompagnez
la viande de riz créole ou frit.*

SAVOIR S'ORGANISER

Vous pouvez cuire les travers de porc la veille
et les conserver, bien couverts, au réfrigérateur.
Réchauffez-les de 10 à 15 min dans le four à 180 °C.

LE MARCHÉ

4 cuil. à soupe de sauce soja foncée
4 cuil. à soupe de vinaigre de cidre
3 cuil. à soupe de miel
1 cuil. à soupe d'huile de sésame
1 cuil. à café de purée de piments
4 cuil. à soupe de xérès sec
1 botte d'oignons nouveaux, pour la décoration
1,5 kg de travers de porc
4 cuil. à soupe d'huile végétale
1 piment rouge séché
1 litre d'eau, ou plus

INGRÉDIENTS

travers   huile de sésame
de porc

                 purée de piments*

huile végétale

miel   sauce soja foncée

oignons nouveaux

xérès   vinaigre
sec   de cidre

piment rouge séché

* ou piments écrasés

DÉROULEMENT

1 PRÉPARER
LA SAUCE
ET LA DÉCORATION

2 APPRÊTER ET FAIRE
CUIRE LES TRAVERS

1 PRÉPARER LA SAUCE AIGRE-DOUCE ET LA DÉCORATION

1 Dans un petit bol, mélangez
au fouet la sauce soja, le vinaigre
de cidre, le miel, l'huile de sésame,
la purée de piments et le xérès.
Préparez les palmiers d'oignon
nouveau (voir encadré à droite).

La sauce aigre-douce
donne une saveur
asiatique prononcée
aux travers
de porc

Les différents
arômes vont
parfumer la viande

2 APPRÊTER ET FAIRE CUIRE LES TRAVERS DE PORC

Le couteau d'office
glisse bien au bout
des os

1 À l'aide du couteau d'office,
retirez les morceaux de viande
sans os et la graisse des travers
de porc.

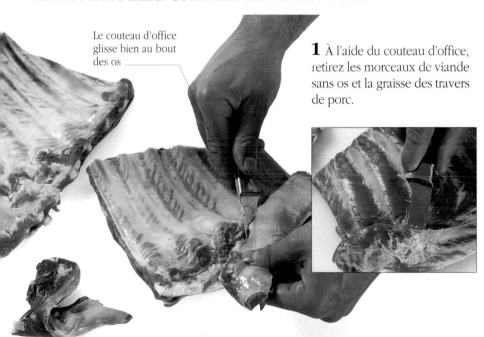

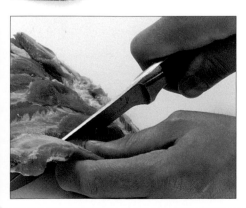

2 Glissez la lame du couteau chef entre
les os pour séparer les bandes.

CONSEIL MALIN
*«Vous pouvez également demander
à votre boucher de préparer
les travers.»*

PRÉPARER DES PALMIERS

*Cette décoration toute simple
accompagne bien les viandes.*

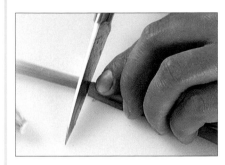

1 Ôtez les racines des oignons
nouveaux et raccourcissez-les
au ras du vert clair, pour ne garder que
des morceaux de 6 cm.

2 Pratiquez des incisions sur 2 cm aux
2 extrémités de chaque morceau.
Écartez-les doucement pour ouvrir
les feuilles.

3 Mettez les oignons nouveaux dans
un bol d'eau glacée et laissez-les
environ 2 h pour
que les extrémités se
recourbent.
Égouttez-les
soigneusement
avant de
les utiliser.

3 Chauffez l'huile dans le wok, mettez-y le piment et cuisez 1 min pour qu'il soit bien grillé. Ajoutez 3 ou 4 bandes de travers et faites-les dorer de tous les côtés à feu vif de 2 à 3 min.

4 À l'aide des pinces, déposez les bandes sur un plat. Procédez de la même façon pour toutes les autres. Ne gardez que 2 cuil. à soupe d'huile dans le wok; jetez le reste.

Le travers dore rapidement dans l'huile brûlante

5 Remettez toutes les bandes grillées dans le wok et recouvrez-les d'eau. Portez à ébullition.

Mettez suffisamment d'eau pour couvrir le travers

6 Réduisez le feu et couvrez. Laissez cuire 1 h, en remuant de temps en temps. Le travers est cuit lorsque la viande est tendre sous la pointe du couteau et commence à se détacher de l'os.

Laissez le piment dans le wok pour qu'il parfume la viande

7 Retirez le couvercle, sortez le piment à l'aide des pinces et jetez-le.

8 Versez la sauce aigre-douce dans le wok sur la viande. Incorporez-la bien au bouillon de cuisson.

9 Laissez mijoter de 25 à 30 min, en remuant de temps en temps, pour faire réduire le bouillon de cuisson : il doit être foncé et épais et avoir glacé le travers. Éventuellement, retirez la viande et faites réduire la sauce à gros bouillons.

La sauce doit être assez épaisse pour glacer le travers

Remuez pour que la viande n'attache pas

🍴 POUR SERVIR

Disposez les bandes de travers sur un plat chaud. Nappez-les de sauce et décorez de palmiers d'oignon nouveau.

Les travers sont glacés avec une sauce relevée

Les palmiers d'oignon nouveau apportent une touche asiatique

V A R I A N T E
TRAVERS DE PORC ÉPICÉS À L'INDONÉSIENNE

Les travers de porc, marinés dans une sauce épicée, cuisent dans la marinade.

1 Apprêtez les travers de porc, mais ne préparez pas la sauce aigre-douce.

2 Épluchez un morceau de racine de gingembre fraîche de 2,5 cm. Émincez-la en coupant à travers les fibres. Écrasez les tranches avec le plat d'un couteau et hachez-les. Pelez et hachez finement 4 gousses d'ail.

3 Dans un petit bol, mélangez au fouet le gingembre haché, l'ail, 10 cl de sauce soja foncée, 3 cuil. à soupe de vinaigre de cidre, 2 cuil. à soupe d'huile, 2 cuil. à soupe de cassonade, 1 cuil. à café de muscade râpée, 1 cuil. à café de cinq-épices ou de piment de la Jamaïque, 1/2 cuil. à café de clous de girofle en poudre et 1/2 cuil. à café de cannelle en poudre.

4 Mettez les travers dans un plat creux, arrosez-les avec la marinade et tournez-les plusieurs fois pour qu'ils soient parfaitement enrobés. Couvrez et laissez mariner au réfrigérateur de 2 à 3 h, en les retournant de temps en temps.

5 Épluchez 2 oignons nouveaux et coupez-les en diagonale, en tranches fines, en gardant une partie du vert.

6 Sortez les travers à l'aide d'une cuiller percée et essuyez-les avec du papier absorbant; réservez la marinade. Grillez-les, sans mettre de piment. Ne gardez que 2 cuil. à soupe de l'huile de cuisson; jetez le reste. Couvrez la viande avec la marinade allongée d'eau et laissez mijoter jusqu'à ce qu'elle soit tendre.

7 Portez à ébullition pour obtenir une sauce épaisse.

8 Disposez les travers sur des assiettes chaudes et nappez-les d'un peu de sauce. Parsemez-les des tranches d'oignon nouveau et servez avec des bouquets d'herbes fraîches.

SUKIYAKI DE PORC

 POUR 6 PERSONNES   PRÉPARATION : DE 15 À 20 MIN*   CUISSON : DE 20 À 25 MIN

ÉQUIPEMENT

couteau chef

couteau d'office

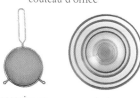

passoire en
toile métallique   bols

cuiller en bois

cuiller percée

passoire   grande poêle

planche à découper

Le sukiyaki est un plat typiquement japonais, préparé avec du bœuf et cuit directement sur la table. Au temps où la consommation de viande était interdite au Japon pour des raisons religieuses, les paysans faisaient clandestinement griller dans les champs les animaux sauvages qu'ils avaient chassés. La tradition du sukiyaki remonte à cette époque.

SAVOIR S'ORGANISER

Le sukiyaki sera meilleur si vous le préparez
et le cuisez juste avant de servir.

* plus 1 à 2 h de marinage

LE MARCHÉ

1 kg de filets de porc
2,5 cm de gingembre frais
15 cl de saké
4 cuil. à soupe de sauce soja
1 cuil. à soupe de xérès doux
1 cuil. à café de sucre cristallisé
50 g de champignons parfumés chinois séchés
10 oignons nouveaux
10 cl d'huile végétale ou plus
vermicelles de riz ou nouilles chinoises pour accompagner le plat

INGRÉDIENTS

filets de porc

sucre cristallisé

champignons
parfumés chinois
séchés

oignons nouveaux   saké

sauce soja   huile
végétale

xérès doux   gingembre
frais

CONSEIL MALIN

«Le xérès et le sucre remplacent ici le vin de riz doux (mirin). Vous pouvez cependant en trouver dans les épiceries japonaises ou orientales.»

DÉROULEMENT

1 DÉCOUPER
ET FAIRE MARINER
LE PORC

2 PRÉPARER
LES AUTRES
INGRÉDIENTS

3 CUIRE
LE SUKIYAKI

1 DÉCOUPER ET FAIRE MARINER LE PORC

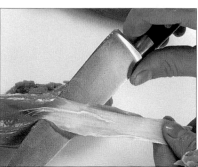

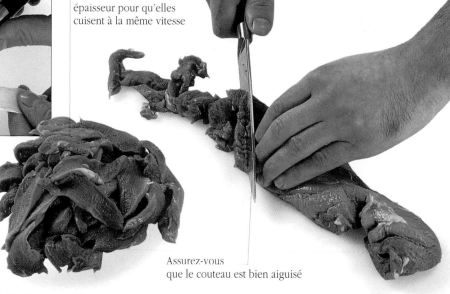

Coupez des tranches fines de la même épaisseur pour qu'elles cuisent à la même vitesse

Assurez-vous que le couteau est bien aiguisé

1 À l'aide du couteau chef, dénervez et dégraissez les filets de porc puis émincez-les en aiguillettes très fines.

2 Hachez grossièrement le gingembre (voir encadré ci-dessous). Mélangez-le dans un grand bol non métallique avec le saké, la sauce soja, le xérès doux et le sucre.

3 Ajoutez les aiguillettes de porc et mélangez pour qu'elles soient bien enrobées de marinade. Couvrez et laissez de 1 à 2 h au réfrigérateur. Pendant ce temps, préparez les autres ingrédients.

ÉPLUCHER ET HACHER DU GINGEMBRE FRAIS

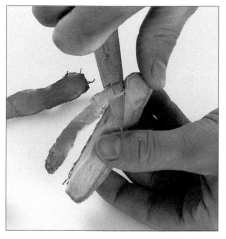

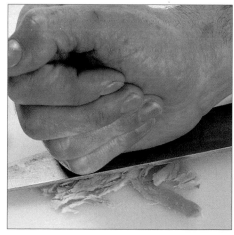

1 Épluchez la racine de gingembre avec un couteau d'office et émincez-la à l'aide d'un couteau chef en coupant à travers les fibres.

2 Posez le plat du couteau chef sur chaque tranche et écrasez-la en appuyant avec le poing.

3 Hachez plus ou moins finement les tranches de gingembre écrasées avec le couteau chef.

2 PRÉPARER LES AUTRES INGRÉDIENTS

1 Mettez les champignons séchés dans un bol moyen et recouvrez-les d'eau chaude. Laissez-les tremper 30 min environ, jusqu'à ce qu'ils aient gonflé, puis égouttez-les dans la passoire.

Versez les champignons dans la passoire pour bien les égoutter

2 Ôtez le haut des tiges et la base des oignons nouveaux, puis coupez-les en rondelles de 4 cm d'épaisseur.

3 CUIRE LE SUKIYAKI

1 Chauffez 1 cuil. à soupe d'huile dans la poêle. Faites-y revenir de 2 à 3 min à feu modéré les champignons et les oignons nouveaux, jusqu'à ce qu'ils soient tendres. Mettez-les dans un grand bol. Égouttez le porc dans la passoire en toile métallique en réservant la marinade.

2 Versez une autre cuil. à soupe d'huile dans la poêle. Cuisez-y le quart du porc à feu très vif de 2 à 3 min, en remuant sans arrêt : la viande doit se colorer légèrement.

3 Mettez la viande cuite dans le bol où se trouvent les oignons nouveaux et les champignons; faites sauter le reste de la viande en plusieurs fois, en rajoutant éventuellement de l'huile.

4 Versez la marinade dans la poêle; ajoutez les champignons, les oignons nouveaux et le porc.

La marinade parfume le plat

Les oignons nouveaux ajoutent une belle touche vert vif

5 Réchauffez très rapidement la préparation à feu vif, pour que la viande ne cuise pas davantage.

ATTENTION !
Si la viande cuit trop longtemps, elle durcira.

Mélangez bien la viande et les légumes pendant qu'ils réchauffent

Les aiguillettes de porc sont parfumées par le gingembre, le saké et la sauce soja

🍽 **POUR SERVIR**
Goûtez et rajoutez éventuellement du saké, de la sauce soja, du xérès ou du sucre. Servez le sukiyaki sur des assiettes individuelles chaudes, accompagné de vermicelles de riz ou de nouilles chinoises.

Des vermicelles de riz accompagnent le plat

V A R I A N T E

SUKIYAKI DE BŒUF AU GINGEMBRE

Ici, le bœuf, cuit avec du gingembre frais, des shiitake et des graines de sésame, est parfumé à l'huile de sésame.

1 Dénervez et dégraissez 1 kg de rond de gîte puis émincez la viande en suivant la recette principale.
2 Préparez le gingembre et la marinade, où vous laisserez le bœuf de 1 à 2 h.
3 Nettoyez 250 g de shiitake frais avec du papier absorbant. Coupez les pieds au niveau des chapeaux et émincez les têtes en lamelles de 1 cm d'épaisseur. Vous pouvez aussi utiliser 50 g de shiitake séchés : faites-les d'abord tremper 30 min environ dans un bol d'eau chaude. Lorsqu'ils ont gonflé, préparez-les comme les champignons frais de la recette principale.
4 Préparez les oignons nouveaux.
5 Dans une petite poêle sèche, grillez de 2 à 3 min à feu modéré 2 cuil. à soupe de graines de sésame, jusqu'à ce qu'elles colorent légèrement.
6 Cuisez le sukiyaki en suivant la recette principale; ajoutez de 1 à 2 cuil. à café d'huile de sésame en fin de cuisson.
7 Disposez les lamelles de bœuf, les shiitake et les oignons nouveaux sur un lit de nouilles chinoises ou de vermicelles de riz, cuits à l'eau. Saupoudrez de graines de sésame grillées et servez aussitôt.

SAUTÉ DE POULET
AU PAPRIKA

 POUR 4 PERSONNES   PRÉPARATION : DE 20 À 25 MIN   CUISSON : DE 40 À 50 MIN

ÉQUIPEMENT

couteau chef   couteau d'office

sachet
en plastique

planche à découper

petit bol

grande sauteuse
avec couvercle

fourchette à rôti

cuiller en bois

plat peu profond

*La technique du sauté consiste à dorer
des morceaux de viande à feu vif dans un corps
gras puis à les cuire dans leur propre jus allongé
d'eau, de bouillon ou de vin. Les garnitures
contiennent presque toujours de l'oignon.
Cette recette est d'origine hongroise.*

SAVOIR S'ORGANISER

Vous pouvez préparer le sauté et la sauce 48 h à l'avance
— en suivant les étapes 1 et 2 de la recette — et les conserver au
réfrigérateur, dans un récipient couvert. Ajoutez la crème fleurette
juste avant de servir.

LE MARCHÉ

1 poulet de 1,5 kg
3 cuil. à soupe de paprika
sel et poivre
1 oignon moyen
1 cuil. à soupe d'huile végétale
15 g de beurre
25 cl de bouillon de volaille
4 poivrons rouges moyens
1 cuil. à soupe de purée de tomates
15 cl de crème fleurette

INGRÉDIENTS

poulet

poivrons   oignon
rouges

beurre

crème fleurette

huile   bouillon
végétale   de volaille

purée   paprika
de tomates

DÉROULEMENT

1 FAIRE SAUTER
   LE POULET

2 PRÉPARER
   LA SAUCE

1 FAIRE SAUTER LE POULET

1 Découpez le poulet en 6 morceaux (mais ne séparez pas les cuisses en deux). Saupoudrez-les de paprika, de sel et de poivre, en tapotant pour bien les enrober. Hachez l'oignon (voir encadré ci-dessous).

2 Dans la sauteuse, chauffez l'huile et le beurre. Quand le mélange mousse, mettez-y les cuisses de poulet, peau vers le fond, et faites-les revenir environ 5 min. Ajoutez alors les blancs. Laissez rissoler de 10 à 15 min, puis retournez les morceaux pour qu'ils dorent de tous les côtés.

ATTENTION !
Ne laissez pas attacher le paprika car il prendrait un goût amer.

3 Repoussez les morceaux de poulet vers le bord de la sauteuse. Ajoutez l'oignon, mélangez-le à la graisse et faites-le fondre 3 min : il ne doit pas brunir. Répartissez à nouveau le poulet dans la sauteuse, versez la moitié du bouillon, couvrez et laissez mijoter de 15 à 25 min. Pendant ce temps, grillez, épépinez et découpez le poivron (voir encadré p. 160).

4 Assurez-vous que le poulet est cuit en piquant dans sa chair une fourchette à rôti : le jus qui s'écoule doit être incolore. Si certains morceaux sont cuits avant les autres, sortez-les et réservez au chaud.

HACHER UN OIGNON

1 Pelez l'oignon sans entailler la base pour qu'il ne se défasse pas. Coupez-le en deux. Posez la tranche d'une des moitiés sur la planche à découper. À l'aide d'un couteau chef, émincez le bulbe horizontalement en partant du sommet, sans entailler la base.

2 Émincez-le ensuite verticalement, toujours sans entailler la base.

CONSEIL MALIN
«Quand vous émincez, utilisez la dernière phalange de vos doigts pour guider la lame du couteau.»

3 Hachez l'oignon en dés. Selon l'épaisseur des tranches, ceux-ci seront plus ou moins gros. Continuez jusqu'à ce qu'ils aient la taille désirée.

PELER, ÉPÉPINER ET ÉMINCER UN POIVRON

1 Placez le poivron de 10 à 12 min sous le gril du four allumé, en le retournant de temps en temps : sa peau va brunir et cloquer. Vous pouvez aussi le faire griller en le tenant à l'aide d'une fourchette à rôti au-dessus de la flamme d'une cuisinière. Enfermez-le alors dans un sachet en plastique (la vapeur piégée dans le sachet décolle la peau). Quand il est tiède, pelez-le.

2 Ôtez le pédoncule à l'aide d'un couteau. Coupez le poivron en deux et grattez les graines et les membranes blanches. Rincez-le à l'eau courante, puis séchez-le.

3 À l'aide d'un couteau chef, découpez les moitiés de poivron en lanières.

2 PRÉPARER LA SAUCE

1 Réservez au chaud les morceaux de poulet. Faites réduire le jus de cuisson en remuant sans arrêt, jusqu'à ce qu'il glace et se transforme en sirop. Ajoutez la purée de tomates, puis le reste du bouillon et portez à ébullition en remuant.

Les pâtes, nature et aux épinards, adoucissent le goût piquant de la sauce au paprika

2 Remettez tous les morceaux de poulet dans la sauteuse, puis ajoutez les lanières de poivron rouge, et laissez mijoter de 1 à 2 min.

3 Ajoutez presque toute la crème fleurette et chauffez doucement jusqu'à ce qu'elle soit mélangée à la sauce. Goûtez et rectifiez l'assaisonnement.

ATTENTION !
Ne laissez pas bouillir la sauce après y avoir ajouté la crème, car celle-ci caillerait.

¶☯¶ POUR SERVIR

Disposez les morceaux de poulet sur des assiettes individuelles; recouvrez-les de lanières de poivron, nappez de sauce et décorez du reste de crème fleurette.

VARIANTE
SAUTÉ DE POULET À LA BIÈRE

*Dans cette recette, les saveurs piquantes
de la bière et du gin remplacent celles des épices.*

Des flageolets cuits
à l'eau et servis avec du beurre
et du persil accompagnent
parfaitement le poulet

**La sauce à la bière
et à la crème** est relevée
par du gin flambé

1 Découpez le poulet en suivant la recette principale.
Remplacez le paprika par 3 ou 4 cuil. à soupe de farine
assaisonnée et enrobez-en les morceaux de volaille.
2 Faites sauter les morceaux de poulet avec 2 oignons hachés
en suivant la recette principale, ajoutez 3 ou 4 cuil. à soupe
de gin, chauffez et flambez en approchant avec précaution
la flamme d'une allumette.
3 Ajoutez de la bière brune à la place du bouillon de volaille,
salez et poivrez. Poursuivez en suivant la recette principale;
en fin de cuisson, ôtez l'excès de graisse.
4 N'utilisez ni le poivron rouge, ni la purée de tomates,
mais ajoutez 4 cuil. à soupe de crème fleurette avant de servir.
5 Disposez les morceaux de poulet sur des assiettes individuelles;
décorez de quelques brins de persil ciselés.
6 Les fèves ou les flageolets, cuits à l'eau et servis avec un peu
de beurre et du persil haché, accompagnent bien le poulet.

VARIANTE
POULET SAUTÉ AU POIVRE DU SICHUAN

*Dans cette variante proche du traditionnel steak au
poivre, le poivre du Sichuan (poivre chinois)
remplace le paprika de la recette principale.*

Le riz sauvage
et le riz blanc
se marient bien
pour adoucir ce plat

1 Grillez 30 g de grains de poivre du Sichuan
de 3 à 5 min dans une petite poêle sèche, à feu
très doux, en remuant sans arrêt, jusqu'à ce
qu'ils dégagent tout leur arôme.
2 Mettez les grains de poivre
dans un sachet en plastique
et concassez-les finement
à l'aide d'un rouleau à pâte.
Vous pouvez également utiliser
un moulin à poivre.
3 Découpez le poulet en suivant la
recette principale. Remplacez le paprika
par le poivre et enrobez-en les morceaux
de volaille.
4 Faites sauter les morceaux de poulet, ajoutez l'oignon haché
et le bouillon de volaille en suivant la recette principale;
n'utilisez pas les poivrons.
5 Pour préparer la sauce, faites réduire le jus de cuisson à feu vif.
Ajoutez-y le reste du bouillon et portez de nouveau
à ébullition. N'utilisez pas la purée de tomates. Remplacez
la crème fleurette par de la crème épaisse et laissez bouillir
la sauce de 1 à 2 min en remuant, jusqu'à ce qu'elle épaississe
légèrement. Goûtez et rectifiez l'assaisonnement.
6 Servez avec un mélange de riz blanc et de riz sauvage.

TAJINE DE POULET AUX ÉPICES

 POUR 4 PERSONNES   PRÉPARATION : DE 10 À 15 MIN   CUISSON : 1 H 30

ÉQUIPEMENT

tajine*

ciseaux à volaille

casserole

couteau chef

fourchette à rôti

passoire en toile métallique

bols

planche à découper

grande cuiller en métal

cuiller percée (facultatif)

* ou caquelon en terre cuite avec couvercle

INGRÉDIENTS

oignons

poulet

abricots secs

persil frais

miel

tomates

filaments de safran

huile d'olive

cannelle en poudre

gingembre en poudre

Ce plat s'inspire du traditionnel tajine marocain, un mélange de viande, de fruits et d'épices longuement mijoté dans un plat en terre cuite fermé par un couvercle conique. Si vous ne souhaitez pas découper le poulet à cru, achetez 2 ailes et 2 cuisses.

SAVOIR S'ORGANISER

Vous pouvez cuire le poulet 3 jours à l'avance et le conserver au réfrigérateur, ou même le congeler. Réchauffez-le à four moyen (180 °C) de 20 à 30 min et servez immédiatement.

LE MARCHÉ

1 poulet de 1,5 kg
filaments de safran
3 ou 4 cuil. à soupe d'eau bouillante
quelques brins de persil frais
500 g de tomates
6 oignons
75 g d'abricots secs
2 cuil. à soupe de miel
2 cuil. à café de cannelle en poudre
1 cuil. à café de gingembre en poudre
sel et poivre
15 cl d'huile d'olive

DÉROULEMENT

1 DÉCOUPER LE POULET

2 PRÉPARER LES AUTRES INGRÉDIENTS

3 CUIRE LE TAJINE

CONSEIL MALIN

«Vous pouvez remplacer les petits poulets, très courants au Maroc, par un poulet plus gros, que vous découperez en 6 morceaux. Le temps de cuisson sera alors un peu plus long.»

1 DÉCOUPER LE POULET

Assurez-vous que le couteau est bien aiguisé et qu'il se trouve à la jointure de l'articulation

1 Glissez la lame du couteau chef entre la cage thoracique et la cuisse. Inclinez fermement celle-ci vers l'extérieur pour déboîter l'articulation puis tranchez-la et détachez le membre. Procédez de la même façon pour la seconde cuisse.

2 Passez la lame du couteau de part et d'autre de la cage thoracique pour détacher les blancs, puis ouvrez la carcasse avec les ciseaux à volaille.

3 Retournez le poulet sur le ventre et détachez de chaque côté l'aileron et le blanc des côtes et de la colonne vertébrale, sans les séparer, en laissant les jointures des articulations sur la carcasse.

2 PRÉPARER LES AUTRES INGRÉDIENTS

1 Mettez une grosse pincée de filaments de safran dans un petit récipient. Couvrez avec l'eau bouillante et réservez.

2 Hachez le persil. Pelez, épépinez et concassez les tomates.

Ne hachez pas les tomates trop finement

CONSEIL MALIN

«Il faut toujours épépiner les tomates et les presser légèrement dans votre main pour qu'elles ne rendent pas trop de jus pendant la cuisson.»

ÉMINCER UN OIGNON

1 Épluchez l'oignon, ôtez-en le sommet puis coupez-le en deux dans le sens de la hauteur.

CONSEIL MALIN

«Gardez la base de l'oignon : elle l'empêchera de se défaire lorsque vous l'émincerez.»

2 Posez la tranche d'une moitié d'oignon sur la planche à découper. Maintenez-la fermement et découpez-la en rondelles en utilisant la dernière phalange de vos doigts pour guider la lame du couteau. Ôtez la base quand vous l'atteignez. Procédez de la même façon pour l'autre moitié.

Utilisez la dernière phalange
de vos doigts pour guider
la lame du couteau

3 Émincez 4 oignons (voir encadré
p. 21) et hachez finement les 2 derniers.

Tenez l'oignon
fermement
pendant que
vous le hachez

4 À l'aide du couteau chef, détaillez
les abricots secs en gros morceaux.

CONSEIL MALIN

*«Vous pouvez aussi découper
les abricots avec des
ciseaux de cuisine.»*

3 CUIRE LE TAJINE

Le mélange doit
être bien réparti

1 Préchauffez le four à 180 °C. Mettez
les morceaux de poulet dans le tajine.
Recouvrez-les des tranches d'oignons
puis des tomates concassées.

2 Dans un grand bol, mélangez
les oignons hachés, le safran et l'eau,
les morceaux d'abricots secs, le miel,
la cannelle, le gingembre, le persil haché,
le sel et le poivre. Ajoutez l'huile d'olive.
Étalez cette préparation sur le poulet
à l'aide de la cuiller.

3 Couvrez le tajine et enfournez-le pour 1 h 30 environ. Assurez-vous alors que le poulet est cuit en piquant dans sa chair la fourchette à rôti : elle doit s'y enfoncer facilement.

Le couvercle conique maintient toute l'humidité à l'intérieur du tajine

¡©¡ POUR SERVIR

Goûtez et rectifiez l'assaisonnement. Disposez le poulet et la sauce sur des assiettes individuelles.

CONSEIL MALIN

«Si vous utilisez un autre récipient en terre cuite, assurez-vous que son couvercle ferme hermétiquement.»

La semoule à couscous enrichie d'amandes accompagne parfaitement ce plat

VARIANTE
TAJINE DE POULET AUX AUBERGINES

1 Découpez le poulet et préparez les oignons et les tomates en suivant la recette principale.
2 Ouvrez en deux une aubergine moyenne (250 g environ) et émincez-la. Mettez les tranches dans une passoire, parsemez-les de gros sel, recouvrez-les d'une assiette et laissez-les dégorger 30 min. Séchez-les dans du papier absorbant.
3 Coupez les extrémités d'un citron puis découpez-le en rondelles.
4 Mettez les morceaux de poulet dans une cocotte à fond épais et recouvrez-les des tranches d'oignons, des tomates concassées, des rondelles d'aubergines et de citron.
5 Dans un bol, mélangez les oignons hachés, une gousse d'ail hachée, 15 cl d'huile d'olive, 2 cuil. à café de cumin, 2 cuil. à café de coriandre en poudre, du sel, du poivre et quelques feuilles de coriandre fraîche finement ciselées. Étalez cette préparation sur le poulet à l'aide d'une cuiller.
6 Ajoutez 100 g d'olives entières, noires ou vertes, égouttées à l'aide de la cuiller percée, et faites cuire le tajine en suivant la recette principale. Retirez les rondelles de citron avant de servir.

FLÉTAN
À L'ORIENTALE

 POUR 4 PERSONNES   PRÉPARATION : DE 15 À 20 MIN   CUISSON : DE 10 À 12 MIN

ÉQUIPEMENT

papier sulfurisé

crayon

papier absorbant

pinceau à pâtisserie

couteau chef

couteau d'office

bols

passoire en toile métallique

ciseaux de cuisine

passoire

plaque à pâtisserie

casserole

planche à découper

CONSEIL MALIN

«Vous pouvez remplacer le papier sulfurisé par de l'aluminium ménager, mais les papillotes ne gonfleront ni ne doreront.»

Cette recette allie nouvelle cuisine et cuisine chinoise. Le poisson est cuit en papillotes avec des haricots noirs et de la sauce soja. Chacun aura ainsi le plaisir de la découverte. Accompagnez ce plat de vermicelles de riz et de légumes frits.

SAVOIR S'ORGANISER

Vous pouvez préparer les papillotes 4 h à l'avance et les conserver au frais. Cuisez-les au dernier moment.

LE MARCHÉ

125 g de pois gourmands mange-tout
1 morceau de racine de gingembre fraîche de 2,5 cm
4 gousses d'ail
4 oignons nouveaux
30 g de haricots noirs chinois fermentés
3 cuil. à soupe de sauce soja claire
2 cuil. à soupe de xérès
1/2 cuil. à café de sucre cristallisé
1 cuil. à soupe d'huile de sésame
2 cuil. à soupe d'huile végétale
4 filets ou tranches de flétan de 175 g environ chacun, sans la peau
Pour le glaçage
1 œuf
1/2 cuil. à café de sel

INGRÉDIENTS

filets de flétan**

haricots noirs chinois fermentés

huile de sésame

oignons nouveaux

sucre cristallisé

œuf

racine de gingembre fraîche

sauce soja claire

pois gourmands mange-tout

xérès ou madère

huile végétale

gousses d'ail

** ou cabillaud ou saint-pierre

DÉROULEMENT

1 PRÉPARER LES LÉGUMES ET L'ASSAISONNEMENT ORIENTAL

2 PRÉPARER LES PAPILLOTES

3 GARNIR ET FAIRE CUIRE LES PAPILLOTES

1 PRÉPARER LES LÉGUMES ET L'ASSAISONNEMENT ORIENTAL

1 Coupez l'une des queues des mange-tout et tirez le fil. Coupez l'autre queue et tirez le fil de l'autre côté.

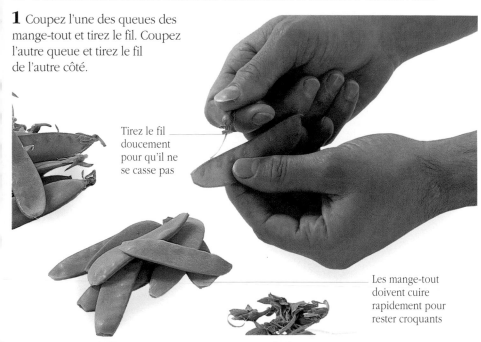

Tirez le fil doucement pour qu'il ne se casse pas

Les mange-tout doivent cuire rapidement pour rester croquants

2 Remplissez à moitié la casserole d'eau salée et portez à ébullition. Ajoutez les mange-tout et laissez frémir de 1 à 2 min. Égouttez-les dans la passoire, rincez-les sous l'eau froide, égouttez de nouveau.

3 Avec le couteau d'office, épluchez la racine de gingembre. À l'aide du couteau chef, émincez-le en coupant à travers les fibres. Écrasez les tranches avec le plat du couteau, puis hachez-les finement.

4 Épluchez l'ail : posez le plat du couteau chef au-dessus de chaque gousse et appuyez avec le poing. Pelez-les avec les doigts et hachez-les finement.

5 Épluchez les oignons nouveaux. Émincez-les en biais, en gardant une partie du vert.

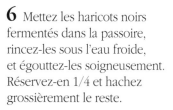

6 Mettez les haricots noirs fermentés dans la passoire, rincez-les sous l'eau froide, et égouttez-les soigneusement. Réservez-en 1/4 et hachez grossièrement le reste.

L'huile de sésame est un ingrédient essentiel de la cuisine orientale

7 Dans un saladier, mettez l'ail, le gingembre, les haricots noirs entiers et hachés, la sauce soja, le xérès ou le madère, le sucre et l'huile de sésame. Mélangez bien.

2 PRÉPARER LES PAPILLOTES

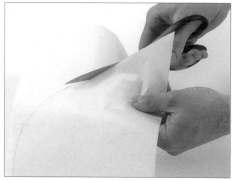

1 Pliez en deux une feuille de papier sulfurisé (d'environ 30 x 35 cm) et dessinez avec le crayon un demi-cœur. Cette forme doit être assez grande pour qu'il reste une bande de 9 cm autour du poisson.

2 Découpez le cœur avec les ciseaux. Procédez de la même façon pour les 3 autres. Ouvrez-les et enduisez-les d'huile végétale à l'aide du pinceau à pâtisserie, en laissant une bordure de 3 cm.

3 Pour sceller les papillotes, battez à la fourchette l'œuf et la pincée de sel. Badigeonnez régulièrement le bord de chaque cœur de papier.

3 GARNIR ET CUIRE LES PAPILLOTES

Cuits en papillotes, les oignons nouveaux resteront croquants

1 Préchauffez le four à 200 °C. Rincez les filets de poisson sous l'eau froide et séchez-les dans du papier absorbant. Mettez 1/4 des mange-tout sur un côté de chaque papillote, puis posez un filet de poisson.

2 À l'aide d'une cuiller, étalez un quart de l'assaisonnement sur chaque filet; parsemez avec 1/4 des oignons.

3 Repliez le papier sur le poisson. Scellez la papillote en pressant fermement entre vos doigts les bords enduits d'œuf battu. Ourlez-les en les repliant sur eux-mêmes.

4 Tortillez les extrémités de chaque papillote pour la fermer afin que la préparation ne s'échappe pas.

La vapeur
fait gonfler
les papillotes

5 Disposez
les papillotes sur
la plaque à pâtisserie.
Enfournez pour
10 à 12 min, jusqu'à
ce qu'elles soient dorées
et bien gonflées.

⊓⊚⊓ POUR SERVIR

Disposez les papillotes sur
des assiettes chaudes. Si jamais
elles refroidissaient et se dégonflaient,
passez-les au four quelques instants
pour leur redonner du volume.

Les papillotes
enferment des
parfums subtils

FLÉTAN À LA THAÏ

1 Ne préparez ni les pois gourmands
mange-tout, ni l'assaisonnement oriental.
2 Mettez 20 g de champignons noirs
séchés dans un bol d'eau chaude
et laissez gonfler 30 min environ. Égouttez-
les et coupez les plus grands.
3 Hachez le gingembre frais et 2 gousses
d'ail. Émincez 2 oignons nouveaux.
4 Coupez en deux un piment vert
et ôtez son pédoncule. Grattez les graines
et les membranes. Détaillez les moitiés
en lanières très fines, puis en petits dés.
5 Détachez les feuilles de 5 brins
de basilic. Épluchez un citron vert
et coupez-le en fines rondelles.
Pressez-en un second.
6 Dans une petite casserole, mettez
les champignons, l'ail haché, 1 cuil.
à soupe de sauce soja, 1 cuil. à café de
sucre et 15 cl d'eau. Portez à ébullition et
maintenez-la de 5 à 7 min, jusqu'à ce
que tout le liquide se soit évaporé.
Incorporez le gingembre, le piment,
le basilic, 2 cuil. à café
de sauce de poisson *(nam pla)*
et le jus de citron vert.
7 Préparez les papillotes
et le poisson. Posez le poisson sur
le papier, nappez-le d'une couche
de la préparation aux champignons
et parsemez d'oignons nouveaux.
Terminez par une rondelle de citron
vert et poivrez. Scellez les papillotes
et enfournez-les.
8 Éventuellement, accompagnez
de tagliatelles parsemées de basilic
ciselé et de dés de champignons.

BROCHETTES D'AGNEAU À LA TURQUE

Sis Köfte

🍽️ POUR 6 PERSONNES 🥄 PRÉPARATION : DE 30 À 35 MIN 🍲 CUISSON : DE 10 À 15 MIN

ÉQUIPEMENT

couteau chef

couteau d'office

pinceau à pâtisserie

cuiller en bois

grande cuiller en métal

palette

6 brochettes en inox

passoire

robot ménager*

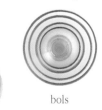

bols

petite poêle

râpe

planche à découper

* ou mixeur

L'agneau est à la base d'un grand nombre de recettes des pays du bassin méditerranéen. En Turquie, la viande est hachée, mélangée à de l'oignon, de l'ail et du cumin, roulée en boulettes et grillée en brochettes.

SAVOIR S'ORGANISER

Vous pouvez préparer la viande et la sauce 8 h à l'avance et les conserver au réfrigérateur, dans un récipient couvert : leur parfum n'en sera que plus prononcé. Les brochettes seront meilleures si vous les grillez juste avant de servir.

LE MARCHÉ

1 kg d'épaule d'agneau désossée
1 gros oignon
3 gousses d'ail
3 à 5 tiges de menthe fraîche
3 à 5 brins de persil
2 cuil. à café de cumin en poudre
sel et poivre
huile d'olive pour graisser la grille et les brochettes
Pour la sauce
1 gros concombre
1 cuil. à café de sel
1 gousse d'ail
4 yaourts entiers

INGRÉDIENTS

épaule d'agneau désossée

concombre

yaourt entier

oignon

persil

huile d'olive

cumin en poudre

gousses d'ail

menthe fraîche

DÉROULEMENT

1 PRÉPARER

2 PRÉPARER LE HACHIS

3 FAIRE GRILLER LES BROCHETTES

1 PRÉPARER LA SAUCE AU YAOURT

1 Lavez le concombre, ôtez-en les extrémités et râpez-le, sans l'éplucher, au-dessus d'un grand bol. Salez généreusement.

Pour râper le concombre, passez-le au-dessus des gros trous de la râpe en appuyant fortement

La peau donne sa fraîche couleur verte au concombre râpé

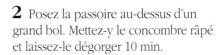

2 Posez la passoire au-dessus d'un grand bol. Mettez-y le concombre râpé et laissez-le dégorger 10 min.

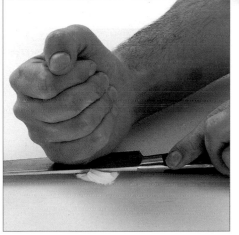

3 Posez le plat du couteau chef au sommet de la gousse d'ail et appuyez avec le poing. Pelez-la ensuite avec les doigts; hachez-la finement.

4 Versez les yaourts dans un grand bol. Égouttez bien le concombre en le pressant dans vos mains puis mélangez-le aux yaourts. Ajoutez l'ail haché et salez selon votre goût. Couvrez et laissez reposer.

2 PRÉPARER LE HACHIS DE VIANDE

1 Dégraissez et dénervez la viande, puis coupez-la en petits morceaux. Épluchez l'oignon en ôtant sa base, puis coupez-le en morceaux.

2 Hachez de 1 à 2 min les morceaux d'agneau et d'oignon dans le robot ménager, éventuellement en plusieurs fois. Mettez le mélange dans un grand bol.

CONSEIL MALIN
«Si vous faites tourner l'appareil trop longtemps, le hachis sera très dense.»

Pour vérifier
l'assaisonnement,
faites frire une
noix de la
préparation
et goûtez

3 Posez le plat du couteau chef
au sommet de chaque gousse d'ail
et appuyez avec le poing. Pelez ensuite
les gousses avec les doigts et hachez-les.
Détachez les feuilles de menthe et de
persil de leur tige. Ciselez-les finement
en réservant 6 feuilles de menthe
pour décorer le plat.

4 À l'aide de la cuiller en bois,
incorporez au hachis le cumin,
le sel, le poivre, l'ail et
les herbes en remuant
de 1 à 2 min : la
préparation doit
être homogène.

5 Faites frire une cuillerée de
la préparation dans la petite poêle
en la retournant à mi-cuisson pour
qu'elle dore de tous les côtés. Goûtez
et rectifiez l'assaisonnement.

3 PRÉPARER ET FAIRE GRILLER LES BROCHETTES

1 Allumez le gril du four; vous placerez la
grille à 5 cm sous la source de chaleur.
Roulez entre vos mains humides 1/3
du hachis en un cylindre de 2,5 cm de
diamètre. Procédez de la même façon
avec le reste de la farce pour obtenir
3 rouleaux.
Découpez-les
chacun en
6 tronçons
égaux.

La viande hachée ne
collera pas entre vos
mains humides et vous
la roulerez facilement

2 Huilez la grille du four et les brochettes
à l'aide du pinceau à pâtisserie. Enfilez les
boulettes de viande; aplatissez-les un peu
puis posez-les sur la grille.

3 Enduisez les boulettes d'huile d'olive à l'aide du pinceau à pâtisserie puis enfournez-les pour 5 à 7 min, jusqu'à ce que l'huile grésille.

Grillez les boulettes de tous les côtés

4 Retournez les brochettes et grillez-les de l'autre côté de 5 à 7 min. Elles doivent être dorées à l'extérieur et tendres à l'intérieur.

⫶◎⫶ POUR SERVIR

Disposez les brochettes sur un lit de taboulé. Décorez les assiettes avec les feuilles de menthe, des tomates et des olives noires. Servez la sauce au yaourt à part.

Les brochettes sont servies sur un lit de taboulé

La sauce froide au yaourt accompagne traditionnellement les brochettes d'agneau

BOULETTES D'AGNEAU À L'INDIENNE

Les boulettes sont ici préparées à l'indienne, avec des épices et de la coriandre fraîche.

1 Remplacez la sauce au yaourt de la recette principale par une salade de concombre au yaourt. Pour la préparer, ôtez les extrémités de 2 gros concombres épluchés, coupez-les en deux dans le sens de la longueur et grattez les graines à l'aide d'une cuiller à café. Émincez-les, sans les saler ni les faire dégorger. Mélangez-les avec 2 yaourts entiers et l'ail finement haché; salez selon votre goût. Laissez reposer.

2 Préparez le hachis d'agneau et d'oignon en suivant la recette principale. Hachez finement l'ail; remplacez la menthe par 3 ou 4 feuilles de coriandre fraîche.

3 Incorporez au hachis l'ail, le persil, la coriandre et le cumin, et ajoutez toutes ces épices en poudre : 1 grosse cuil. à café de gingembre, 2 cuil. à soupe de curcuma, 2 cuil. à café de coriandre et 1/2 cuil. à café d'ail. Formez des petits rouleaux de 2,5 cm de diamètre, enfilez-les sur les brochettes et grillez-les de 3 à 5 min de chaque côté.

4 Servez les boulettes, éventuellement sans leur brochette, sur un lit de riz au safran, accompagnées de la salade de concombre. Décorez avec quelques feuilles de coriandre.

AGNEAU BRAISÉ À L'INDIENNE

Korma

 POUR 4 À 6 PERSONNES   PRÉPARATION : DE 25 À 30 MIN   CUISSON : DE 2 H 30 À 3 H

ÉQUIPEMENT

rouleau à pâtisserie sans poignées

couteau chef

couteau d'office

cocotte en fonte émaillée
avec couvercle

grande cuiller en métal

cuiller en métal

planche à découper

mortier et pilon*

* ou moulin à épices, ou moulin
à café

*Le korma est un plat parfumé de la cuisine
indienne à base de viande mijotée dans
une sauce aux épices et au yaourt entier.*

SAVOIR S'ORGANISER

Vous pouvez préparer le korma 3 jours
à l'avance et le conserver au réfrigérateur.

LE MARCHÉ

1,5 kg d'épaule d'agneau désossée
6 gros oignons, soit 750 g environ
2,5 cm de gingembre frais
2 gousses d'ail
15 cl d'huile végétale
2 yaourts entiers
20 cl de crème épaisse
sel
3 à 5 brins de coriandre fraîche
Pour la sauce
2 piments rouges séchés
5 capsules entières de cardamome
1 bâton de cannelle ou 2 cuil. à café de cannelle en poudre
5 clous de girofle
7 grains de poivre noir
2 cuil. à café de cumin en poudre
1 cuil. à café de macis ou de noix muscade en poudre
1 cuil. à café de paprika

INGRÉDIENTS

épaule d'agneau désossée

piments
rouges séchés   capsules de
cardamome   bâton de
cannelle

poivre noir
en grains   clous
de girofle   cumin
en poudre

yaourt entier   crème
épaisse   oignons

gousses d'ail

coriandre fraîche

macis en
poudre**   paprika   huile
végétale

gingembre frais

** ou noix muscade en poudre

DÉROULEMENT

1 PRÉPARER
LE MÉLANGE ÉPICÉ
ET LES AUTRES
INGRÉDIENTS

2 CUIRE LE KORMA

3 POUR TERMINER

1 PRÉPARER LE MÉLANGE ÉPICÉ ET LES AUTRES INGRÉDIENTS

1 Coupez les extrémités des piments rouges séchés, ouvrez-les dans le sens de la longueur et épépinez-les.

2 Écrasez les capsules de cardamome sous le plat du couteau d'office et, avec sa pointe, retirez les graines.

3 Si vous utilisez un bâton de cannelle, écrasez-le avec l'extrémité du rouleau à pâtisserie.

4 Mettez les piments, les graines de cardamome, la cannelle écrasée, les clous de girofle et les grains de poivre dans le mortier et écrasez-les le plus finement possible à l'aide du pilon.

CONSEIL MALIN
«Si vous utilisez un moulin à café pour moudre les épices, essuyez-le bien avant et après.»

Mélangez les épices en poudre aux épices fraîchement moulues

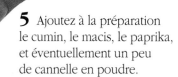

5 Ajoutez à la préparation le cumin, le macis, le paprika, et éventuellement un peu de cannelle en poudre.

6 Dégraissez et dénervez l'épaule d'agneau. Coupez-la en tranches puis en cubes de 2,5 cm de côté.

Un couteau chef aiguisé vous permettra de découper facilement les cubes de viande

7 Épluchez les oignons, mais sans ôter leur base pour qu'ils ne se défassent pas, et coupez-les en deux. Posez la tranche de chaque moitié d'oignon sur la planche à découper et détaillez-la assez grossièrement.

8 À l'aide du couteau d'office, épluchez la racine de gingembre puis émincez-la avec le couteau chef en tranchant les fibres. Écrasez les rondelles sous le plat du couteau chef puis hachez-les finement.

9 Posez le plat du couteau chef au sommet de chaque gousse d'ail et appuyez avec le poing. Épluchez-les et hachez-les finement.

2 CUIRE LE KORMA

Légèrement chauffées, les épices libèrent tout leur arôme

1 Chauffez l'huile dans la cocotte. Faites-y fondre les oignons 20 min environ, en mélangeant de temps en temps, jusqu'à ce qu'ils soient tendres. Ajoutez le gingembre et l'ail, et laissez cuire 2 min, pour qu'ils ramollissent et libèrent leur arôme.

2 Mettez le mélange d'épices dans la cocotte et chauffez de 1 à 2 min en mélangeant sans arrêt ; la préparation doit être homogène. Ajoutez les cubes d'agneau et laissez mijoter 5 min en remuant pour qu'ils s'imprègnent du parfum des épices.

3 Versez 1 yaourt, la moitié de la crème et une pincée de sel, et amenez à léger frémissement.

4 Réduisez le feu, couvrez et laissez mijoter de 2 h à 2 h 30 : l'agneau doit être suffisamment tendre pour s'émietter sous vos doigts. Remuez de temps en temps pendant la cuisson pour que la viande n'attache pas. Si le liquide s'évapore trop vite, ajoutez un peu d'eau.

CONSEIL MALIN

«La graisse de la sauce remonte à la surface pendant la cuisson : en Inde, on la mange avec le korma, mais vous pouvez l'écumer à l'aide d'une cuiller.»

3 POUR TERMINER

1 Détachez les feuilles de coriandre de leur tige. Réservez-en quelques-unes; rassemblez les autres sur la planche à découper et hachez-les finement à l'aide du couteau chef.

Détachez délicatement les feuilles de leur tige

De la coriandre fraîche égaie la présentation

2 Versez l'autre yaourt et le reste de crème dans la cocotte. Goûtez et rectifiez l'assaisonnement; chauffez jusqu'à ce que le plat soit bouillant. Servez le korma sur des assiettes chaudes, accompagné de riz et parsemé de coriandre hachée. Décorez avec les feuilles de coriandre.

Du riz parsemé de raisins secs et de pignons accompagne le korma et décore les assiettes

V A R I A N T E

AGNEAU À LA MAROCAINE

Un mélange d'épices différentes donne à ce plat une touche nord-africaine. Servez-le avec du couscous et de l'harissa, un condiment à base de piment.

1 Remplacez les épices de la recette principale par 1 cuil. à soupe de paprika, 2 cuil. à café de gingembre en poudre, 2 cuil. à café de cumin en poudre, 1 cuil. à café de poivre de Cayenne et 1/2 cuil. à café de curcuma en poudre.

2 Préparez l'agneau, les oignons et 4 gousses d'ail, mais pas le gingembre.

3 Mélangez les épices; ajoutez 50 g de beurre ramolli et l'ail haché. Enduisez les cubes de viande de cette préparation et laissez reposer 30 min.

4 Cuisez le ragoût; n'utilisez ni le yaourt ni la crème, mais versez 25 cl d'eau dans la cocotte. Rajoutez-en éventuellement un peu pendant la cuisson si la viande commence à attacher.

5 Préchauffez le four à 180 °C. Étalez 50 g d'amandes effilées sur une plaque à pâtisserie et grillez-les de 5 à 7 min en remuant de temps en temps.

6 À l'aide d'une cuiller percée, disposez les morceaux de viande sur un plat ou des assiettes individuelles. Écumez la graisse du jus de cuisson et faites-le réduire à feu vif de 1 à 2 min. Goûtez et rectifiez l'assaisonnement. Versez-le sur l'agneau avec une cuiller.

7 Entourez la viande d'un anneau de semoule à couscous. N'utilisez pas la coriandre, mais parsemez d'amandes grillées et servez.

Couscous végétarien

¶O¶ POUR 8 PERSONNES   PRÉPARATION : DE 35 À 40 MIN*   CUISSON : DE 30 À 35 MIN

ÉQUIPEMENT

16 brochettes en bambou
de 15 cm de long **

cuiller en bois

cuiller percée

grande cuiller en métal

ficelle de cuisine   papier absorbant

fourchette

couteau éplucheur   couteau
d'office

couteau chef

passoire en toile   grand plat
métallique   peu profond

bols

passoire

planche
à découper

plaque
à pâtisserie

casseroles

** ou brochettes en inox

*Le couscous se fait cuire et se prépare comme
une graine alors qu'en fait il s'agit de semoule
de blé dur. Ici, il est servi à l'algérienne.*

* plus 1 à 2 heures de marinage

LE MARCHÉ

500 g de semoule à couscous

50 cl d'eau bouillante ou plus

50 à 60 g de beurre

Pour le bouillon

filaments de safran

3 ou 4 cuil. à soupe d'eau chaude

2 kg de légumes variés : 2 poireaux, 2 courgettes,
2 carottes, 2 navets, 1 oignon, 3 tomates

400 g de pois chiches en boîte

2 cuil. à soupe d'huile d'olive

2 litres de bouillon de volaille

1 bouquet garni

1 cuil. à café de chacune de ces épices :
gingembre en poudre, curcuma, paprika

sel et poivre

Pour les brochettes

2 courgettes, soit 400 g environ

2 poivrons rouges, soit 250 g environ

250 g de champignons

5 ou 6 oignons, petits, soit 400 g environ

250 g de tomates cerises ou de tomates moyennes

1 petit bouquet de coriandre fraîche

4 à 6 brins de thym frais

15 cl d'huile d'olive

1 cuil. à soupe de cumin en poudre

INGRÉDIENTS

courgettes   bouquet garni

poireaux   navets

champignons   tomates

oignons   carottes

poivrons
rouges   coriandre
fraîche

bouillon   thym   pois
de volaille   frais   chiches

beurre   filaments
de safran

semoule   épices en
poudre   huile
d'olive

DÉROULEMENT

1   PRÉPARER
LE BOUILLON

2   PRÉPARER
LES LÉGUMES

3   FAIRE GRILLER LES
BROCHETTES
ET PRÉPARER
LE COUSCOUS

1 PRÉPARER LE BOUILLON DE LÉGUMES

1 Mettez une grosse pincée de filaments de safran dans un petit bol et couvrez-les d'eau chaude. Laissez infuser. Taillez les poireaux en bâtonnets (voir encadré ci-dessous).

Coupez les courgettes en bâtonnets de même taille pour qu'ils cuisent à la même vitesse

2 Ôtez les extrémités des courgettes et taillez-les en morceaux de 7 cm de long. Coupez-les ensuite dans le sens de la longueur en tranches de 1 cm d'épaisseur, empilez-les et coupez-les en bâtonnets de 1 cm. Épluchez les carottes et les navets et détaillez-les de la même façon.

3 Pelez l'oignon en gardant sa base et coupez-le en deux dans le sens de la hauteur. Émincez les moitiés horizontalement en partant du sommet, sans entailler la base, puis verticalement, toujours sans entailler la base. Hachez-les en dés.

PRÉPARER DES POIREAUX ET LES COUPER EN LANIÈRES

1 Ôtez l'extrémité des poireaux ainsi que la racine et les feuilles extérieures. Incisez-les sur toute la longueur, mettez-les dans une passoire et lavez-les soigneusement sous l'eau froide.

2 Détaillez les moitiés de poireaux en tronçons de 7 cm de long puis coupez-les de nouveau en deux.

3 Posez les morceaux à plat sur la planche à découper et détaillez-les dans le sens de la longueur en bâtonnets de 1 cm de large. Procédez de la même façon pour les autres morceaux.

4 À l'aide du couteau d'office, ôtez
le pédoncule des tomates. Retournez-les
et entaillez-les en croix. Mettez-les dans
une casserole d'eau bouillante de 8 à 15 s
selon leur degré de maturité : la peau se
décolle en frisant au niveau de la croix.
Plongez-les alors dans un bol d'eau fraîche.
Lorsqu'elles ont refroidi, pelez-les.

5 À l'aide du couteau chef, coupez
les tomates en deux, pressez chaque
moitié dans votre main pour chasser les
graines puis concassez-les grossièrement.
Versez les pois chiches dans la passoire
en toile métallique et rincez-les
abondamment sous un filet d'eau froide.

6 Chauffez l'huile dans une grande
casserole; faites-y fondre les oignons
de 2 à 3 min, en remuant avec la cuiller
en bois; ils ne doivent pas brunir. Ajoutez
les tomates et poursuivez la cuisson 5 min
en remuant, jusqu'à ce que le mélange
épaississe.

L'infusion de safran
colore et parfume
richement le bouillon
de légumes

Le bouquet garni
d'herbes fraîches
est lié par de la
ficelle de cuisine

7 Ajoutez le bouillon de volaille,
les bâtonnets de carottes et de navets,
les poireaux, le bouquet garni et les pois
chiches. Incorporez le gingembre, le
curcuma, le paprika, les filaments et
l'infusion de safran, du sel et du poivre.

8 Portez à ébullition et laissez mijoter
de 15 à 20 min, jusqu'à ce que les
légumes soient tendres, mais légèrement
croquants. Retirez le bouquet garni. Goûtez
et rectifiez l'assaisonnement.

2 PRÉPARER LES LÉGUMES DES BROCHETTES

1 Ôtez les extrémités des courgettes. Coupez-les en quatre dans le sens de la longueur puis en morceaux de 4 cm de large.

2 Découpez la chair autour du pédoncule des poivrons et ôtez-le. Ouvrez les légumes en deux et ôtez les graines. Taillez-les en gros carrés.

3 Coupez les pieds des champignons au niveau des chapeaux et essuyez-les avec du papier absorbant ou un linge humide. Coupez-les en deux dans le sens de la hauteur ou en quatre s'ils sont très gros.

Choisissez des oignons petits pour composer de jolies brochettes

4 Coupez les oignons en quatre mais gardez leur base pour pouvoir les tenir. Choisissez les tomates cerises les plus fermes, ou coupez des tomates moyennes en quartiers puis de nouveau en deux dans le sens de la largeur.

La marinade d'herbes et d'huile parfume délicieusement les légumes

5 Détachez les feuilles de coriandre de leur tige et rassemblez-les sur la planche à découper. À l'aide du couteau chef, hachez-les finement. Réservez-en 1 ou 2 cuil. à soupe pour décorer le plat. Mélangez le reste avec l'huile d'olive dans un bol.

6 Mettez les champignons, les courgettes, les poivrons rouges, les oignons et les tomates dans un grand bol. Arrosez-les du mélange d'huile et d'herbes.

Vous mélangerez plus facilement les légumes à la main

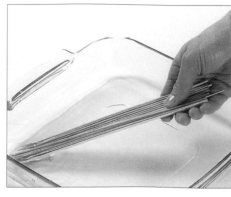

7 Remuez les légumes à la main pour bien les enrober d'huile. Laissez mariner de 1 à 2 h à température ambiante.

8 Pendant ce temps, plongez les brochettes en bambou dans le plat peu profond rempli d'eau et laissez-les gonfler.

CONSEIL MALIN
« Les brochettes en bambou gorgées d'eau ne brûleront pas. »

FAIRE GRILLER LES BROCHETTES ET PRÉPARER LE COUSCOUS

2 Posez les brochettes sur la plaque à pâtisserie huilée et enfournez-les pour 5 min à environ 10 cm sous la source de chaleur. Retournez-les et faites-les griller de l'autre côté 5 min, jusqu'à ce qu'elles soient tendres et dorées.

Ne chargez pas trop les brochettes pour pouvoir les prendre facilement

1 Chauffez le gril. Sortez les brochettes de l'eau et piquez-y les légumes, en alternant poivron rouge, champignon, courgette, tomate et oignon. Enrobez-les de toutes les herbes qui restent dans le bol.

Alternez les légumes pour varier les couleurs et les contrastes

3 Pendant que les brochettes grillent, préparez le couscous : mettez la semoule dans un grand bol, arrosez-la d'eau bouillante et remuez rapidement avec la fourchette. Laissez gonfler 5 min.

CONSEIL MALIN
« La quantité d'eau bouillante nécessaire dépendant du type de semoule à couscous, suivez les indications portées sur l'emballage. »

4 Ajoutez le beurre dans la semoule, salez et poivrez. Soulevez bien avec la fourchette pour séparer les grains et incorporer le beurre.

🍴 POUR SERVIR

Réchauffez éventuellement le bouillon et versez-le dans un grand saladier. Disposez le couscous sur un plat de service chaud. Saupoudrez les brochettes avec du sel, du poivre, du cumin et les herbes hachées réservées. Placez les brochettes au centre du plat; servez avec du harissa (sauce piquante marocaine).

VARIANTE
COUSCOUS AU POISSON

1 Coupez 1 kg de filets de lotte en morceaux de 5 cm de côté.
2 Préparez le bouillon de légumes en suivant la recette principale, en remplaçant le bouillon de volaille par de l'eau, et le gingembre par 1 1/2 cuil. à soupe de cumin en poudre. Cuisez de 5 à 10 min, ajoutez les morceaux de lotte et poursuivez la cuisson de 10 à 12 min, jusqu'à ce que le poisson et les légumes soient tendres.
3 Préparez le couscous en suivant la recette principale, mais pas les brochettes.
4 Garnissez de couscous des assiettes individuelles chaudes. Creusez un puits au centre, versez-y les légumes puis les morceaux de poisson. Décorez de persil.

VARIANTE
COUSCOUS D'AGNEAU ET DE LÉGUMES

1 Remplissez une casserole d'eau, faites bouillir et mettez-y 1 kg d'os de mouton ou de veau débités en morceaux. Portez de nouveau à ébullition et laissez frémir 5 minutes. Égouttez et rincez les os.
2 Préparez le bouillon de légumes, en remplaçant le bouillon de volaille par de l'eau et en ajoutant les os blanchis. Réservez les légumes, les pois chiches et les épices. Cuisez de 45 à 60 min.
3 Dégraissez 500 g d'épaule d'agneau désossée et coupez la viande en cubes de 2,5 cm de côté.
4 Préparez les champignons, les poivrons et les oignons, mais n'utilisez ni les courgettes ni les tomates. Ajoutez les cubes de viande à la marinade. Mélangez-les aux autres ingrédients et laissez mariner de 1 à 2 h.
5 Filtrez le bouillon. Ajoutez les bâtonnets de légumes, les pois chiches et les épices et poursuivez la cuisson.
6 Enfilez sur les brochettes les poivrons, les cubes d'agneau, l'oignon et les champignons, et faites griller de 4 à 5 min de chaque côté. Saupoudrez de cumin, de ciboulette hachée, de sel et de poivre.
7 Préparez le couscous en suivant la recette principale et disposez-le sur des assiettes. Creusez un puits au centre, versez-y les légumes et posez les brochettes par-dessus. Décorez de persil.

Le bouillon de légumes est chaudement épicé

Les brochettes de légumes sont parfumées avec des herbes fraîches

SAVOIR S'ORGANISER
Vous pouvez préparer le bouillon 48 h à l'avance et le conserver, couvert, au réfrigérateur, ou même le congeler. Cuisez les brochettes et le couscous au dernier moment.

GADO GADO

Salade indonésienne

 POUR 8 PERSONNES    PRÉPARATION : DE 35 À 40 MIN*   CUISSON : DE 20 À 25 MIN

ÉQUIPEMENT

bols

robot ménager

cuiller en bois**

palette

passoire

couteau chef

couteau d'office

mousseline

couteau éplucheur

passoire en toile
métallique

grande poêle

casseroles, dont 1 avec couvercle

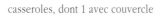

spatule en caoutchouc

planche à découper

** ou mixeur

Traditionnellement, cette salade réunit
divers légumes frais. La sauce aux cacahuètes sera
plus ou moins épicée selon votre goût.

SAVOIR S'ORGANISER

Vous pouvez blanchir les légumes et préparer la sauce
24 h à l'avance et les conserver, couverts, au réfrigérateur.
Vous servirez le plat à température ambiante.

plus 30 min d'infusion pour la noix de coco

LE MARCHÉ

1 petit chou-fleur, soit 750 g environ
sel et poivre
500 g de carottes moyennes
500 g de petits concombres
350 g de germes de soja
300 g de tofu
3 œufs
1 cuil. à soupe d'huile végétale
Pour la sauce
40 cl d'eau
150 g de noix de coco séchée
15 cl d'huile végétale
250 g de cacahuètes nature grillées
3 gousses d'ail
1 oignon moyen
1/2 cuil. à café de piment en poudre
1 cuil. à soupe de sauce soja
le jus de 1 citron vert
2 cuil. à café de cassonade

INGRÉDIENTS

chou-fleur

œufs

germes de soja

petits
concombres

carottes

sauce soja

gousses
d'ail

oignon

cacahuètes
nature
grillées

tofu

piments
en poudre

jus de citron
vert

huile
végétale

cassonade

noix de coco
séchée

DÉROULEMENT

1 PRÉPARER
LES LÉGUMES
ET LE TOFU

2 PRÉPARER
L'OMELETTE

3 PRÉPARER
LA SAUCE
ET COMPOSER
LA SALADE

1 PRÉPARER LES LÉGUMES ET LE TOFU

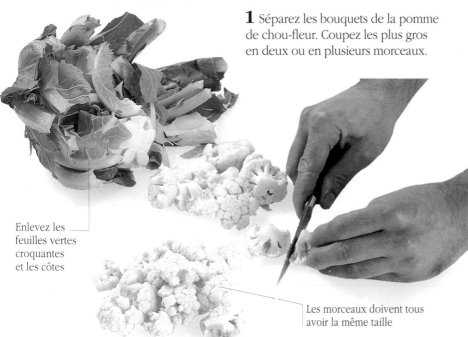

Enlevez les feuilles vertes croquantes et les côtes

Les morceaux doivent tous avoir la même taille

1 Séparez les bouquets de la pomme de chou-fleur. Coupez les plus gros en deux ou en plusieurs morceaux.

2 Remplissez une grande casserole d'eau salée et portez à ébullition. Mettez-y les bouquets et laissez frémir de 5 à 7 min. Égouttez-les, rincez-les sous l'eau froide, égouttez-les de nouveau.

3 Pelez les carottes et ôtez-en les extrémités. Coupez-les en morceaux de 5 cm et taillez leurs bords au carré.

4 À l'aide du couteau chef, détaillez chaque morceau en tranches de 3 mm. Rassemblez-les sur la planche à découper et taillez-les en bâtonnets de 3 mm d'épaisseur.

5 Mettez les carottes dans une casserole remplie d'eau froide salée. Portez à ébullition et laissez frémir de 3 à 5 min. Égouttez-les, rincez-les sous l'eau froide, égouttez-les de nouveau.

6 Pelez les concombres et ôtez-en les extrémités. Coupez-les en deux dans le sens de la longueur et enlevez-en les graines à l'aide d'une cuiller à café.

Pelez toujours les concombres, car ils peuvent avoir été traités

Le couteau éplucheur évite les pertes

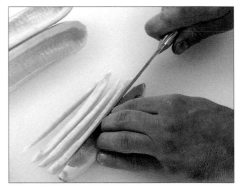

7 Coupez le concombre en longues tranches, rassemblez-les et détaillez-les en bâtonnets de 5 cm.

Le tofu est préparé à partir de haricots de soja

8 Triez les germes de soja et mettez-les dans un bol. Couvrez d'eau bouillante et attendez 1 min. Égouttez.

9 Égouttez le tofu dans la passoire en toile métallique. Coupez-le en cubes de 1,5 cm de côté.

2 PRÉPARER L'OMELETTE

Les œufs battus commencent immédiatement à cuire dans l'huile chaude

Remuez la poêle quand vous versez l'omelette pour bien la répartir

1 Battez les œufs dans un petit bol avec du sel et du poivre. Chauffez l'huile dans la poêle. Versez-y l'omelette en remuant la poêle pour qu'elle s'y étale en une couche régulière. Cuisez-la sur feu moyen 2 min environ, jusqu'à ce que ses bords croustillent légèrement et se détachent des parois.

2 À l'aide de la palette, soulevez l'omelette et retournez-la. Cuisez-la 30 s environ, jusqu'à ce qu'elle soit juste prise.

Les tranches d'omelette roulée seront très décoratives

3 Faites glisser l'omelette de la poêle sur la planche à découper. Laissez-la refroidir légèrement. Roulez-la sans trop serrer.

4 Découpez le rouleau d'omelette en tronçons. Réservez-les pendant que vous préparez les légumes.

HACHER UN OIGNON

Un oignon se détaille en tranches puis en dés de taille variable. Généralement, vous couperez des tranches de 5 mm d'épaisseur. Mais plus elles seront minces, plus l'oignon sera haché finement.

1 Pelez l'oignon et ôtez-en le sommet, mais en gardant sa base. Coupez-le en deux dans le sens de la longueur.

2 Posez la tranche des moitiés sur une planche à découper. Maintenez-les fermement avec les doigts. Émincez-les horizontalement, sans entailler leur base, pour qu'elles ne se défassent pas.

3 Coupez les moitiés en deux verticalement, toujours sans entailler la base. Puis hachez pour obtenir des dés plus ou moins fins.

3 PRÉPARER LA SAUCE ET COMPOSER LA SALADE

1 Remplissez d'eau une petite casserole et portez à ébullition. Mettez-y la noix de coco, mélangez, couvrez et retirez du feu. Laissez infuser 30 min.

2 Chauffez la moitié de l'huile dans la poêle. Ajoutez les cacahuètes et cuisez de 3 à 5 min, en remuant sans arrêt, jusqu'à ce qu'elle soient brun doré.

Les cacahuètes grillées dégagent davantage d'arôme

3 Mettez les cacachuètes dans le robot ménager. Broyez-les en donnant de brèves impulsions : elles doivent avoir la consistance d'une purée un peu épaisse. Si vous utilisez un mixeur, procédez en deux fois.

4 Posez le plat de la lame du couteau chef sur chaque gousse d'ail et appuyez avec le poing. Pelez-les et hachez-les finement. Épluchez et hachez l'oignon (voir encadré p. 187).

5 Chauffez le reste de l'huile dans la poêle. Mettez-y l'oignon et cuisez de 2 à 3 min, en remuant, jusqu'à ce qu'il soit légèrement doré. Ajoutez l'ail et le piment en poudre et poursuivez la cuisson 2 min environ. Versez la sauce soja et le jus de citron, et mélangez bien.

Le jus de citron vert tout frais apporte un peu d'acidité à la sauce

6 Sortez la poêle du feu. Mettez-y la cassonade et la purée de cacahuètes. Laissez refroidir légèrement.

La noix de coco qui a infusé dans l'eau bouillante dégage tout son parfum

7 Tapissez la passoire en toile métallique posée sur un bol avec un grand morceau de mousseline. Versez-y la noix de coco et son infusion.

La mousseline ne laissera passer que le liquide

8 Rabattez les coins de la mousseline, resserrez-les dans votre main et pressez bien la noix de coco pour en extraire le maximum de liquide — le «lait». Jetez la noix de coco.

9 Incorporez petit à petit le lait de coco à la sauce et remuez jusqu'à ce que la préparation soit lisse et crémeuse. Assaisonnez.

Le lait de coco va diluer le mélange très épais

CONSEIL MALIN
«Si la sauce se défait, chauffez-la doucement et ajoutez 1 ou 2 cuil. à soupe d'eau. Mélangez bien.»

🍽 POUR SERVIR
Disposez les germes de soja sur un plat, puis les carottes, les concombres et le tofu, et enfin le chou-fleur. Décorez avec les tronçons d'omelette. Servez la sauce à part.

Une sauce aux cacahuètes accompagne cette salade

Le chou-fleur couronne le plat

NID DE SALADE ET SAUCE AUX CACAHUÈTES
Le chou rouge croquant et les haricots verts apportent ici leurs vives couleurs.

1 N'utilisez ni chou-fleur, ni carottes, ni concombres, ni omelette, ni tofu. Épluchez 500 g de pommes de terre et coupez-les en deux ou en quatre si elles sont grosses. Cuisez-les à l'eau de 15 à 20 min. Égouttez-les, rincez-les, égouttez-les de nouveau. Détaillez-les en cubes de 1,5 cm de côté.

2 Préparez la sauce aux cacahuètes.

3 Équeutez 400 g de haricots verts, en enlevant bien les fils des 2 côtés. Coupez-les en biais en morceaux de 2,5 cm. Cuisez-les dans l'eau bouillante salée de 5 à 8 min. Égouttez-les, rincez-les sous l'eau froide, égouttez-les de nouveau.

4 Parez 1/2 chou rouge. Coupez-le en deux et enlevez le trognon de chaque moitié. Posez-les à plat sur un plan de travail et émincez-les finement. Enlevez toutes les côtes dures.

5 Cuisez le chou 1 min dans de l'eau bouillante salée. Égouttez-le et arrosez-le, tant qu'il est encore chaud, avec 4 cuil. à soupe de vinaigre de vin rouge.

6 Préparez les germes de soja en suivant la recette principale, puis répartissez-les sur 8 assiettes individuelles. Disposez les haricots verts au centre et couronnez le tout avec les cubes de pomme de terre. Nappez avec la sauce.

POULET POJARSKI

Kuritsa Pojarski

POUR 4 PERSONNES   PRÉPARATION : DE 35 À 40 MIN   CUISSON : DE 40 À 50 MIN

ÉQUIPEMENT

friteuse

thermomètre à friture (facultatif)

sauteuse moyenne

couteau chef

couteau à désosser

petite poêle

plaque à pâtisserie

cuiller percée

palette

planche à découper

cuiller en bois

petite louche   pinceau à pâtisserie

brochettes en inox

plats peu profonds

bols

aluminium ménager

chinois

hachoir*

*ou robot ménager

Ce plat s'inspire des boulettes de veau Pojarski, une recette traditionnelle de la cuisine russe.

SAVOIR S'ORGANISER

Vous pouvez préparer les boulettes, jusqu'à l'étape 3 (voir p. 192), 12 h à l'avance et les conserver au réfrigérateur. La sauce se garde 3 jours au réfrigérateur, dans un récipient couvert.

LE MARCHÉ

6 brioches individuelles, soit environ 250 g
15 cl de lait
400 g de blancs de poulet sans peau
3 cuil. à soupe de crème épaisse
noix muscade en poudre
sel et poivre
30 g de farine assaisonnée
1 œuf
huile pour friture
Pour la sauce
500 g de tomates
1 petit oignon
1 gousse d'ail
125 g de champignons
2 cuil. à soupe d'huile végétale
1 cuil. à soupe de purée de tomates
1 bouquet garni
sucre en poudre

INGRÉDIENTS

blancs de poulet

brioches

bouquet garni

tomates

oignon

champignons de Paris

gousse d'ail

farine assaisonnée

sucre en poudre

œuf

lait

crème épaisse

huile pour friture

huile végétale

noix muscade en poudre

purée de tomates

DÉROULEMENT

1 PRÉPARER LE HACHIS

2 FAÇONNER ET FAIRE CUIRE LES BOULETTES

3 PRÉPARER LA SAUCE

1 PRÉPARER LE HACHIS DE POULET

1 Avec le couteau chef, découpez 4 brioches en dés et réservez-les. Rompez les 2 autres brioches en gros morceaux et mettez-les dans un bol moyen.

Vous pouvez remplacer les brioches par du pain de mie, des petits pains au lait ou même du simple pain blanc

2 Versez le lait dans le bol et laissez tremper les morceaux de brioche 5 min. Puis enlevez l'excès de liquide en les pressant dans vos mains.

3 Enlevez le tendon de chaque blanc de poulet (voir encadré ci-dessous). Coupez la chair en morceaux, mélangez-la aux dés de brioche, puis passez-la dans le hachoir.

ENLEVER LE TENDON D'UN BLANC DE POULET

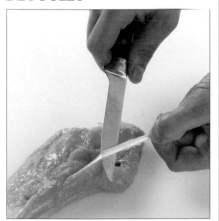

Glissez un couteau à désosser sous le tendon, au milieu du blanc, et soulevez-le pour l'enlever. Le filet ne doit pas se détacher du reste de la chair.

CONSEIL MALIN
«Si vous utilisez un robot ménager, ne hachez pas la chair trop finement.»

4 Ajoutez la crème, une pincée de noix muscade, du sel et du poivre, et mélangez le hachis à l'aide de la cuiller en bois.

5 Pour vérifier l'assaisonnement, faites frire une croquette du mélange dans la poêle et goûtez-la. Rajoutez éventuellement du sel et du poivre.

2 FAÇONNER ET FAIRE CUIRE LES BOULETTES

1 Roulez 4 boules de hachis entre vos mains humides, puis aplatissez-les. Passez-les dans la farine assaisonnée en les tapotant pour bien les enrober. Badigeonnez-les ensuite avec l'œuf battu à l'aide du pinceau à pâtisserie.

2 Recouvrez entièrement les boulettes de dés de brioche. Laissez-les reposer au réfrigérateur environ 30 min.

Les boulettes ne doivent pas se toucher dans la friteuse : faites-les éventuellement cuire en deux fournées

3 Préchauffez le four à 190 °C. Chauffez l'huile de la fritcusc à 180 °C. Plongez-y 1 ou 2 boulettes et laissez-les dorer de 2 à 3 min.

CONSEIL MALIN

« Quand l'huile est à bonne température, un morceau de pain plongé dans la friteuse dore en 1 min. »

4 À l'aide de la cuiller percée, déposez les boulettes frites sur la plaque à pâtisserie. Procédez de la même façon pour le reste des boulettes.

Utilisez une brochette pour vous assurer que les boulettes Pojarski sont cuites à point

5 Enfournez les boulettes Pojarski pour 25 à 30 min. Assurez-vous alors qu'elles sont cuites en enfonçant une brochette au centre : elle doit ressortir chaude. Si elles brunissent trop vite, couvrez-les d'aluminium ménager. Pendant ce temps, préparez la sauce.

3 PRÉPARER LA SAUCE AUX TOMATES ET AUX CHAMPIGNONS

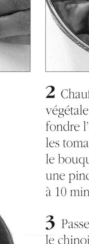

1 Hachez les tomates, l'oignon et la gousse d'ail. Émincez les champignons.

Pressez bien à l'aide de la louche

2 Chauffez 1 cuil. à soupe d'huile végétale dans la sauteuse puis faites-y fondre l'oignon de 2 à 3 min. Ajoutez les tomates, la purée de tomates, l'ail, le bouquet garni, du sel, du poivre et une pincée de sucre. Laissez mijoter de 8 à 10 min en remuant de temps en temps.

3 Passez la préparation à travers le chinois au-dessus d'un bol, en pressant avec la petite louche pour extraire les sucs et la pulpe.

🍴 POUR SERVIR

Disposcz les boulettes Pojarski sur des assiettes chaudes et nappez-les de sauce. Servez-les accompagnées de blinis.

4 Essuyez la sauteuse. Chauffez-y 1 cuil. à soupe d'huile et faites revenir les champignons jusqu'à ce qu'ils soient tendres, mais pas bruns. Ajoutez la sauce, goûtez et rectifiez l'assaisonnement.

VARIANTE

BOULETTES POUR COCKTAIL

Ces amuse-gueule se servent décorés de feuilles de salade et d'olives noires.

1 Suivez la recette principale mais coupez les brioches en dés plus petits et formez des boulettes de 2,5 cm de diamètre seulement.

2 Poursuivez en suivant la recette principale : il suffit de 5 à 10 min pour cuire les petites boulettes Pojarski au four.

3 Servez les boulettes sans la sauce, sur des piques à cocktail.

Des herbes fraîches ou des feuilles de salade décorent le plat

DES ACCOMPAGNEMENTS POUR CHANGER

BORCHTCH ET PIROJKIS 196

BORCHTCH CAMPAGNARD 201

PÂTES DE RIZ SAUTÉES 202

PÂTES SAUTÉES À LA THAÏ 205

LÉGUMES SAUTÉS PIQUANTS 206

SALADE DE LÉGUMES ET DE TOFU 211

RIZ SAUTÉ À L'INDONÉSIENNE 212

RIZ SAUTÉ AU CURRY À LA THAÏ 217

LÉGUMES À LA THAÏLANDAISE 218

LÉGUMES SAUTÉS À LA CHINOISE 220

CURRY DE LÉGUMES 222

CURRY DE LÉGUMES D'HIVER 227

BORCHTCH ET PIROJKIS

 POUR 8 À 10 PERSONNES    PRÉPARATION : DE 50 À 55 MIN*   CUISSON : DE 3 H À 3 H 15 ENVIRON

ÉQUIPEMENT

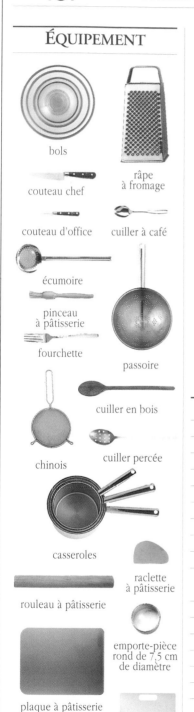

bols

râpe à fromage

couteau chef

couteau d'office

cuiller à café

écumoire

pinceau à pâtisserie

fourchette

passoire

cuiller en bois

chinois

cuiller percée

casseroles

raclette à pâtisserie

rouleau à pâtisserie

emporte-pièce rond de 7,5 cm de diamètre

plaque à pâtisserie

plat   planche à découper

Le borchtch, potage très populaire en Russie et en Pologne, se sert traditionnellement avec des pirojkis, de délicieux petits pâtés en croûte.

*plus 45 min de refroidissement

LE MARCHÉ

1 chou blanc de 1,5 kg environ
2 carottes, soit 150 g environ
3 oignons, soit 250 g environ
3 ou 4 brins d'aneth frais
3 ou 4 brins de persil
750 g de tomates
6 betteraves, soit 1 kg environ
sel et poivre
50 g de beurre
2 litres de bouillon de volaille (voir encadré p. 199) ou d'eau, ou plus
1 cuil. à café de sucre ou plus selon votre goût
le jus de 1 citron
2 ou 3 cuil. à soupe de vinaigre de vin rouge
50 g de fromage blanc allégé
2 cuil. à café de graines de carvi
20 cl de crème fleurette
Pour la pâte
200 g de farine de blé supérieure
1 œuf
60 g de beurre doux
2 cuil. à soupe de crème fleurette
1 œuf pour dorer les pirojkis

INGRÉDIENTS

chou blanc   carottes   tomates

aneth frais   betteraves

bouillon de volaille

persil

sucre

farine

vinaigre de vin rouge

beurre

jus de citron

crème fleurette

graines de carvi

fromage blanc allégé   œufs   oignons

DÉROULEMENT

1 PRÉPARER LES LÉGUMES

2 PRÉPARER LA PÂTE

3 CUIRE LE BORCHTCH

4 FARCIR ET FAIRE CUIRE LES PIROJKIS

1 PRÉPARER LES LÉGUMES

1 Ôtez la base du chou, retirez ses feuilles flétries et coupez-le en deux. À l'aide du couteau d'office, enlevez le cœur de chacune des moitiés. Posez-les sur la planche à découper et détaillez-les en fines lanières. Retirez les morceaux trop épais. Réservez 60 g de chou pour les pirojkis.

Réservez quelques lanières de chou pour farcir les pirojkis

2 Pelez les carottes et ôtez-en les extrémités. Coupez-les en quatre. Émincez-les ensuite en tranches de 1 cm de large dans le sens de la longueur. Empilez les tranches et coupez-les en 4 ou 6 bâtonnets. Rassemblez les bâtonnets et détaillez-les en gros dés.

3 Pelez les oignons en gardant leur base intacte et coupez-les en deux. À l'aide du couteau chef, émincez chacune des moitiés d'oignon horizontalement, sans entailler la base. Émincez-les ensuite verticalement, toujours sans entailler la base. Hachez-les en dés.

4 Détachez les brins d'aneth et les feuilles de persil de leur tige et rassemblez les sur la planche à découper. Hachez-les finement à l'aide du couteau chef.

5 Avec le couteau d'office, ôtez le pédoncule des tomates. Retournez-les et entaillez-les en croix. Plongez les dans une casserole d'eau bouillante de 8 à 15 s selon leur degré de maturité : la peau se décolle en frisant au niveau de la croix. Avec la cuiller percée, sortez-les de la casserole et plongez-les dans un bol d'eau fraîche. Lorsqu'elles ont refroidi, pelez-les. Coupez-les en deux et pressez-les dans votre main pour en chasser les graines, puis concassez-les grossièrement.

Laissez les tomates refroidir avant de les peler

L'eau chaude décolle la peau des tomates

6 Coupez les extrémités des betteraves et épluchez-les. Remplissez à moitié une casserole d'eau, salez et portez à ébullition. Cuisez les betteraves au moins 2 h : la pointe du couteau d'office doit s'y enfoncer facilement.

ATTENTION !

Les betteraves «saignent» : ne les épluchez jamais avant de les cuire.

7 Égouttez les betteraves. Lorsqu'elles ont refroidi, épluchez-les. Râpez-les au-dessus du plat peu profond.

2 PRÉPARER LA PÂTE À LA CRÈME FLEURETTE

1 Tamisez la farine sur le plan de travail et creusez un puits au centre. Mettez-y l'œuf et 1/2 cuil. à café de sel. À l'aide du rouleau à pâtisserie, écrasez légèrcment le beurre pour le ramollir, placez-le dans le puits et ajoutez la crème fleurette.

2 Travaillez l'œuf, le sel, le beurre et la crème fleurette du bout des doigts pour obtenir une préparation homogène.

3 À l'aide de la raclette à pâtisserie, incorporez progressivement la farine en partant de l'extérieur, et travaillez la pâte jusqu'à ce qu'elle soit souple.

CONSEIL MALIN

«Si la pâte est trop sèche, ajoutez-lui un peu d'eau.»

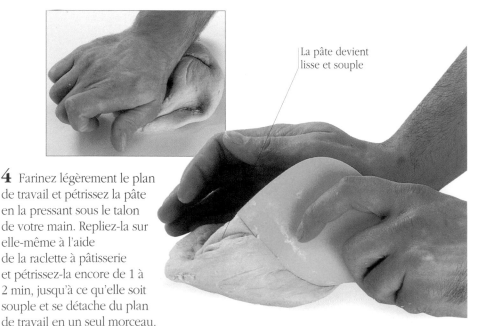

La pâte devient lisse et souple

4 Farinez légèrement le plan de travail et pétrissez la pâte en la pressant sous le talon de votre main. Repliez-la sur elle-même à l'aide de la raclette à pâtisserie et pétrissez-la encore de 1 à 2 min, jusqu'à ce qu'elle soit souple et se détache du plan de travail en un seul morceau.

5 Formez une boule de pâte, couvrez-la bien et laissez-la reposer au frais 30 min pour qu'elle raffermisse.

3 PRÉPARER LE BORCHTCH

1 Chauffez le beurre dans une grande casserole. Faites-y revenir les morceaux de carotte et les dés d'oignon de 3 à 5 min; ils ne doivent pas brunir. Réservez-en le quart pour la farce des pirojkis.

2 Mettez le chou, les betteraves, les tomates, le bouillon, du sel, du poivre et du sucre dans la casserole et portez à ébullition. Laissez mijoter de 45 à 60 min. Goûtez et rectifiez l'assaisonnement; ajoutez du bouillon si le potage devient trop épais. Réservez.

3 Réchauffez le borchtch juste avant de servir. Incorporez-y les herbes hachées, le jus de citron et le vinaigre de vin rouge. Goûtez et rectifiez l'assaisonnement.

PRÉPARER UN BOUILLON DE VOLAILLE

Le bouillon de volaille entre dans la composition de nombreux potages et sauces. Vous pouvez le conserver 3 jours au réfrigérateur, dans un récipient couvert, ou même le congeler. Le bouillon est réduit et concentré, aussi n'est-il ni salé ni poivré au cours de la préparation.

🍽 POUR 2 LITRES

🥣 PRÉPARATION : 15 MIN

♨ CUISSON : 1 À 3 H

LE MARCHÉ

1 kg d'abattis de poulet cru ou une poule entière
1 oignon
1 carotte
1 branche de céleri
1 bouquet garni composé de 5 ou 6 brins de persil, de 2 ou 3 branches de thym et de 1 feuille de laurier
1/2 à 1 cuil. à café de poivre en grains
2 litres d'eau ou plus

1 Mettez les abattis ou la poule dans un faitout. Épluchez et coupez en quatre l'oignon, la carotte et le céleri. Ajoutez-les avec le bouquet garni et le poivre.

2 Couvrez d'eau, portez à ébullition et laissez mijoter au moins 1 h pour des abattis, au moins 3 h pour une poule, en écumant le bouillon de cuisson.

3 Assurez-vous que les abattis ou la poule sont cuits en piquant dans leur chair une brochette : elle doit s'y enfoncer facilement. Réservez-les pour une recette à base de volaille cuite.

Les ingrédients restent dans le chinois quand vous filtrez le bouillon

4 Filtrez le bouillon au-dessus d'un grand bol.

4 FARCIR ET FAIRE CUIRE LES PIROJKIS

1 Préparez la farce. Mettez les lanières de chou que vous réservées dans un bol. Couvrez-les d'eau bouillante et attendez de 1 à 2 min. Versez-les dans une passoire, rincez-les sous un filet d'eau froide, égouttez-les de nouveau, en pressant les lanières pour en chasser l'eau. Hachez-les grossièrement.

2 Incorporez le chou émincé, le fromage blanc et les graines de carvi aux carottes et aux oignons. Salez et poivrez.

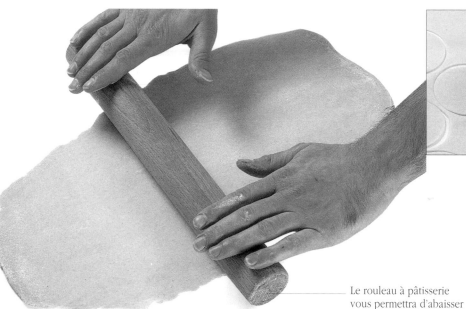

3 Farinez légèrement le plan de travail. Abaissez la pâte sur une épaisseur de 3 mm. Découpez-y des ronds avec l'emporte-pièce ou avec un verre à bord fin.

CONSEIL MALIN

«Vous devez obtenir de 25 à 30 ronds. Si vous en manquez, abaissez de nouveau les chutes de pâte.»

Le rouleau à pâtisserie vous permettra d'abaisser régulièrement la pâte

Décollez la farce de la cuiller à café avec le doigt

4 Battez légèrement un œuf avec 1/2 cuil. à café de sel pour dorer les pirojkis.

5 Déposez 1 cuil. à café de farce au centre des ronds de pâte. À l'aide du pinceau à pâtisserie, badigeonnez d'œuf battu leur bord.

ATTENTION !

Ne farcissez pas trop les pirojkis pour qu'ils ne s'ouvrent pas pendant la cuisson.

6 Prenez un rond de pâte, pliez-le en deux pour recouvrir la farce et scellez les chaussons en pressant fermement les bords entre vos doigts. Déposez les pirojkis sur une plaque à pâtisserie et badigeonnez-les d'œuf battu. Laissez reposer 15 min. Préchauffez le four à 200 °C.

Les pirojkis doivent être bien dorés

7 Enfournez les pirojkis pour 15 à 18 min, jusqu'à ce qu'ils soient bien dorés. Laissez-les refroidir un peu pendant que vous terminez le borchtch.

Les pirojkis prennent une belle couleur dorée en cuisant

¶◉¶ POUR SERVIR
Mettez le potage dans une soupière chaude; versez au centre un peu de crème. Servez les pirojkis à part.

La crème, ajoutée au dernier moment, épaissit le borchtch

Les pirojkis sont farcis de fromage blanc et de légumes

VARIANTE

BORCHTCH CAMPAGNARD

Ici, le borchtch, servi avec des pirojkis, se compose de bœuf et de son bouillon.

1 Mettez 1,5 kg de gîte de bœuf avec son os dans un grand faitout, couvrez largement d'eau et ajoutez une pincée de sel. Portez à ébullition puis cuisez 45 min, en écumant régulièrement le bouillon, jusqu'à ce que la viande soit très tendre.
2 Préparez le borchtch avec un petit chou de 1 kg et 2 oignons en suivant la recette principale, mais sans utiliser les tomates et en remplaçant le bouillon de volaille par le bœuf et son bouillon.
3 Pendant ce temps, pelez, épépinez et concassez 1 tomate. Préparez les pirojkis en suivant la recette principale et ajoutez la tomate concassée à la farce.
4 Retirez le bœuf du faitout. Émiettez la viande à l'aide de deux fourchettes et remettez-la dans le borchtch en jetant l'os. Assaisonnez avec le jus de citron et le vinaigre de vin rouge. Servez dans des assiettes creuses individuelles, avec un peu de crème et des herbes hachées.

SAVOIR S'ORGANISER
Vous pouvez préparer le borchtch 48 ou 72 h à l'avance et le conserver, dans un récipient couvert, au réfrigérateur; il n'en sera que meilleur. Il se congèle aussi très bien. Vous pouvez cuire les pirojkis 24 h à l'avance et les garder dans une boîte hermétique, ou même les congeler. Réchauffez-les 10 min au four à 180 °C.

PÂTES DE RIZ SAUTÉES

Char kway teow

🍴 POUR 4 PERSONNES   🥣 PRÉPARATION : DE 30 À 40 MIN*   ♨ CUISSON : DE 8 À 12 MIN

ÉQUIPEMENT

passoire

wok

spatule à wok

bols

gants en caoutchouc

couperet**

casserole moyenne

papier absorbant

planche à découper

Populaire dans toute la Malaisie, et particulièrement dans l'île de Penang, ce plat de pâtes se déguste au déjeuner ou au dîner. Il se prépare traditionnellement avec des pâtes fraîches, mais vous les trouverez plus couramment séchées dans toutes les épiceries asiatiques.

SAVOIR S'ORGANISER

Vous pouvez préparer les pâtes de riz et les autres ingrédients 48 h à l'avance et les conserver, bien couverts, au réfrigérateur. Faites-les sauter juste avant de servir.

*plus 30 min de trempage

LE MARCHÉ

250 g de pâtes de riz séchées, larges de 1,2 cm environ
3 saucisses chinoises au porc, soit 175 g environ
250 g de grosses crevettes crues non décortiquées
3 petits oignons
2 oignons nouveaux
2 gousses d'ail
125 g de germes de soja
3 ou 4 piments rouges frais
3 œufs
4 cuil. à soupe d'huile
3 cuil. à soupe de sauce soja claire, ou plus
4 cuil. à soupe de bouillon de volaille

INGRÉDIENTS

saucisses chinoises au porc***

crevettes crues

pâtes de riz séchées

oignons nouveaux

bouillon de volaille****

germes de soja

huile

piments

sauce soja claire

œufs

oignons

gousses d'ail

*** ou jambon fumé
**** ou eau

DÉROULEMENT

1 FAIRE TREMPER LES PÂTES DE RIZ

2 PRÉPARER LES AUTRES INGRÉDIENTS

3 FAIRE SAUTER LES INGRÉDIENTS

** ou couteau chef

1 FAIRE TREMPER LES PÂTES DE RIZ

1 Mettez les pâtes de riz dans un bol et couvrez-les d'eau chaude. Laissez-les tremper 30 min pour les ramollir. Préparez les autres ingrédients.

2 Égouttez bien les pâtes de riz dans la passoire et réservez.

2 PRÉPARER LES AUTRES INGRÉDIENTS

1 À l'aide du couperet, coupez les saucisses en biais, en fines tranches. Décortiquez et dénervez les crevettes (voir encadré à droite).

CONSEIL MALIN

«Si les saucisses ont une peau épaisse, ôtez-la avant de les couper. Si vous utilisez du jambon fumé, détaillez-le en fines lanières.»

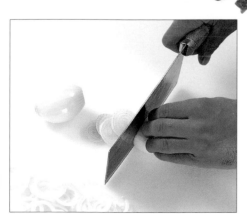

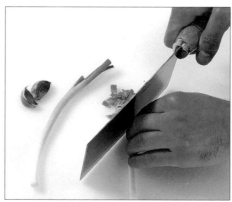

2 Pelez les oignons, sans ôter leur base. Enlevez une fine tranche sur un de leurs côtés pour qu'ils tiennent bien sur la planche à découper et tranchez-les en fines rondelles. Séparez les anneaux avec les doigts.

3 Parez les oignons nouveaux et coupez-les en biais, en tranches de 5 mm, en gardant une partie du vert.

DÉCORTIQUER ET DÉNERVER UNE CREVETTE

Un couperet aiguisé est idéal pour entailler nettement les crevettes. Pour gagner du temps, décortiquez-les toutes, puis entaillez-les toutes, et dénervez-les.

1 Ôtez la carapace de la crevette avec les doigts et jetez-la.

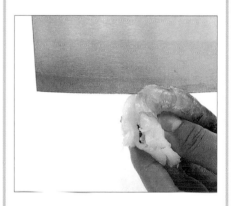

2 Passez la lame d'un couperet le long du dos de la crevette pour l'entailler.

3 Retirez doucement la veine intestinale noire. Rincez la crevette et séchez-la dans du papier absorbant.

4 Posez le plat de la lame du couperet au sommet de chaque gousse d'ail et appuyez avec le poing. Pelez-les et hachez-les finement.

5 Triez les germes de sàja, et jetez tous ceux qui sont décolorés. Rincez-les sous l'eau froide et égouttez-les bien.

6 Enfilez des gants en caoutchouc et ouvrez les piments en deux. Ôtez leur pédoncule et grattez les graines et les membranes blanches. Coupez-les en très fines lanières. Rassemblez-les et détaillez-les en très petits dés.

FAIRE SAUTER LES INGRÉDIENTS

1 Battez les œufs dans un bol. Chauffez le wok sur feu moyen. Versez-y 1 cuil. à soupe d'huile pour graisser le fond et les côtés. Continuez à chauffer jusqu'à ce que l'huile soit très chaude, mettez-y les œufs et faites sauter de 1 à 2 min, en remuant avec la spatule, jusqu'à ce qu'ils soient en petits morceaux. Réservez-les dans un bol.

2 Poussez le feu et ajoutez le reste d'huile. Quand elle est chaude, mettez les oignons et faites-les sauter de 3 à 4 min, en remuant avec la spatule, jusqu'à ce qu'ils commencent à dorer. Ajoutez les piments, l'ail et les saucisses, et faites sauter 30 s environ, jusqu'à ce qu'ils libèrent leur arôme.

Les pâtes de riz vont se colorer durant la cuisson

Les crevettes tendres cuisent rapidement

3 Ajoutez les crevettes décortiquées et faites sauter de 1 à 2 min, jusqu'à ce qu'elles deviennent roses.

4 Poussez encore le feu. Ajoutez les germes de soja, les pâtes de riz ramollies, la sauce soja claire et le bouillon de volaille, et mélangez bien avec les autres ingrédients. Faites sauter de 2 à 3 min.

5 Ajoutez les œufs aux autres ingrédients et faites sauter 1 min environ, jusqu'à ce qu'ils soient parfaitement incorporés et très chauds. Goûtez et ajoutez éventuellement un peu de sauce soja.

🍽 POUR SERVIR
Disposez les pâtes sur des assiettes chaudes et parsemez avec les oignons nouveaux. Servez aussitôt.

VARIANTE

PÂTES SAUTÉES À LA THAÏ
PAD THAI

Ce plat thaï très célèbre se déguste le matin, à midi et le soir. Il en existe de très nombreuses variantes, et on les trouve aussi bien chez les vendeurs des rues que dans les restaurants ou dans les foyers.

1 N'utilisez ni saucisses, ni oignons, ni sauce soja, ni bouillon. Faites tremper des pâtes de riz de 5 mm de large, puis égouttez-les en suivant la recette principale.
2 Mettez 15 g de crevettes séchées dans un petit bol et couvrez-les d'eau chaude. Laissez tremper 30 min.
3 Dans un bol, mélangez 1 cuil. à soupe de pulpe de tamarin et 4 cuil. à soupe d'eau bouillante ; mélangez bien pour dissoudre la pulpe.

En Asie, les pâtes de riz se marient traditionnellement avec des crevettes, du porc et des légumes

4 Filtrez la pulpe de tamarin pour garder 2 cuil. à soupe de son eau épaisse et parfumée (vous pouvez aussi mélanger 1 cuil. à soupe de jus de citron et 1 cuil. à soupe d'eau). Dans un bol, mélangez cette eau avec 3 cuil. à soupe de sauce de poisson et 1 cuil. à soupe de sucre.
5 Préparez le reste des ingrédients, en coupant les oignons nouveaux en morceaux de 2,5 cm. Dans un mortier, écrasez au pilon l'ail et le piment pour obtenir une pâte (vous pouvez aussi les hacher très finement). Égouttez les pâtes de riz. Égouttez les crevettes et séchez-les dans du papier absorbant. Hachez-les.
6 Chauffez le wok, cuisez-y les œufs, et réservez-les. Poussez le feu et ajoutez l'huile. Quand elle est chaude, mettez-y la pâte à l'ail et au piment et les crevettes séchées, et faites sauter 15 s environ, jusqu'à ce que les ingrédients libèrent leurs arômes. Ajoutez les crevettes fraîches et faites-les sauter.
7 Ajoutez les pâtes de riz et l'eau de tamarin ; faites sauter de 3 à 4 min, jusqu'à ce qu'elles soient translucides. Réduisez un peu le feu.
8 Ajoutez les œufs, les oignons nouveaux et les 3/4 des germes de soja ; faites sauter 1 min encore. Disposez sur des assiettes chaudes. Saupoudrez avec 1 cuil. à soupe de cacahuètes grillées non salées. Garnissez avec le reste des germes de soja, un quartier de citron vert et un brin de coriandre fraîche.

LÉGUMES SAUTÉS PIQUANTS

Acar

 POUR 8 À 10 PERSONNES PRÉPARATION : DE 35 À 45 MIN* CUISSON : 10 MIN

ÉQUIPEMENT

 grand bol

 wok

couperet**

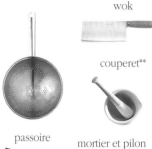 passoire

mortier et pilon

 spatule à wok

couteau éplucheur

planche à découper

 gants en caoutchouc

** ou couteau chef

En Malaisie, ces légumes frais enrobés dans une sauce épicée dorée au curcuma — que nous appelons achards — sont souvent servis avec de la viande ou du poisson. Le curcuma, un rhizome qui donne aux plats une belle couleur fauve, s'utilise très souvent frais dans le Sud-Est asiatique. Vous le trouverez plus facilement séché et en poudre.

*plus 1 à 2 h de marinage

LE MARCHÉ

1 concombre, soit 250 g environ
3 grosses carottes, soit 250 g environ
250 g de chou vert
10 haricots longs asiatiques ou 30 haricots verts
1/2 petit chou-fleur, soit 250 g environ
50 g de cacahuètes grillées nature
Pour la sauce
2 piments rouges frais
2 gousses d'ail
6 noix de macadamia grillées nature
6 échalotes
4 cm de galanga frais
1 1/2 cuil. à café de curcuma en poudre
4 cuil. à soupe d'huile
100 g de sucre
1 cuil. à café de sel
15 cl de vinaigre de riz

INGRÉDIENTS

carottes

échalotes

haricots longs asiatiques

piments rouges

concombre

chou-fleur

chou vert

gousses d'ail

huile

noix de macadamia nature

curcuma en poudre

cacahuètes grillées nature

galanga frais

vinaigre de riz

sucre

DÉROULEMENT

1 PRÉPARER ET BLANCHIR LES LÉGUMES

2 PRÉPARER LA SAUCE ET FAIRE CUIRE LES LÉGUMES

1 PRÉPARER ET BLANCHIR LES LÉGUMES

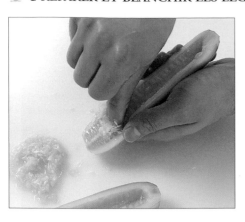

1 Pelez et parez le concombre, puis coupez-le en deux dans le sens de la longueur. Enlevez les graines avec votre pouce et jetez-les.

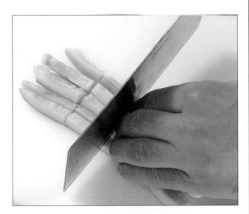

2 Coupez les moitiés de concombre dans le sens de la longueur en lanières de 5 mm, rassemblez-les et détaillez-les en bâtonnets de 5 cm.

3 Pelez et parez les carottes ; coupez-les en morceaux de 7 cm, puis en tranches de 5 mm. Empilez-les et détaillez-les en bâtonnets de 5 mm.

Les carottes sont indispensables pour la couleur

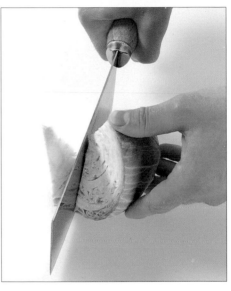

4 En posant son trognon sur la planche à découper, ôtez le cœur du quartier de chou et jetez-le.

Les haricots longs, très appréciés en Asie, sont parfois appelés haricots asperges

5 Posez le chou, tranche vers le bas, sur la planche à découper et émincez-le finement. Enlevez toutes les côtes dures.

6 Parez les haricots longs et coupez-les en biais en morceaux de 5 cm. Si vous utilisez des haricots verts, équeutez-les, en enlevant bien les fils des deux côtés avant de les couper.

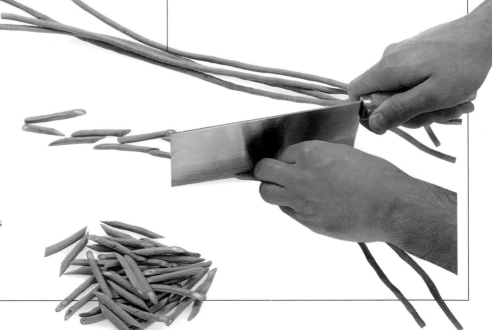

7 À l'aide du couperet, séparez les fleurs de la tête de chou-fleur, en les coupant ou en les séparant en deux si elles sont grosses. Jetez le cœur.

Laissez frémir les légumes dans l'eau pour les attendrir légèrement

8 Remplissez le wok d'eau sur une hauteur de 5 cm et portez à ébullition. Mettez-y les carottes, le chou-fleur et les haricots.

ATTENTION !

Si vous utilisez un wok à fond rond, posez-le sur un anneau à wok pour le stabiliser.

9 Laissez frémir les légumes de 2 à 3 min, jusqu'à ce qu'ils soient tendres mais encore légèrement croquants, puis ajoutez le concombre et le chou et laissez frémir 1 min encore.

10 Égouttez les légumes dans la passoire. Rincez-les sous l'eau froide et laissez-les de nouveau s'égoutter, en secouant la passoire pour éliminer toute l'eau.

2 **PRÉPARER LA SAUCE ÉPICÉE ET FAIRE CUIRE LES LÉGUMES**

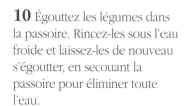

1 Enfilez des gants en caoutchouc et ouvrez les piments en deux dans le sens de la longueur. Ôtez leur pédoncule. Grattez les graines et les membranes blanches qui se trouvent à l'intérieur. Coupez-les en très fines lanières. Rassemblez-les et détaillez-les en tout petits dés.

ATTENTION !

Enfilez des gants en caoutchouc quand vous préparez des piments, car ils peuvent brûler la peau.

Le piment épice encore davantage la sauce

2 Posez le plat de la lame du couperet au sommet de chaque gousse d'ail et appuyez avec le poing. Pelez-les et hachez-les finement.

HACHER DES ÉCHALOTES

Si la grande lame du couperet vous semble peu maniable,
utilisez un couteau chef.

1 Ôtez la peau parcheminée des
échalotes. (Éventuellement, séparez-les
en deux et pelez les moitiés.) Coupez-
les en deux.

Les échalotes
sont simples
ou doubles

2 Posez les moitiés d'échalote
à plat sur une planche à découper
et tranchez-les horizontalement,
sans ôter leur base.

Coupez les échalotes
en deux pour pouvoir
les poser bien à plat

3 Tranchez les échalotes verticalement,
toujours sans entailler leur base.

4 Détaillez-les en dés plus
ou moins petits selon la recette
que vous préparez.

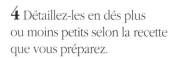

3 À l'aide du couperet, hachez les noix
de macadamia. Coupez les échalotes en dés
(voir encadré ci-dessus) et hachez finement
le galanga (voir encadré p. 210).

CONSEIL MALIN

«Les Asiatiques utilisent en général des
kemiri. *Les noix de macadamia ont la*
même consistance et la même saveur.»

Les petits dés de
piment s'incorporent
bien aux épices
en poudre

4 Dans le mortier, pilez l'ail, les noix,
les échalotes, le galanga, le curcuma
et les dés de piment, en ajoutant les
ingrédients un par un et en les écrasant
bien à chaque fois.

CONSEIL MALIN

«Vous pouvez aussi réduire les ingrédients
en pâte dans un robot ménager ; dans ce
cas, contentez-vous de peler les légumes,
sans les hacher.»

La pâte au piment et aux noix est à la fois relevée et aigre-douce

5 Chauffez le wok sur feu moyen. Versez-y l'huile pour graisser le fond et les côtés. Continuez à chauffer jusqu'à ce qu'elle soit chaude, puis mettez-y la pâte épicée et cuisez de 3 à 5 min, en remuant jusqu'à ce qu'elle épaississe et que les épices libèrent leurs arômes.

6 Incorporez le sucre, le sel et le vinaigre ; portez à ébullition. Retirez le wok du feu.

PELER, TRANCHER ET HACHER DU GALANGA

Le galanga est un rhizome, comme le gingembre, qui a un parfum un peu terreux et une saveur épicée. Il a une consistance très fibreuse, et il faut donc le hacher avant de l'utiliser.

1 À l'aide du couperet, ôtez les nœuds du galanga et grattez-en la peau.

2 Tranchez finement le galanga, en coupant à travers les fibres.

Écrasez le galanga pour assouplir ses fibres

3 Posez le plat de la lame du couperet sur les tranches et appuyez avec le poing.

4 Avec le couperet, hachez les tranches écrasées jusqu'à obtenir de tout petits dés.

Les légumes doivent rester fermes

7 Mettez les légumes préparés dans le wok et remuez pour bien les enrober de sauce épicée. Goûtez et rectifiez l'assaisonnement, en ajoutant éventuellement un peu de sel.

🍽️ POUR SERVIR
Disposez les légumes sur un plat et parsemez avec les cacahuètes hachées. Servez frais ou à température ambiante.

8 Mettez les légumes chauds dans le bol et couvrez bien. Laissez reposer 1 h environ à température ambiante, ou 2 h au moins au réfrigérateur. Pendant ce temps, hachez grossièrement les cacahuètes avec le couperet.

Les achards font de délicieuses salades ou des accompagnements colorés, croquants et épicés.

Le chou-fleur a pris la belle couleur du curcuma

SAVOIR S'ORGANISER
Vous pouvez préparer les achards 2 à 3 jours à l'avance et les conserver, couverts, au réfrigérateur.

VARIANTE
SALADE DE LÉGUMES ET DE TOFU
Ici, les légumes et le tofu, qui entrent dans la composition du gado gado *indonésien, donnent un plat plus consistant.*

1 N'utilisez ni chou, ni chou-fleur, ni cacahuètes, ni sauce épicée. Faites blanchir le concombre, les carottes et les haricots.
2 Triez 250 g de germes de soja, et jetez tous ceux qui sont décolorés. Enlevez les fines racines et les pousses vertes, puis rincez-les et égouttez-les.
3 Rincez et égouttez 250 g de tofu ferme. Remplissez à moitié d'eau une casserole et portez à ébullition. Mettez-y le tofu et laissez frémir 10 min, en le retournant une fois. Égouttez-le, laissez refroidir sur du papier absorbant et coupez-le en cubes de 1,2 cm de côté.
4 Préparez une sauce aux cacahuètes : hachez 6 échalotes, 2 gousses d'ail et 2 piments. Dans un mortier ou un robot ménager, réduisez-les en pâte avec 100 g de cacahuètes grillées nature. Terminez la sauce en utilisant 2 cuil. à soupe de sucre, 4 cuil. à soupe de vinaigre de riz et autant d'eau, et 1 cuil. à soupe de sauce soja.
5 Disposez les germes de soja sur des assiettes et couronnez avec les carottes, les haricots, le concombre et le tofu. Versez un peu de sauce sur la salade. Couvrez et mettez au réfrigérateur pour 1 h environ. Servez le reste de sauce à part.

RIZ SAUTÉ À L'INDONÉSIENNE

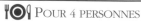 

Nasi goreng

🍽 POUR 4 PERSONNES   🥄 PRÉPARATION : DE 40 À 45 MIN*   ♨ CUISSON : DE 10 À 15 MIN*

ÉQUIPEMENT

passoire en toile   wok avec
métallique   couvercle

papier absorbant

plateau

baguettes

couteau d'office

bols

casserole   mortier
moyenne avec   et pilon**
couvercle

spatule à wok

couteau chef***

planche à découper

** ou robot ménager
*** ou couperet

Bien des gens préparent du riz frit pour utiliser des restes, que ce soit un riz tout simple revenu à l'huile avec de la sauce soja ou un plat complet plus élaboré. Celui-ci, originaire de Java, est parfumé par des piments forts et de la sauce soja sucrée.

SAVOIR S'ORGANISER

Cuisez le riz et faites la pâte pimentée 24 h à l'avance ; conservez-les, séparément, au réfrigérateur. Ne préparez pas les autres ingrédients plus de 2 h à l'avance ; faites sauter le riz juste avant de servir.

* plus 45 à 60 min de repos et de refroidissement

LE MARCHÉ

250 g de riz blanc à grains longs
50 cl d'eau
3 cuil. à soupe d'huile, et un peu pour graisser le plateau
1 gousse d'ail
1 oignon
1 cuil. à café de pâte de crevettes séchée
1 cuil. à café de piments écrasés
2 œufs
2 oignons nouveaux
150 g de grosses crevettes crues non décortiquées
1 blanc de poulet sans peau ni os, soit 175 g environ
2 cuil. à soupe de sauce soja sucrée ou 2 cuil. à soupe de sauce soja foncée plus 1 cuil. à soupe de cassonade, ou plus

INGRÉDIENTS

riz blanc à
grains longs

crevettes crues

blanc de poulet

sauce soja
sucrée   oignons nouveaux

pâte de crevettes
séchée

oignon

huile

œufs

piments
écrasés

gousse d'ail

DÉROULEMENT

1 FAIRE CUIRE
LE RIZ

2 PRÉPARER
LA PÂTE PIMENTÉE

3 FAIRE LES LANIÈRES
D'OMELETTE

4 PRÉPARER LES
OIGNONS NOUVEAUX,
LES CREVETTES
ET LE POULET

5 FAIRE SAUTER
LE RIZ

212

1 FAIRE CUIRE LE RIZ

1 Mettez le riz dans un grand bol d'eau froide et remuez du bout des doigts jusqu'à ce que l'eau soit d'un blanc laiteux. Videz-la. Recommencez 1 ou 2 fois jusqu'à ce qu'elle soit claire. Égouttez le riz dans la passoire en toile métallique.

2 Mettez le riz égoutté dans la casserole et ajoutez les 50 cl d'eau. Portez à ébullition sur feu vif. Remuez avec les baguettes. Couvrez, baissez le feu et laissez frémir 15 min environ, jusqu'à ce que le riz soit tendre et ait absorbé toute l'eau.

Les baguettes permettent d'aérer le riz sans écraser les grains

3 Retirez la casserole du feu et laissez le riz reposer, couvert, 15 min environ. Découvrez et remuez avec les baguettes pour aérer le riz.

4 Avec les doigts, huilez légèrement le plateau. Versez-y le riz et étalez-le avec vos doigts huilés en une couche régulière. Laissez refroidir de 30 à 45 min. Pendant ce temps, faites la pâte pimentée et les lanières d'omelette, et préparez le reste des ingrédients.

2 PRÉPARER LA PÂTE PIMENTÉE

1 Posez le plat de la lame du couteau chef au sommet de la gousse d'ail et appuyez avec le poing. Pelez-la et hachez-la grossièrement.

2 Pelez l'oignon et ôtez-en le sommet, en gardant la base pour qu'il ne se défasse pas. Hachez-le finement (voir encadré p. 214).

La peau parcheminée de l'oignon s'enlève facilement

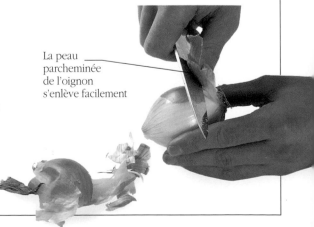

HACHER UN OIGNON

Il vaut mieux hacher les oignons rapidement pour ne pas avoir les yeux irrités.

1 Coupez l'oignon en deux dans le sens de la longueur. Posez une des moitiés à plat et maintenez-la fermement. Tranchez-la horizontalement, sans entailler sa base.

CONSEIL MALIN

«La taille des dés d'oignon dépendra de celle des tranches.»

2 Coupez la moitié d'oignon verticalement, toujours sans entailler sa base.

3 Détaillez l'oignon en dés. Procédez de la même façon pour l'autre moitié. Faites des dés plus ou moins petits selon la recette que vous préparez.

3 Dans le mortier, pilez l'oignon haché pour obtenir une purée. Ajoutez l'ail, la pâte de crevettes et les piments écrasés et pilez jusqu'à ce que le mélange forme une pâte grossière. Réservez.
Vous pouvez aussi réduire les ingrédients en purée dans un robot ménager.

3 FAIRE LES LANIÈRES D'OMELETTE

1 Dans un petit bol, battez les œufs avec les baguettes. Chauffez le wok sur feu moyen.

2 Versez 1 cuil. à soupe d'huile dans le wok pour graisser le fond et les côtés. Continuez à chauffer jusqu'à ce que l'huile soit chaude, et mettez-y les œufs battus.

Versez rapidement les œufs dans le wok chaud

3 Faites rapidement pivoter le wok pour répartir les œufs en une couche régulière de 3 mm d'épaisseur. Cuisez de 1 à 2 min, jusqu'à ce que l'omelette soit prise au centre et légèrement croustillante sur les bords.

ATTENTION !

N'étalez pas trop l'omelette, sinon elle se déchirera quand vous la retournerez.

Étalez les œufs en une couche régulière

4 À l'aide de la spatule à wok, soulevez l'omelette et retournez-la. Cuisez-la de l'autre côté de 15 à 30 s, jusqu'à ce qu'elle soit légèrement dorée.

Roulez l'omelette lâchement pour qu'elle ne colle pas

5 Faites glisser l'omelette sur la planche à découper. Laissez-la légèrement refroidir. Roulez-la lâchement. À l'aide du couteau chef, coupez-la en lanières de 1,5 cm.

4 PRÉPARER LES OIGNONS NOUVEAUX, LES CREVETTES ET LE POULET

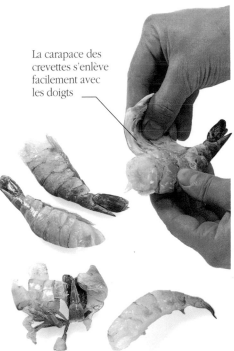

La carapace des crevettes s'enlève facilement avec les doigts

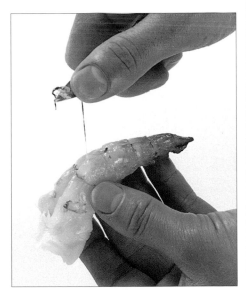

1 Parez les oignons nouveaux et coupez-les en biais en tranches de 5 mm, en gardant une partie du vert.

2 Décortiquez les crevettes avec les doigts.

3 Avec le couteau d'office, faites une entaille le long du dos des crevettes et retirez la veine intestinale noire. Rincez-les et séchez-les dans du papier absorbant.

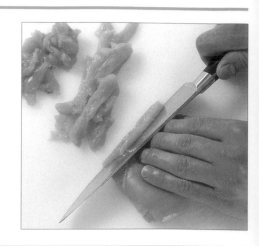

4 Détachez le petit morceau de filet du blanc de poulet en le tirant avec les doigts. Enlevez-en le tendon, en glissant dessous la lame du couteau chef, puis coupez-le en très fines tranches.

5 En maintenant fermement le blanc de poulet, coupez-le en biais en très fines tranches.

5 FAIRE SAUTER LE RIZ

1 Chauffez le wok sur feu assez fort. Versez-y 1 cuil. à soupe d'huile pour graisser le fond et les côtés. Quand elle est chaude, ajoutez la pâte pimentée et cuisez 30 s environ.

2 Poussez le feu. Ajoutez les lanières de poulet et faites sauter de 2 à 3 min, jusqu'à ce qu'elles soient opaques.

3 Ajoutez les crevettes et faites sauter de 1 à 2 min, jusqu'à ce qu'elles deviennent roses. À l'aide de la spatule, sortez le poulet et les crevettes et mettez-les dans un bol. Gardez au chaud.

La sauce soja sucrée parfume et colore le riz

Les oignons nouveaux s'attendrissent à la cuisson, mais restent légèrement croquants.

4 Baissez un peu le feu. Chauffez le reste d'huile dans le wok. Mettez-y le riz refroidi et faites sauter de 1 à 2 min, jusqu'à ce que les grains soient bien séparés. Couvrez et cuisez 3 min environ, en remuant 2 fois pour que le riz ne colle pas, jusqu'à ce qu'il soit tendre.

CONSEIL MALIN

«Pour ce plat, il faut que le riz soit froid ou au moins à température ambiante. S'il est chaud, il sera trop mou pour frire.»

5 Ajoutez les tranches d'oignon nouveau, la sauce soja sucrée et un peu de sel, et faites sauter 1 min encore.

6 Remettez dans le wok les lanières d'omelette, le poulet et les crevettes. Faites-les sauter avec le riz sur feu vif de 2 à 3 min, jusqu'à ce que tous les ingrédients soient bien mélangés et très chauds. Goûtez et rectifiez l'assaisonnement, en ajoutant éventuellement un peu de sauce soja.

🍽️ POUR SERVIR
Disposez le riz dans des bols et servez aussitôt.

Le poulet, les crevettes et les lanières d'omelette donnent un plat consistant

VARIANTE

RIZ SAUTÉ AU CURRY À LA THAÏ

KAO PAD

Parfumé par les épices des currys et de l'ail, ce plat est très populaire en Thaïlande.

1 N'utilisez ni pâte de crevettes, ni piments écrasés, ni crevettes, ni sauce soja sucrée. Cuisez et laissez refroidir le riz en suivant la recette principale.

2 Préparez l'ail, l'oignon et les oignons nouveaux. Ne réduisez pas en purée l'oignon et l'ail. Battez les œufs.
3 Coupez 400 g de blanc de poulet en cubes de 2 cm de côté. Ôtez le pédoncule et les graines de 1/2 poivron rouge et coupez-le en fines lanières.
4 Chauffez le wok sur feu vif et versez-y 2 cuil. à soupe d'huile. Quand elle est chaude, ajoutez l'oignon et le poivron, et faites sauter 1 min. Ajoutez le poulet, l'ail, 1 cuil. à soupe de curry en poudre, 1 cuil. à café de coriandre en poudre et autant de cumin en poudre, et faites sauter de 2 à 3 min. Ajoutez le riz, 2 cuil. à soupe de sauce de poisson et un peu de sel et faites sauter.
Baissez un peu le feu, couvrez et cuisez 3 min, en remuant 2 fois, jusqu'à ce que le riz soit attendri.
5 Faites un puits au centre du riz, ajoutez le reste d'huile et chauffez jusqu'à ce qu'elle soit chaude. Ajoutez les œufs ; cuisez 1 min environ, jusqu'à ce que le centre soit pris. Remuez pour casser l'omelette, puis incorporez-la au riz.
6 Mettez le riz dans des bols chauds et parsemez avec les oignons nouveaux.

LÉGUMES À LA THAÏLANDAISE

ÉQUIPEMENT

couteau chef

couteau d'office

fourchette

fouet

aluminium ménager

bols

passoire

plaque à pâtisserie

grande casserole

planche à découper

pinceau à pâtisserie

plat à rôtir

wok et spatule en bois*

*ou grande poêle

Les légumes croquants sont toujours délicieux quand ils sont frits à la poêle; ce mode de cuisson leur garde leur fermeté et leur couleur vive.

SAVOIR S'ORGANISER

Vous pouvez préparer les légumes 2 h à l'avance, mais ne les faites frire qu'au dernier moment. Le riz cuit à l'avance se réchauffe bien à four doux.

LE MARCHÉ

300 g de riz à grains longs
sel
30 g de champignons orientaux ou d'autres champignons sauvages séchés
25 cl d'eau chaude ou plus
60 g de cacahuètes décortiquées
beurre pour graisser le plat et l'aluminium
1 chou-fleur de 500 g environ
500 g de chou chinois
200 g de haricots mange-tout
2 gousses d'ail
1 poivron rouge moyen
3 à 5 brins de basilic frais
175 g de germes de soja
1 pied de lemon-grass ou 1 citron
3 cuil. à soupe de sauce de poisson (nam pla)
2 cuil. à soupe de sauce d'huître
1 cuil. à café de farine de maïs
1 cuil. à café de sucre
3 cuil. à soupe d'huile végétale
2 piments rouges séchés

INGRÉDIENTS

champignons orientaux séchés

chou-fleur

basilic frais

gousses d'ail

lemon-grass

cacahuètes décortiquées nature

farine de maïs

huile végétale

riz à grains longs

haricots mange-tout

sucre

germes de soja

poivron rouge

piments séchés

chou chinois

sauce de poisson

sauce d'huître

DÉROULEMENT

1 FAIRE CUIIRE LE RIZ

2 PRÉPARER LES LÉGUMES

3 FAIRE FRIRE LES LÉGUMES

1 FAIRE CUIRE LE RIZ

1 Cuisez le riz de 10 à 12 min dans une casserole d'eau bouillante salée, pour qu'il reste croquant. Mettez les champignons séchés à tremper et grillez les cacahuètes (voir ci-dessous «Préparer les légumes», étapes 1 et 2).

2 Versez le riz dans la passoire, rincez-le sous un filet d'eau froide pour en enlever l'amidon, égouttez-le de nouveau. À l'aide du pinceau à pâtisserie, beurrez le plat et une feuille d'aluminium suffisamment grande pour le couvrir.

3 Répartissez le riz dans le plat beurré, en séparant les grains à la fourchette, et posez dessus l'aluminium beurré. Réservez à four très doux après avoir grillé les cacahuètes.

2 PRÉPARER LES LÉGUMES

1 Préchauffez le four à 190 °C. Mettez les champignons séchés dans un bol, couvrez-les d'eau chaude et laissez-les gonfler 30 min.

2 Étalez les cacahuètes sur la plaque à pâtisserie et enfournez-les pour 5 à 7 min jusqu'à ce qu'elles brunissent. Concassez-les grossièrement.

3 Épluchez le chou-fleur en ôtant toutes les feuilles vertes. À l'aide du couteau d'office, coupez les queues au niveau des bouquets.

4 Ôtez la base du chou chinois. Coupez les feuilles en deux dans le sens de la longueur. Empilez-en 2 ou 3 moitiés et coupez-les en morceaux.

Tenez le chou chinois fermement avec les mains lorsque vous le coupez

5 Équeutez les haricots mange-tout et ôtez-en les fils de chaque côté.

6 Égouttez les champignons et émincez-les. Posez le plat du couteau chef sur chaque gousse d'ail et appuyez avec le poing. Pelez-les et hachez-les finement.

7 Découpez la chair autour du pédoncule du poivron et ôtez-le en le faisant tourner. Ouvrez le poivron en deux. Ôtez les graines et les membranes blanches. Aplatissez les moitiés et détaillez-les en lanières. Détachez les feuilles de basilic de leur tige.

Rincez les germes de soja sous un filet d'eau froide

8 Rincez les germes de soja dans la passoire. Ôtez les extrémités du pied de lemon-grass et coupez-le en deux dans le sens de la longueur s'il est gros. Hachez-le. Vous pouvez aussi le remplacer par un zeste de citron râpé.

3 FAIRE FRIRE LES LÉGUMES

1 Mélangez à l'aide du fouet dans un petit bol la sauce de poisson, la sauce d'huître, la farine de maïs, le sucre et le lemon-grass haché.

2 Chauffez l'huile dans le wok. Laissez revenir l'ail haché et les piments rouges 30 s pour libérer leur parfum. Ajoutez le chou-fleur, le poivron rouge, les germes de soja et le chou chinois et faites-les fondre de 3 à 5 min sans cesser de remuer.

Le chou chinois perd son eau et diminue de volume

Faites rapidement
sauter les légumes

3 Ajoutez dans le wok les
champignons et les haricots
mange-tout et cuisez 3 min
en remuant.

4 Ajoutez les feuilles de basilic et
la sauce parfumée au poisson et faites
encore frire 2 min. Goûtez et ajoutez
éventuellement de la sauce de poisson,
de la sauce d'huître et du sucre.
Ôtez les piments.

CONSEIL MALIN
*«Pendant la cuisson, la farine
de maïs épaissit la sauce.»*

¶ POUR SERVIR
Disposez une couronne de riz sur un plat
de service chaud. Déposez à l'aide
de la cuiller les légumes sautés
au milieu et saupoudrez des
cacahuètes concassées.
Vous pouvez aussi
décorer le plat
avec des
lanières
de poivron
rouge.

**Les cacahuètes grillées
et concassées** apportent
leur croquant aux légumes

**Les lanières
rouges de poivron**
contrastent par leur
couleur avec le riz blanc

V A R I A N T E
LÉGUMES SAUTÉS
À LA CHINOISE
*Ce délicieux sauté de légumes
s'accompagne de nouilles
chinoises.*

1 Préparez les champignons orientaux
séchés, le chou chinois et les germes
de soja en suivant la recette principale;
n'utilisez pas le chou-fleur, ni les haricots
mange-tout, ni le poivron rouge.
2 Remplacez les cacahuètes par
50 g d'amandes effilées et grillées
au four de 3 à 5 min.
3 Séparez la tête des bouquets d'un
brocoli moyen en gardant 5 cm de tige.
Épluchez-la. Détaillez les bouquets et
taillez la tige en bâtonnets de 7 cm.
4 Égouttez 60 g de pousses de bambou
et 60 g de petits épis de maïs en boîte.
Émincez la partie verte de deux oignons
nouveaux.
5 N'utilisez pas la sauce. Fouettez
3 cuil. à soupe de saké (ou de xérès)
avec 2 cuil. à soupe de sauce soja,
2 cuil. à café d'huile de sésame,
1 cuil. à café de farine de maïs
et une pincée de sucre.
6 Chauffez l'huile dans le wok
et laissez revenir le brocoli et le
chou chinois de 2 à 3 min. Mettez-y
les champignons et les petits épis
de maïs et faites-les frire 2 min.
7 Ajoutez la sauce, les pousses de
bambou, les germes de soja et les
oignons nouveaux, et chauffez 2 min en
mélangeant. Assaisonnez éventuellement
avec un peu de saké, de sauce soja, d'huile
de sésame ou de sucre.

CURRY DE LÉGUMES

Sabzi Kari

🍴 POUR 6 À 8 PERSONNES   🥣 PRÉPARATION : DE 45 À 50 MIN   🍲 CUISSON : DE 25 À 30 MIN

ÉQUIPEMENT

casseroles, dont 1 avec couvercle

mortier et pilon*

bols

passoire

couteau d'office

petite poêle

couteau chef

planche à découper

passoire en toile métallique

cuiller en bois

cuiller percée

grande cuiller en métal

torchon fin**

couteau éplucheur

fourchette

sauteuse avec couvercle***

*ou moulin à épices
**ou mousseline
***ou poêle avec couvercle

Ce curry de légumes est aromatisé d'un mélange d'épices exotiques et servi avec du riz basmati. Un chutney et une raïta — salade de concombre émincé au yaourt entier — l'accompagnent.

LE MARCHÉ

400 g de riz basmati	
150 g de noix de coco râpée séchée	
sel	

Pour le curry

6 piments rouges séchés	
12 gousses de cardamome	
3 cuil. à soupe de graines de coriandre	
1 cuil. à soupe de graines de cumin	
1/2 cuil. à café de graines de moutarde	
2 cuil. à café de graines de fenugrec, de curcuma moulu, de gingembre moulu	

Pour le ragoût

3 gousses d'ail	
4 oignons moyens, 4 pommes de terre et 4 carottes, soit 1,2 kg de légumes	
1 chou-fleur pesant 1 kg environ	
500 g de haricots verts	
4 grosses tomates, soit 800 g environ	
10 cl d'huile végétale	
1 tuyau de cannelle	
6 clous de girofle	
250 g de petits pois frais écossés ou surgelés et décongelés	

INGRÉDIENTS

 riz basmati   piments rouges séchés   tuyau de cannelle

 épices en graines   épices moulues   gousses de cardamome

 clous de girofle   pommes de terre

huile végétale   carottes

 chou-fleur   petits pois   oignons

 gousses d'ail

 haricots verts

 noix de coco râpée séchée   tomates

DÉROULEMENT

1   PRÉPARER LE MÉLANGE D'ÉPICES

2   PRÉPARER LE LAIT DE COCO ET LES LÉGUMES

3   PRÉPARER LE CURRY

4   FAIRE CUIRE LE RIZ

1 PRÉPARER LE MÉLANGE D'ÉPICES

1 Ouvrez les piments en deux dans le sens de la longueur et grattez les graines.

Grattez les graines à l'aide du couteau d'office

2 Écrasez la cardamome dans le mortier à l'aide du pilon, jetez les gousses mais gardez les graines.

CONSEIL MALIN

«L'extrémité d'un rouleau à pâtisserie convient très bien pour écraser les gousses de cardamome.»

Les épices déjà moulues se marient à celles que vous préparez vous-même

3 Faites revenir les piments et les graines de coriandre et de cumin 2 min à feu moyen dans une petite poêle. Ils ne doivent pas brûler mais devenir très odorants. Laissez refroidir.

CONSEIL MALIN

«Grillez les épices dans une poêle sèche sans matière grasse.»

4 Mettez les épices grillées dans le mortier avec la cardamome et les graines de moutarde et de fenugrec. Réduisez-les en poudre fine.

CONSEIL MALIN

«Vous pouvez conserver le mélange 1 mois dans un récipient hermétique.»

5 Ajoutez le curcuma et le gingembre moulus et mélangez bien.

PRÉPARER UN LAIT DE COCO

Le lait de coco n'est pas le liquide que contient la noix; il se prépare en faisant tremper de la pulpe râpée dans de l'eau.

1 Dans une petite casserole, portez à ébullition 80 cl d'eau. Ajoutez la noix de coco râpée séchée, mélangez avec une cuiller en bois, couvrez et retirez du feu. Laissez tremper 30 min.

La mousseline ne laisse passer que le lait de coco

La noix de coco absorbe pratiquement toute l'eau

2 Placez le torchon ou un morceau de mousseline sur la passoire en toile métallique; posez celle-ci sur un bol et versez-y le contenu de la casserole.

3 Rassemblez les bords du linge et pressez pour extraire le plus de «lait» possible. Jetez la pulpe.

2 PRÉPARER LE LAIT DE COCO ET LES LÉGUMES

1 Préparez le lait de coco avec 80 cl d'eau et la noix de coco râpée (voir encadré à gauche). Posez le plat du couteau chef au sommet de chaque gousse d'ail et appuyez avec le poing. Pelez-les et hachez-les.

2 Épluchez les oignons en gardant leur base. Coupez-les en deux. Émincez les deux moitiés horizontalement, sans entailler la base. Coupez-les ensuite verticalement, toujours sans entailler la base. Hachez-les en dés.

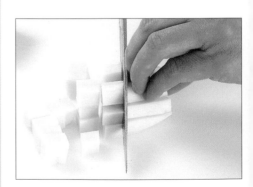

3 Épluchez les pommes de terre et taillez leurs bords au carré. Coupez-les de haut en bas en tranches de 1 cm d'épaisseur puis émincez-les dans l'autre sens en bâtonnets. Détaillez-les en dés de 1 cm de côté et plongez-les dans un bol d'eau.

4 Épluchez le chou-fleur. Ôtez toutes les feuilles vertes et séparez les bouquets en enlevant les queues. Coupez-les en petits morceaux.

Les bouquets de chou-fleur peuvent être de taille différente

Le chou-fleur apporte son croquant au curry

5 Épluchez une carotte. Coupez un tronçon en biais. Faites-la pivoter d'un quart de tour et coupez un nouveau tronçon en biais. Continuez ainsi jusqu'au bout. Procédez de la même façon pour les autres.

6 Équeutez les haricots verts et coupez-les en morceaux de 5 cm.

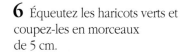

7 Entaillez en croix la base de chaque tomate. Mettez-les de 8 à 15 s dans une casserole d'eau bouillante, puis plongez-les dans un bol d'eau fraîche. Lorsqu'elles ont refroidi, pelez-les.

Ôtez les graines pour ne garder que la chair des tomates

8 Coupez les tomates en deux et pressez-les dans votre main pour en chasser les graines. Coupez chaque moitié en deux.

3 PRÉPARER LE CURRY DE LÉGUMES

1 Chauffez l'huile dans la sauteuse, faites-y revenir le tuyau de cannelle et les clous de girofle de 30 à 60 s, jusqu'à ce qu'ils aient libéré leur arôme.

2 Ajoutez les oignons et l'ail aux épices et faites-les fondre rapidement en mélangeant sans arrêt : ils ne doivent pas brunir.

Chaque légume a une texture particulière

3 Ajoutez le mélange d'épices et cuisez à feu doux de 2 à 3 min sans cesser de remuer.

Les petits pois, frais ou surgelés, ont un goût subtil

4 Égouttez les pommes de terre. Mettez-les dans la sauteuse avec les carottes, le chou-fleur, les haricots verts, les tomates, les petits pois et salez selon votre goût. Chauffez de 3 à 5 min en remuant de temps en temps, jusqu'à ce que les légumes soient complètement enrobés d'épices.

5 Versez le lait de coco sur les légumes et mélangez. Couvrez la sauteuse et laissez mijoter de 15 à 20 min, jusqu'à ce que les légumes soient tendres et la sauce épaisse. Pendant ce temps, cuisez le riz basmati.

Le lait de coco apporte sa saveur exotique

Les épices parfument délicatement les légumes

6 Retirez la cannelle et les clous de girofle. Goûtez et rectifiez l'assaisonnement du curry.

4 CUIRE LE RIZ BASMATI

1 Versez le riz basmati dans un grand bol, couvrez-le largement d'eau fraîche et laissez-le tremper de 2 à 3 min en remuant de temps en temps. Versez-le dans la passoire, rincez-le sous un filet d'eau froide, égouttez-le de nouveau.

2 Mettez le riz égoutté dans une casserole contenant 1 litre d'eau assaisonnée d'une pincée de sel. Portez à ébullition, couvrez et laissez frémir de 10 à 12 min pour que le riz soit encore croquant. Retirez du feu et gardez couvert 5 min, puis remuez doucement pour séparer les grains.

CONSEIL MALIN
«Retirez le couvercle au moment de servir : le riz sera chaud mais il ne collera pas.»

🍴 POUR SERVIR
Répartissez le riz sur des assiettes chaudes, disposez le curry de légumes à côté et servez très chaud.

Les légumes et le riz ainsi présentés décorent joliment les assiettes

CURRY DE LÉGUMES D'HIVER

Cette variante s'adapte aux légumes que vous pourrez trouver en hiver.

1 Préparez le mélange d'épices, le lait de coco, les oignons, les pommes de terre, les carottes et le chou-fleur en suivant la recette principale; n'utilisez ni les haricots verts, ni les tomates, ni les petits pois.

2 Retirez les graines d'un morceau de potiron de 500 g, coupez-le en tranches de 8 cm d'épaisseur et épluchez-les. Détaillez la chair.

3 Pelez et coupez en dés 3 navets (400 g environ). Épluchez 250 g de choux de Bruxelles.

4 Faites fondre les oignons et l'ail avec les épices. Ajoutez les légumes et poursuivez la recette en les laissant cuire de 15 à 20 min.

5 Disposez le riz dans un grand saladier de service. Décorez-le avec quelques choux de Bruxelles. Moulez le curry de légumes : huilez un bol profond et remplissez-le en tassant légèrement. Attendez 1 min et retournez rapidement le bol sur le riz. Servez très chaud.

SAVOIR S'ORGANISER
Vous pouvez préparer le curry de légumes 72 h à l'avance et le conserver au réfrigérateur.

DES DESSERTS POUR CHANGER

CRÈME À L'AMANDE ET FRUITS FRAIS   230

CRÈME À L'AMANDE ET AUX PRUNES   233

BEIGNETS DE BANANE AU CITRON VERT   234

BEIGNETS DE POMME AU SIROP CARAMÉLISÉ   237

RIZ GLUANT AUX MANGUES   238

RIZ GLUANT À L'ANANAS FRAIS   241

TARTE AUX FIGUES ET AUX ÉPICES   242

TARTELETTES AUX FIGUES ET AUX ÉPICES   245

CRÈME À L'AMANDE ET FRUITS FRAIS

Xian guo xan ren dou fu

 POUR 8 PERSONNES   PRÉPARATION : 40 MIN*

ÉQUIPEMENT

moule à gâteau carré
de 20 cm de côté

casseroles, dont
1 à fond épais

baguettes

cuiller métallique

palette

couteau d'office

bols

planche à découper

CONSEIL MALIN

*«Une casserole à fond épais
est indispensable pour
que le mélange de lait
et de sucre n'attache pas
durant la cuisson.»*

*Les repas chinois se terminent rarement
par un dessert. En revanche, une soupe sucrée
ou une préparation à base de fruits sont souvent
servis entre les plats pour rafraîchir le palais.
Celle-ci, à base de lait et d'essence d'amande,
ressemble à une crème au soja,
mais sa consistance délicate et sa saveur
profonde en font un délicieux dessert
pour les Occidentaux que nous sommes.*

* plus 3 ou 4 h de réfrigération

LE MARCHÉ

4 mandarines	
500 g de litchis	
8 brins de menthe fraîche	
Pour la crème à l'amande	
60 cl de lait	
60 g de sucre en poudre	
2 cuil. à soupe de gélatine en poudre	
15 cl d'eau	
1 cuil. à café d'essence d'amande	
Pour le sirop	
15 cl d'eau	
70 g de sucre en poudre	

INGRÉDIENTS

mandarines**   litchis***

sucre

lait   essence
d'amande

menthe

gélatine

** ou 250 g de mandarines
en boîte, égouttées
*** ou 1 grosse boîte de litchis,
égouttés

DÉROULEMENT

1   PRÉPARER
LA CRÈME
À L'AMANDE

2   FAIRE LE SIROP
ET PRÉPARER
LES FRUITS

3   POUR TERMINER

230

1 PRÉPARER LA CRÈME À L'AMANDE

Les baguettes sont très efficaces pour remuer

1 Mélangez le lait et le sucre dans une casserole moyenne à fond épais et portez à ébullition sur feu moyen, en remuant de temps en temps avec les baguettes, jusqu'à ce que le sucre ait fondu.

2 Mettez l'eau dans une petite casserole et versez-y la gélatine en pluie ; laissez reposer 5 min, jusqu'à ce qu'elle ait gonflé.

3 Chauffez sur feu très doux, en secouant la casserole de temps en temps, mais sans remuer, jusqu'à ce que la gélatine ait fondu.

4 Hors du feu, incorporez au lait la gélatine, puis l'essence d'amande.

5 Versez le lait parfumé à l'amande dans le moule. Laissez revenir à température ambiante, couvrez bien et mettez au réfrigérateur pour 3 ou 4 h, jusqu'à ce que la crème soit prise.

La crème va prendre en refroidissant

2 FAIRE LE SIROP ET PRÉPARER LES FRUITS

1 Pour faire le sirop, mélangez l'eau et le sucre dans une petite casserole et chauffez, en remuant de temps en temps, jusqu'à ce que le sucre ait fondu.

2 Portez à petite ébullition et maintenez-la 1 min environ. Retirez du feu et laissez refroidir.

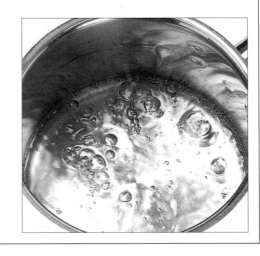

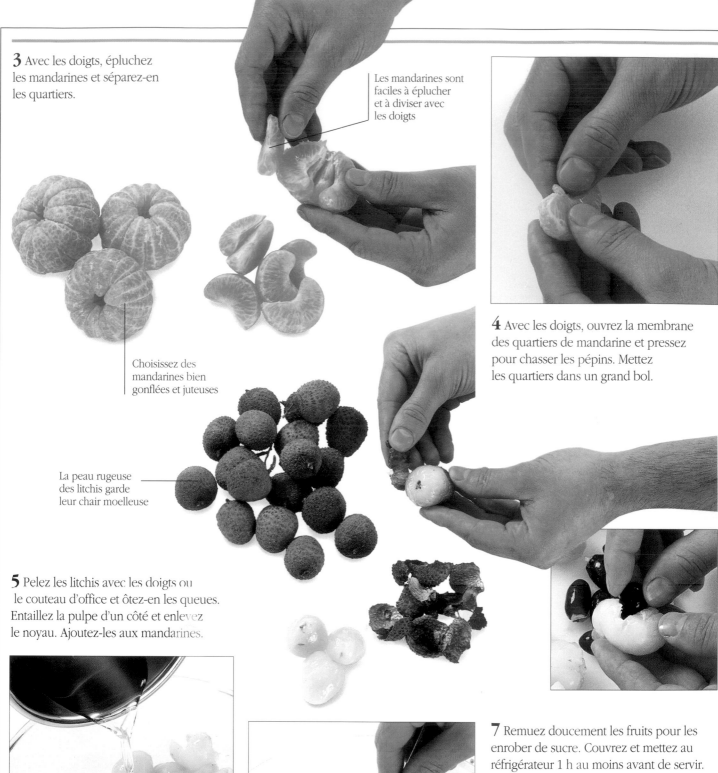

3 Avec les doigts, épluchez les mandarines et séparez-en les quartiers.

Les mandarines sont faciles à éplucher et à diviser avec les doigts

Choisissez des mandarines bien gonflées et juteuses

4 Avec les doigts, ouvrez la membrane des quartiers de mandarine et pressez pour chasser les pépins. Mettez les quartiers dans un grand bol.

La peau rugeuse des litchis garde leur chair moelleuse

5 Pelez les litchis avec les doigts ou le couteau d'office et ôtez-en les queues. Entaillez la pulpe d'un côté et enlevez le noyau. Ajoutez-les aux mandarines.

6 Versez le sirop de sucre refroidi sur les litchis et les mandarines.

7 Remuez doucement les fruits pour les enrober de sucre. Couvrez et mettez au réfrigérateur 1 h au moins avant de servir.

CONSEIL MALIN

«Les mandarines fraîches ne sont pas toujours disponibles à la même époque que les litchis ; vous devrez peut-être associer des mandarines en boîte avec des litchis frais, ou inversement. Pour que ce dessert soit plus léger, préférez des conserves au naturel.»

3 POUR TERMINER

Le couteau d'office coupe nettement la crème

1 Avec le couteau d'office, détaillez la crème à l'amande en bandes de 4 cm de large. Puis coupez-la en biais en son milieu, d'un angle à l'angle opposé. Faites 3 entailles à intervalles réguliers de chaque côté de la diagonale pour former des losanges. Glissez la lame du couteau tout le long du bord du moule.

2 Disposez les fruits à la cuiller sur des assiettes. Glissez la palette sous la crème et sortez les losanges un par un.

3 Posez sur chaque assiette 2 losanges de crème à côté des fruits.

🍽 POUR SERVIR
Décorez avec des brins de menthe.

La crème à l'amande est ferme et délicieusement lisse

Les litchis comptent parmi les plus beaux fruits de Chine

VARIANTE

CRÈME À L'AMANDE ET AUX PRUNES

XAN REN DOU FU LIZI XAN REN

La crème à l'amande est ici découpée en cubes et servie avec des prunes et des amandes grillées.

1 N'utilisez ni mandarines, ni litchis, ni menthe. Préparez la crème à l'amande et mettez au réfrigérateur.

2 Entaillez 750 g de prunes fraîches autour du noyau. Faites pivoter les deux moitiés. Sortez le noyau avec la pointe du couteau. Coupez chaque moitié en 3 quartiers. Préparez le sirop et gardez-le au chaud; mettez-y les prunes pour 2 à 3 min. Laissez-les refroidir dans le sirop.

3 Préchauffez le four à 180 °C. Étalez 50 g d'amandes effilées sur une plaque à pâtisserie et enfournez pour 8 à 10 min, jusqu'à ce qu'elles soient légèrement dorées. Laissez refroidir.

4 Coupez la crème à l'amande en 9 carrés, sortez-les délicatement du moule à l'aide de la palette et posez-les sur une planche à découper. Détaillez-les chacun en 9 cubes. Répartissez les cubes et les prunes entre 8 assiettes, couronnez avec les amandes grillées, et servez.

SAVOIR S'ORGANISER
Vous pouvez préparer la crème à l'amande et le sirop 24 h à l'avance et les conserver, couverts, au réfrigérateur. Coupez les fruits, mélangez-les au sirop et mettez au réfrigérateur 2 à 3 h à l'avance. Découpez la crème juste avant de servir.

BEIGNETS DE BANANE AU CITRON VERT

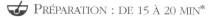

Kluay tord

¶○¶ POUR 4 PERSONNES　　**PRÉPARATION : DE 15 À 20 MIN***　　**CUISSON : DE 3 À 4 MIN**

ÉQUIPEMENT

presse-agrumes

wok

thermomètre
de cuisson
(facultatif)

planche à
découper

papier absorbant

écumoire
en bambou**

couteau d'office

casserole
moyenne
à fond épais

bol
moyen

baguettes de cuisine

baguettes

** ou cuiller percée

CONSEIL MALIN

*«Pour tester la température
de l'huile sans thermomètre
de cuisson, plongez-y
un cube de pain.
S'il dore en 40 s, elle est
suffisamment chaude.»*

*À Bangkok, les vendeurs des rues proposent
des bananes nature enrobées d'un sirop relevé
au citron vert, ou des bananes frites enrobées
de noix de coco, de sucre de palme et de riz
croustillant. Cette recette réunit les saveurs
de ces deux plats traditionnels thaïs.*

SAVOIR S'ORGANISER

Vous pouvez préparer le sirop 24 h à l'avance
et le conserver, couvert, à température ambiante.
Réchauffez-le doucement juste avant de l'utiliser.

*plus 15 min de repos

LE MARCHÉ

4 petites bananes mûres mais fermes	
huile pour la friture	
3 cuil. à soupe de farine de blé supérieure	
100 g de noix de coco séchée	
doubles tortillons de citron vert (voir p. 123) pour la décoration (facultatif)	
Pour la pâte	
70 g de farine de blé supérieure, ou plus	
1 cuil. à café de bicarbonate de soude	
15 cl d'eau, ou plus	
1 cuil. à soupe d'huile	
Pour le sirop au citron vert	
2 citrons verts	
200 g de cassonade	
30 g de beurre	
4 cuil. à soupe d'eau	

INGRÉDIENTS

citrons
verts

farine de blé
supérieure

bicarbonate
de soude

bananes

noix
de coco
séchée

cassonade

beurre

huile

DÉROULEMENT

1. FAIRE LA PÂTE

2. PRÉPARER LE SIROP

3. FAIRE FRIRE
LES BANANES
ET TERMINER
LE DESSERT

1 FAIRE LA PÂTE

1 Mettez dans le bol la farine et le bicarbonate de soude. Mélangez bien avec les baguettes.

Mélangez les ingrédients secs avec les baguettes

2 Versez l'eau petit à petit, en remuant avec les baguettes, jusqu'à ce que la pâte soit lisse. Laissez reposer 15 min environ. Pendant ce temps, préparez le sirop au citron vert (voir ci-dessous).

3 Ajoutez l'huile et incorporez-la bien à la pâte. Soulevez-en un peu avec une cuiller : elle doit avoir la consistance d'une crème très épaisse.

CONSEIL MALIN

«Si la pâte n'a pas la bonne consistance, ajoutez un peu de farine ou d'eau.»

2 PRÉPARER LE SIROP

1 Coupez les citrons verts en deux et pressez-les : vous devez obtenir 10 cl de jus.

2 Mélangez la cassonade, le beurre et l'eau dans la casserole.

Le sirop a moins tendance à attacher dans une casserole à fond épais

3 Portez à ébullition sur feu moyen, en remuant. Laissez bouillir de 2 à 3 min, sans remuer, jusqu'à ce que le sirop ait légèrement épaissi.

4 Incorporez 4 cuil. à soupe de jus de citron et mélangez bien. Goûtez et ajoutez-en éventuellement un peu plus. Gardez le sirop au chaud sur feu doux.

3 FAIRE FRIRE LES BANANES ET TERMINER LE DESSERT

1 Pelez les bananes et coupez-les chacune en 3 morceaux égaux. Réservez.

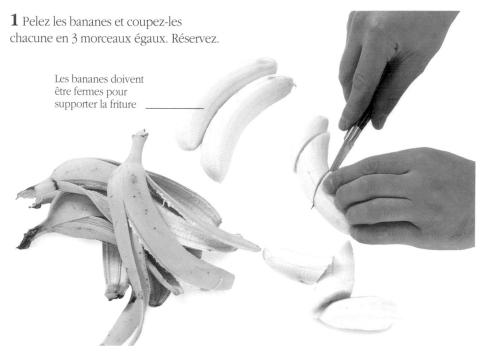

Les bananes doivent être fermes pour supporter la friture

2 Mettez de l'huile dans le wok sur une hauteur de 2,5 cm et chauffez-la à 190 °C.

ATTENTION !

Ne remplissez pas trop le wok et posez-le sur un anneau à wok pour le stabiliser.

3 Pendant ce temps, étalez la farine et la noix de coco séchée sur 2 assiettes séparées. Farinez les morceaux de banane et mettez-les dans la pâte.

4 Sortez un morceau de banane avec les baguettes et laissez s'égoutter l'excès de pâte.

Retournez les beignets avec les baguettes pour qu'ils dorent uniformément

5 Avec les doigts, roulez le morceau de banane dans la noix de coco. Mettez-le sur une assiette. Procédez de la même façon pour les autres morceaux.

6 À l'aide des baguettes de cuisine, mettez les morceaux de banane dans l'huile chaude et laissez-les frire 1 min, en les retournant 1 fois.

CONSEIL MALIN

«Les baguettes de cuisine sont très longues. Elles présentent l'avantage de garder vos mains éloignées de l'huile brûlante.»

7 Sortez les beignets du wok à l'aide de l'écumoire en bambou et laissez-les s'égoutter sur du papier absorbant.

Quand les beignets sont dorés, sortez-les délicatement du wok

8 Versez à la cuiller un peu de sirop au citron chaud sur 4 assiettes. Posez les beignets de banane par-dessus.

¶©¶ POUR SERVIR
Décorez avec des doubles tortillons de citron vert et servez aussitôt.

Le sirop au citron vert se marie bien avec les beignets

VARIANTE
BEIGNETS DE POMME AU SIROP CARAMÉLISÉ ET AU SÉSAME

Dans cette variante très facile à réaliser d'un dessert chinois classique, des tranches de pomme sont enrobées de pâte et frites, puis nappées de sirop et saupoudrées de graines de sésame.

1 N'utilisez ni bananes, ni citrons verts, ni noix de coco. Faites la pâte en suivant la recette principale.

2 Préparez le sirop caramélisé, en remplaçant tout le jus de citron vert par 1 cuil. à soupe de citron. Gardez le au chaud.

3 Pelez 3 pommes à couteau moyennes (environ 500 g) et ôtez-en les extrémités. Détaillez-les en quartiers, enlevez-en le cœur, puis coupez les quartiers en deux.

4 Farinez les morceaux de pomme, mettez-les dans la pâte, puis faites-les frire. Laissez les beignets s'égoutter sur du papier absorbant. Disposez-les sur un plat et nappez-les de sirop chaud. Saupoudrez-les avec 2 cuil. à soupe de graines de sésame et servez aussitôt.

RIZ GLUANT AUX MANGUES

Khao niew mamuang

🍽 POUR 6 PERSONNES   🥄 PRÉPARATION : 40 MIN*   ♨ CUISSON : DE 40 À 50 MIN*

ÉQUIPEMENT

passoire en toile métallique

wok avec couvercle

panier à claie en bambou avec couvercle**

casserole moyenne à fond épais

bol

couteau chef

couteau d'office

cuiller en bois

planche à découper

mousseline

** ou panier métallique

CONSEIL MALIN

«Dans une casserole à fond épais, le sucre et la noix de coco ont moins tendance à attacher.»

INGRÉDIENTS

riz gluant

mangues

sucre

lait de coco

Ce célèbre dessert thaï composé de riz aromatisé à la noix de coco et de tranches de mangue juteuses terminera agréablement un repas asiatique épicé. Il se prépare avec du riz gluant, idéal pour préparer des desserts crémeux. Vous pouvez le choisir à grains courts ou à grains longs. Réservez éventuellement 4 cuil. à soupe de la «crème» épaisse qui remonte à la surface du lait de coco pour terminer le plat en les versant au centre du riz.

SAVOIR S'ORGANISER

Vous pouvez préparer le riz gluant 6 à 8 h à l'avance et le conserver, couvert, à température ambiante. Coupez les mangues juste avant de servir.

* plus 3 h au moins de trempage

LE MARCHÉ

400 g de riz gluant
100 g de sucre
1/2 cuil. à café de sel
30 cl de lait de coco en boîte
3 grosses mangues bien mûres, soit 1 kg environ

DÉROULEMENT

1 PRÉPARER ET FAIRE CUIRE LE RIZ

2 FAIRE LE RIZ GLUANT ET PRÉPARER LES MANGUES

3 TERMINER LE DESSERT

238

1 PRÉPARER ET FAIRE CUIRE LE RIZ

2 Versez le riz dans la passoire pour en éliminer toute l'eau.

1 Mettez le riz dans le bol et remplissez-le d'eau froide. Couvrez et laissez tremper 3 h au moins, ou toute la nuit.

Les grains de riz gonflent et s'attendrissent légèrement durant le trempage

3 Lavez longuement le riz sous l'eau froide pour en éliminer tout l'amidon.

4 Versez dans le wok suffisamment d'eau pour que le fond du panier en bamboula touche presque. Couvrez et portez à ébullition.

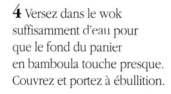

Étalez bien le riz pour qu'il cuise régulièrement

5 Chemisez le fond et les côtés du panier en bambou avec une double épaisseur de mousseline humide.

6 Versez le riz dans le panier et étalez-le en une couche régulière.

La mousseline protège le riz durant la cuisson à la vapeur

7 Découvrez le wok et placez le panier de riz au-dessus de l'eau bouillante. Coiffez-le de son ouvercle. Baissez un peu le feu. Cuisez le riz à la vapeur de 40 à 50 min, jusqu'à ce que les grains soient tendres. Plus il aura trempé longtemps, plus il cuira vite.

ATTENTION !

Si vous utilisez un wok à fond rond, posez-le sur un anneau à wok pour le stabiliser. Quand l'eau bout, assurez-vous qu'elle ne touche pas le riz. Vous devrez peut-être en rajouter un peu durant la cuisson pour la maintenir au même niveau.

PELER ET TRANCHER UNE MANGUE

Roulez la mangue sur un plan de travail : elle se positionnera d'elle-même sur son côté le plus plat.

1 En tenant la mangue dans votre main, enlevez-en la peau avec un couteau d'office.

2 À l'aide d'un couteau chef, coupez délicatement la mangue dans le sens de la longueur jusqu'à ce que la lame rencontre le noyau. Jetez-le.

3 Posez les moitiés de mangue, tranche vers le bas, sur une planche à découper et coupez-les dans le sens de la longueur en tranches de 5 mm.

2 FAIRE LE RIZ GLUANT ET PRÉPARER LES MANGUES

1 Dans la casserole, mélangez le sucre et le sel avec 25 cl de lait de coco.

2 Portez doucement à ébullition, en remuant avec la cuiller en bois, jusqu'à ce que le sucre ait fondu. Retirez la casserole du feu.

Remuez sans arrêt pour que le lait de coco et le sucre n'attachent pas

Le lait de coco est épais et très lisse

3 Sortez le riz chaud de la mousseline et mettez-le dans le mélange à la noix de coco. Laissez-le refroidir à température ambiante 30 min environ. Pendant ce temps, préparez les mangues (voir encadré ci-contre).

3 TERMINER LE DESSERT

1 Mettez le riz gluant au milieu d'un plat et disposez tout autour les tranches de mangue, en les faisant se chevaucher.

2 Avec le dos d'une cuiller, creusez un puits au centre du riz. Versez-y le reste du lait de coco (4 cuil. à soupe).

¶○¶ POUR SERVIR
Décorez le riz gluant avec quelques tranches de mangue, et servez à température ambiante.

Les tranches de mangue accompagnent parfaitement le riz gluant

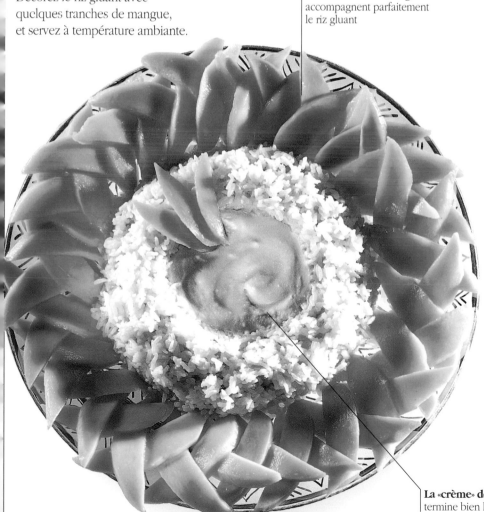

La «crème» de noix de coco termine bien le plat

VARIANTE
RIZ GLUANT À L'ANANAS FRAIS ET À LA NOIX DE COCO
L'ananas frais acide se marie avec la noix de coco crémeuse, et de la noix de coco grillée apporte son croquant au riz.

1 Faites le riz gluant en suivant la recette principale. Peu de temps avant de servir, préchauffez le four à 190 °C. Étalez 50 g de noix de coco séchée sur une plaque à pâtisserie et grillez-la au four 5 min environ, en remuant de temps en temps pour qu'elle dore régulièrement. Sortez-la et laissez-la refroidir.

2 Ôtez le panache et la base de l'ananas, puis épluchez-le avec un couteau d'office. Travaillez du haut vers le bas, en suivant la courbure du fruit, et en coupant assez profondément pour enlever tous les yeux avec la peau.

3 Coupez l'ananas en deux dans le sens de la longueur, puis en quartiers. Si le cœur est un peu dur, ôtez-le et jetez-le. Coupez les quartiers en tranches nettes.

4 Faites des petits tas de riz gluant sur 6 assiettes à dessert. Creusez un puits au centre et mettez-y 1 cuil. du reste de lait de coco. Disposez les tranches d'ananas autour du riz et saupoudrez avec la noix de coco grillée.

TARTE AUX FIGUES ET AUX ÉPICES

🍽 POUR 6 À 8 PERSONNES   🥣 PRÉPARATION : DE 25 À 30 MIN*   ☕ CUISSON : DE 15 À 20 MIN

ÉQUIPEMENT

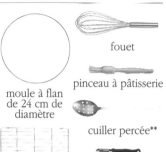

fouet

pinceau à pâtisserie

moule à flan
de 24 cm de
diamètre

cuiller percée**

couteau éplucheur

grille
à pâtisserie

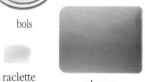

palette

couteau d'office

bols

raclette
à pâtisserie

plaque
à pâtisserie

casseroles, dont 1 avec couvercle
et 1 à fond épais avec couvercle

rouleau à pâtisserie

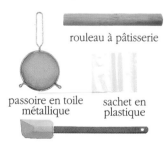

passoire en toile
métallique

sachet en
plastique

spatule en caoutchouc

** ou écumoire

*Les figues fraîches, avec leur belle chair rouge
et leur saveur délicate, demandent les apprêts
les plus simples. Ici, elles sont brièvement pochées
dans un sirop de vin épicé.*

* plus 1 h 15 de réfrigération

LE MARCHÉ

500 g de figues violettes
1 orange
1 citron
1 morceau de noix muscade
100 g de sucre en poudre
1 morceau de 5 cm de tuyau de cannelle
2 clous de girofle entiers
1 cuil. à café de grains de poivre noir
50 cl de vin rouge corsé
Pour la pâte
125 g de farine de blé supérieure, ou plus
50 g de semoule de maïs fine
75 g de beurre doux, et un peu pour graisser la plaque à pâtisserie et le moule
1 œuf
50 g de sucre en poudre
1/4 de cuil. à café de sel
Pour la crème
1/2 gousse de vanille
25 cl de lait
3 jaunes d'œufs
3 cuil. à soupe de sucre en poudre
2 cuil. à soupe de farine
2 cuil. à café de beurre doux
10 cl de crème épaisse

INGRÉDIENTS

figues

grains de
poivre noir

vin rouge
corsé

lait

orange

noix
muscade
entière

jaunes
d'œufs

citron

beurre
doux

gousse de
vanille*** farine de blé supérieure

sucre en poudre

tuyau de
cannelle

clous
de girofle entiers

crème
épaisse

œuf

semoule
de maïs
fine

*** ou 1/4 de cuil. à café d'extrait
de vanille

DÉROULEMENT

1 FAIRE LA PÂTE,
FONCER LE MOULE
ET CUIRE LE FOND

2 PRÉPARER LA CRÈME
PÂTISSIÈRE

3 FAIRE LE SIROP;
POCHER LES FIGUES;
TERMINER LA TARTE

1 FAIRE LA PÂTE, FONCER LE MOULE ET CUIRE LE FOND

1 Tamisez la farine sur le plan de travail. Ajoutez la scmoule de maïs et creusez un puits au centre. Écrasez le beurre sous le rouleau à pâtisserie pour le ramollir.

2 Battez l'œuf. Mettez-le dans le puits avec le beurre, le sucre et le sel. Travaillez ces ingrédients du bout des doigts jusqu'à ce qu'ils soient parfaitement mélangés.

Utilisez la raclette à pâtisserie pour rassembler les ingrédients

3 À l'aide de la raclette à pâtisserie, ramenez la farine et la semoule vers le centre et mélangez-les avec les doigts aux autres ingrédients. Pressez la pâte pour former une boule. Si elle colle, incorporcz-y un peu plus de farine.

Pétrissez la pâte sous le talon de votre main

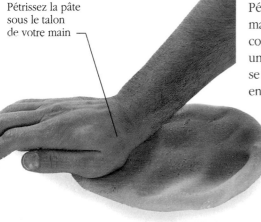

4 Farinez légèrement le plan de travail. Pétrissez la pâte sous le talon de votre main, repliez-la sur elle-même et continuez à pétrir de 1 à 2 min. Formez une boule, emballez-la bien et laisscz la se raffermir au réfrigérateur 30 min environ.

5 Posez le moule sur la plaque à pâtisserie. Enduisez-les de bcurre fondu. Abaissez la pâte sur le plan de travail fariné en un cercle de 28 cm de diamètre. Enroulez-la sur le rouleau à pâtisserie et déposez-la sur le moule.

Le fond de pâte reste bien rond dans le moule

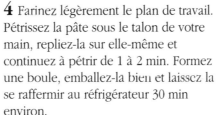

6 Soulevez légèrement du bout des doigts le bord de la pâte et pressez-la bien au fond du moule. Repliez l'excès de pâte vers l'intérieur pour former un bord plus épais. Laissez le fond se raffermir au réfrigérateur 15 min environ. Préchauffez le four à 190 °C.

7 Enfournez pour 15 à 20 min, jusqu'à ce que le fond ait pris et soit bien doré. Faites doucement glisser le moule sur la grille à pâtisserie, enlevez le bord et laissez refroidir.

2 PRÉPARER LA CRÈME PÂTISSIÈRE

Quand vous repliez la crème sur elle-même, tournez le bol dans le sens inverse des aiguilles d'une montre

1 Fendez la gousse de vanille dans le sens de la hauteur. Mettez-la dans la casserole à fond épais, versez le lait et portez à ébullition. Retirez du feu, couvrez et laissez infuser de 10 à 15 min. Dans un bol, fouettez les jaunes d'œufs et le sucre de 2 à 3 min, jusqu'à ce qu'ils épaississent. Incorporez la farine, puis le lait chaud, petit à petit, jusqu'à ce que le mélange soit lisse. Remettez-le dans la casserole. Portez de nouveau à ébullition sur feu moyen, en fouettant constamment, jusqu'à ce qu'il épaississe.

2 Baissez le feu et cuisez 2 min environ, en fouettant sans arrêt. Retirez du feu, enlevez la gousse de vanille ou, si vous ne l'avez pas utilisée, ajoutez l'extrait de vanille. Enduisez la surface de la crème de beurre pour éviter la formation d'une peau et mettez au réfrigérateur 30 min.

CONSEIL MALIN
«La cuisson de la farine lui évite de donner un arrière-goût à la crème.»

3 Versez la crème épaisse dans un bol très froid et fouettez-la jusqu'à ce qu'elle forme de petites crêtes; couvrez et mettez au réfrigérateur. Ajoutez la crème à la crème pâtissière refroidie et mélangez en repliant la préparation sur elle-même. Couvrez et mettez au réfrigérateur. Préparez le sirop et pochez les figues.

3 FAIRE LE SIROP; POCHER LES FIGUES; TERMINER LA TARTE

Le vin va réduire et se corser

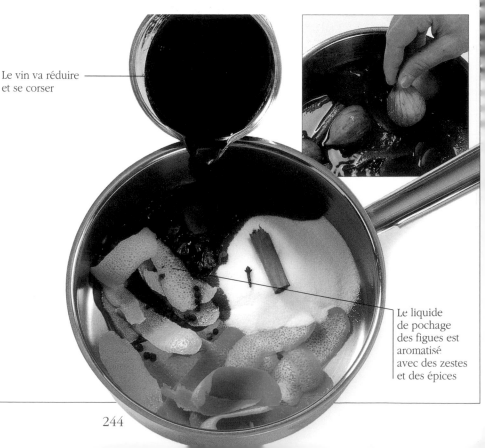

1 Piquez les figues en 2 ou 3 points pour que le sirop puisse y pénétrer.

2 Prélevez le zeste de l'orange et du citron. Enfermez la noix muscade dans un sachet en plastique et écrasez-la avec le rouleau à pâtisserie. Mettez-la dans une casserole avec les zestes, le sucre et toutes les épices. Versez le vin. Chauffez, en remuant, pour faire fondre le sucre. Portez à ébullition et ajoutez les figues.

Le liquide de pochage des figues est aromatisé avec des zestes et des épices

Gardez
l'extrémité
des figues

3 Couvrez et pochez les figues de 3 à 5 min, jusqu'à ce qu'elles soient tendres. Sortez-les, égouttez-les longuement, et laissez-les refroidir. Maintenez le sirop à légère ébullition de 25 à 30 min, pour n'en garder que 15 cl environ. Filtrez-le et laissez refroidir.

4 Enlevez la queue des figues; coupez-les en quartiers, sans enlever l'autre extrémité pour qu'elles ne se défassent pas. Mettez le fond de pâte sur un plat.

5 Étalez la crème pâtissière sur le fond de pâte. Disposez par-dessus les figues en cercles concentriques, et ouvrez-les légèrement. Nappez-les à la cuiller avec 1 ou 2 cuil. à soupe de sirop.

 **POUR SERVIR**

Juste avant de servir, arrosez la tarte avec le reste de sirop. Servez à température ambiante, découpé en parts.

Le vin épicé apporte de la couleur

Les figues pochées sont tendres et très parfumées

VARIANTE

TARTELETTES AUX FIGUES ET AU VIN ÉPICÉ

Des tranches de figue couronnent ici des tartelettes individuelles.

1 Faites la pâte à la semoule de maïs et mettez-la au réfrigérateur. Enduisez une plaque à pâtisserie de beurre fondu. Farinez légèrement le plan de travail. Roulez la pâte entre vos mains pour former un cylindre de 30 cm environ. Coupez-le en 6 morceaux égaux. Pressez-les pour former des boules, puis aplatissez-les en cercles de 12 cm.

2 Posez les cercles sur la plaque à pâtisserie et repliez-en le haut pour former un bord. Laissez-les se raffermir au réfrigérateur 15 min environ. Enfournez pour 12 à 15 min, jusqu'à ce qu'ils soient brun doré. Laissez refroidir sur une grille.

3 Préparez la crème pâtissière en suivant la recette principale. Préparez le sirop de vin épicé et faites-le réduire.

4 Disposez les cercles de pâte sur des assiettes individuelles et garnissez-les de crème pâtissière.

5 Ne pochez pas les figues. Coupez-les en fines tranches dans le sens de la longueur et disposez-les sur la crème en les faisant se chevaucher comme les pétales d'une fleur.

6 Enduisez les tranches de figue de sirop; servez le reste à part.

SAVOIR S'ORGANISER

Vous pouvez préparer la pâte 48 h à l'avance et la conserver, bien emballée, au réfrigérateur. Les cercles de pâte cuits se gardent 8 h; pochez les figues et préparez la crème pâtissière 2 h au maximum avant de composer la tarte, ce que vous ferez juste avant de servir.

INDEX

A

Acar (légumes piquants) 206
Ail
Le peler et le hacher 136
Agneau
Agneau braisé à l'indienne 174
Agneau épicé à la marocaine 177
Boulettes d'agneau à l'indienne 173
Brochettes d'agneau à la turque 170
Couscous d'agneau et de légumes 183
Algues
Sushi 44

B

Beignets
Beignets de banane au citron vert 234
Beignets de pomme au sirop
caramélisé 237
Bœuf
Bœuf braisé à la vietnamienne 133
Bœuf et légumes braisés 109
Bouillon de bœuf 21
Curry de bœuf à l'indonésienne 128
Potage au bœuf et au riz 25
Soupe de bœuf aux pâtes de riz 20
Steaks sauce barbecue 91
Sukiyaki de bœuf 157
Brochettes
Brochettes à l'indonésienne 146
Brochettes d'agneau à l'indienne 173
Brochettes d'agneau à la turque 170
Brochettes de poulet à la japonaise 103
Brochettes de poulet à la thaï 100
Brochettes de poulet
à la vietnamienne 149

C-D

Cacahuètes
Nid de salade et sauce aux cacahuètes 189
Nouilles chinoises en salade 54
Salade de légumes et de tofu 211
Canard
Canard à la chinoise 116
Salade de riz sauvage au canard laqué 65
Séchage 117
Carotte
La couper en julienne 34
Champignons
Rouleaux de printemps végétariens 37

Chine

Canard à la chinoise 116
Légumes sautés à la chinoise 221
Nouilles chinoises en salade 54
Chou
Borchtch campagnard 200
Borchtch et pirojkis 196
Fondue japonaise 104
Petits croissants farcis 26
Citronnelle
La peler et le hacher 112
Porc à la citronnelle 115
Poulet à la citronnelle 110
Concombre
Salade au concombre
et au piment 102
Sushi 44
Crêpes
Légumes fleur jaune 127
Porc fleur jaune 122
Crevette
Barquettes de riz aux crevettes 49
La décortiquer et la dénerver 203
Nouilles chinoises en salade 54
Pâtes de riz sautées 202
Pâtés impériaux aux crevettes roses 43
Rouleaux de printemps
vietnamiens 32
Salade de la mer épicée 66
Soupe de crevette aux épinards 14
Curry
Curry de bœuf à l'indonésienne 128
Pâte de curry 129
Riz sauté au curry 217
Dinde
Mole poblano 92

E

Echalote
La hacher 147, 209
Epinards
Soupe de crevette aux épinards 14

F

Friture rapide
Délice de Bouddha 134
Légumes fleur jaune 127
Légumes sautés à
la vietnamienne 139
Pâtes de riz sautées 202

[Porc]

Porc à la citronnelle 115
Porc fleur jaune 122
Poulet à la citronnelle 110
Riz sauté à l'indonésienne 212
Riz sauté au curry 217
Fruits
Beignets de banane au citron vert 234
Beignets de pomme au sirop
caramélisé 237
Crème à l'amande et aux prunes 233
Crème à l'amande et fruits frais 230
Riz gluant à l'ananas 241
Riz gluant aux mangues 238
Tarte aux fruits et aux épices 242
Tartelettes aux figues 245

G-H-I-J

Galanga
Le peler, le trancher et le hacher 210
Gingembre
L'éplucher et le hacher 28, 59, 144, 155
Nouilles chinoises en salade 54
Petits croissants farcis 26
Salade de poulet laqué 58
Sukiyaki de bœuf 157
Sukiyaki de porc 154
Inde
Agneau braisé à l'indienne 174
Boulettes d'agneau à l'indienne 173
Salade de poulet à l'indienne 50
Indonésie
Brochettes à l'indonésienne 146
Curry de bœuf à l'indonésienne 128
Gado Gado 184
Riz sauté à l'indonésienne 212
Travers de porc épicés
à l'indonésienne 153
Japon
Fondue japonaise 104
Salade de poulet
à la japonaise 103

L

Lait de coco
Le préparer 224
Riz gluant aux mangues 238
Légumes
Couscous végétarien 178
Curry de légumes 222
Délice de Bouddha 134

Légumes à la thaïlandaise 218
Légumes fleur jaune 127
Légumes sautés à la chinoise 22
Légumes sautés à la vietnamienne 218
Légumes sautés piquants 206
Salade de légumes et de tofu 211

M-N-O

Mangue
La peler et la couper 240
Riz gluant aux mangues 238

Maroc
Agneau à la marocaine 177
Tajine de poulet aux aubergines 165
Tajine de poulet aux épices 162

Mexique
Carré de porc à la mexicaine 86
Chaussons mexicains 80
Chili à la mexicaine 99
Chili con carne 96
Mole de porc 95
Mole poblano 92

Noix de pécan
Les griller 63
Salade au riz sauvage 62

Œufs
Lanières d'omelette 214

Oignon
L'émincer 163
Le hacher 159, 187, 214
Pâte pimentée
à l'oignon 213
Préparer des palmiers
d'oignon nouveau 151

P

Pâtes
Fondue japonaise 104
Fruits de mer épicés 69
Pâtes de riz sautées 202
Pâtes sautées à la thaï 205
Soupe de bœuf aux pâtes de riz 20

Piment
Ôter son pédoncule et ses graines et le
couper en dés-56, 84, 87, 130, 142
Pâte pimentée à l'oignon 213
Sauce épicée 212

Poireaux
Les préparer et les couper en lanières 179

Poisson et fruits de mer
Flétan à la thaï 169
Flétan à l'orientale 166

Fondue japonaise 104
Fruits de mer épicés 69
Salade de la mer épicée 66

Poivron
Le peler, l'épépiner et le hacher 160

Porc
Carré de porc à la mexicaine 86
Chaussons mexicains au porc 85
Mole de porc 95
Petits croissants farcis 26
Porc à la citronnelle 115
Porc à l'aigre-doux 150
Porc fleur jaune 122
Rouleaux de printemps vietnamiens 32
Salade de nouilles thaï 57
Sukiyaki de porc 154

Poulet
Brochettes de poulet à la japonaise 103
Brochettes de poulet à la thaï 100
Brochettes de poulet à la vietnamienne 149
Chaussons mexicains 80
Fondue japonaise 104
Le désosser 101
Poulet à la citronnelle 110
Poulet et crevettes à la thaï 145
Poulet et crevettes de Malaisie 140
Poulet Pojarski 190
Poulet rôti à la cantonaise 121
Poulet sauté au poivre de Sichuan 161
Riz sauté à l'indonésienne 212
Sauté de poulet à la bière 161
Sauté de poulet au paprika 158
Tajine de poulet aux aubergines 165
Tajine de poulet aux épices 162

R

Riz
Barquettes de riz aux crevettes 49
Potage au bœuf et au riz 25
Riz blanc à grains longs à l'eau 132
Riz gluant à l'ananas frais 241
Riz gluant aux mangues 238
Riz sauté à l'indonésienne 212
Riz sauté au curry 217
Salade de riz sauvage 62
Sushi 44

S

Salades
Fruits de mer épicés sur salade de
vermicelles 69
Poulet à la citronnelle 110

Salade au concombre et au piment 102
Salade au riz sauvage 62
Salade de la mer épicée 66
Salade de légumes et de tofu 211
Salade de nouilles thaï 57
Salade de poulet à l'estragon 53
Salade de poulet à l'indienne 50
Salade de poulet laqué 58
Salade de poulet teriyaki 61
Salade de poulet tropicale 77
Salade de riz sauvage au canard laqué 65
Salade méditerranéenne 73
Salade Waldorf 74
Salades du Moyen-Orient 70

Sauce
Salsa 86
Sauce d'accompagnement 33
Sauce épicée 208
Sauce soja épicée 55

Soupes
Borchtch campagnard 200
Borchtch et pirojkis 196
Consommé au bar 19
Potage au bœuf et au riz 25
Soupe de bœuf aux pâtes de riz 20
Soupe de crevette aux épinards 14

T

Thaï
Brochettes de poulet à la thaï 100
Flétan à la thaï en papillotes 169
Pâtes sautées à la thaï 205
Poulet et crevettes à la thaï 145
Riz sauté au curry à la thaï 217
Salade de nouilles thaï 57

Tofu
Délice de Bouddha 134
Fondue japonaise 104
Légumes fleur jaune 127
Salade de légumes et de tofu 211

Tomates
Les peler, les épépiner
et les concasser 82, 98

Turquie
Boulettes d'agneau à la turque 170

V

Viêt Nam
Bœuf braisé à la vietnamienne 133
Brochettes de poulet
à la vietnamienne 149
Légumes sautés à la vietnamienne 139
Rouleaux de printemps vietnamiens 32

Édition originale
© Dorling Kindersley Limited
© Anne Willan pour les textes
Titres originaux : LOOK & COOK, 1992, *Main Dish Vegetables, Chicken Classics, Meat Classics*, 1993, *Asian Cooking*,
Creative Appetizers, Superb Salads, Fish Classics, Creative Casseroles 1994, *Perfect Pies and Tarts*.

Édition française
© Sélection du Reader's Digest, 1993, *Les légumes, Le poulet, Les viandes*, 1994, *Les entrées, Les salades, Les poissons,
Les tartes sucrées, Les plats mijotés*, 1995, *La cuisine asiatique*.

Adaptation pour cette édition : Marabout, 2001.

Photos : David Murray, Jules Selmes, assistés de Ian Boddy.

Imprimé et relié à Singapour par Tien Wah Press
Dépôt légal n° 18894 / Février 2002
ISBN 2-501-03559-3